HISTOIRE DU CANADA
DEPUIS SA DÉCOUVERTE
JUSQU'A NOS JOURS
Tome I

François-Xavier Garneau

Il y a peu de pays en Amérique sur les commencemens desquels l'on ait tant écrit que sur ceux du Canada, et encore moins qui soient, après tout, si pauvres en histoires; car on ne doit pas prendre pour telles, plusieurs ouvrages qui en portent le nom, et qui ne sont autre chose que des mémoires ou des narrations de voyageur, comme, par exemple, l'Histoire de l'Amérique septentrionale par la Potherie.

Pendant longtemps l'on vit paraître en France une foule de livres dans lesquels était soigneusement recueilli tout ce qui se passait dans cette nouvelle contrée, où une lutte sanglante s'était engagée entre la civilisation et la barbarie. Mais ces oeuvres avaient pour la plupart peu de mérite littéraire, quoiqu'elles continssent, en revanche, une multitude de choses singulières et intéressantes qui les faisaient rechercher en Europe avec avidité. Peu à peu, cependant, cette ardeur s'affaiblit avec la nouveauté des scènes qu'elles retraçaient, et le Canada occupait à peine l'attention de la France, lorsque le sort des armes le fit passer en d'autres mains. Après cet événement, les écrivains, qui laissent des matériaux pour l'histoire canadienne de leur temps, deviennent encore plus rares.

Parmi les auteurs dont nous venons de parler, et qui sont antérieurs à la conquête, il ne faut pas confondre, cependant, le célèbre Jésuite Charlevoix. Le plan étendu de son Histoire de la Nouvelle-France, l'exactitude générale des faits qu'il développe, son style simple et naturel, lui ont assuré depuis longtemps un rang distingué en Amérique; et le Canada le réclame encore aujourd'hui comme le premier de ses historiens.

Il faut reconnaître néanmoins qu'il s'abandonne quelquefois à une pieuse crédulité, et que ses affections exercent sur lui une influence à laquelle il ne peut pas toujours se soustraire. Mais cela est bien pardonnable dans celui dont l'état imposait des obligations que le caractère d'historien ne pouvait même faire rompre.

Du reste, il parle des hommes et des choses avec autant de modération qu'il sait, en général, juger avec sagesse et impartialité. Ses rapports intimes avec la cour de France lui ont procuré l'avantage de puiser à des sources précieuses; et notre histoire, qui n'était jusqu'à lui qu'un squelette informe, a pris, sous sa plume, le développement et les proportions d'un ouvrage complet, le meilleur qui eût été écrit jusque-là sur l'Amérique septentrionale. C'est à ce titre, que cet auteur doit d'être appelé le créateur de l'histoire du Canada. S'il est tombé dans quelques erreurs sur les voyages de Jacques Cartier, et sur les premiers temps de la colonie, en pouvait-il être autrement à une époque où les matériaux dont il avait besoin, étaient épars ou inconnus pour la plupart, et qu'il n'a dû rassembler qu'à grands frais et après des recherches immenses?

Cependant le but et le caractère de l'Histoire de la Nouvelle-France, ne conviennent plus à nos circonstances et à notre état politique. Ecrite principalement au point de vue religieux, elle contient de longues et nombreuses digressions sur les travaux des missionnaires répandus au milieu des tribus indiennes, qui sont dénuées d'intérêt pour la généralité des lecteurs. En outre, l'auteur, s'adressant à la France, a dû entrer dans une foule de détails nécessaires en Europe, mais inutiles en Canada; d'autres aussi ont perdu leur intérêt par l'éloignement des temps.

Les documents historiques découverts depuis, et la centralisation des ouvrages relatifs au Nouveau-Monde, dans les bibliothèques publiques et des sociétés savantes, permettent de combler quelques lacunes, que l'absence d'informations certaines avait forcé de laisser, et de rectifier des faits qui étaient restés enveloppés dans l'obscurité. Dans ces bibliothèques figurent toujours au premier rang les écrits dont nous avons parlé en commençant, et surtout les précieuses relations des Jésuites, auxquelles les meilleurs historiens américains se plaisent à payer un juste tribut d'éloges. Québec possède deux collections d'ouvrages sur l'Amérique, qui s'accroissent tous les jours; l'une a été formée sous les auspices de la Société littéraire et historique, et l'autre, sous ceux de la Chambre d'assemblée, à laquelle elle appartient. La science ne peut avoir trop d'obligation aux auteurs de ces louables entreprises, et l'on doit espérer que la législature continuera d'affecter des fonds, pour enrichir ces collections et faire imprimer des manuscrits, ou de nouvelles éditions d'anciens ouvrages, qui deviennent de plus en plus rares, relatifs au pays.

Le plan de cet ouvrage a dû occuper notre attention très-sérieusement, vu surtout la différence des théâtres sur lesquels se passe l'action multiple de la colonisation de la Nouvelle-France, dont Québec était le grand centre. Quoique par son titre cette histoire ne paraisse embrasser que le Canada proprement dit, elle contiendra en réalité celle de toutes les colonies françaises de cette partie de l'Amérique jusqu'à la paix de 1763. L'unité de gouvernement et les rapports intimes qui existaient entre ces diverses provinces, ne permettent point d'en séparer l'histoire sans diminuer essentiellement l'intérêt de l'ensemble, et s'exposer à mal représenter l'esprit du système qui les régissait. Néanmoins, nous ne mènerons pas toujours de front les événemens de ces différents lieux, parce que cela nous paraît sujet à plusieurs inconvéniens, dont le moindre est de causer des interruptions fréquentes qui deviennent à la longue fatigantes pour le lecteur. Nous rapporterons ceux qui se passaient dans chaque colonie, séparément et à part, autant que cela pourra se faire sans nuire à l'enchaînement et à la clarté. Ainsi l'histoire de l'Acadie formera généralement des chapitres qui, selon le besoin, s'arrêteront en deçà, ou descendront au delà, des époques correspondantes de celle du Canada proprement dit.

Dans le même système de présenter les faits comme par tableaux où l'on puisse voir leur ensemble d'un coup-d'oeil l'aperçu des moeurs des Indiens et celui du régime civil et ecclésiastique du Canada, la relation des découvertes dans l'intérieur du continent, etc., formeront autant de chapitres ou groupes; ce qui ajoutera à l'intérêt et permettra en même temps d'abréger, lorsqu'il s'agira des provinces qui dépendaient autrefois du gouvernement canadien, et qui s'en sont ensuite séparées, par exemple la Louisiane, dont l'histoire ne nous intéresse guère plus que d'une manière générale.

Lorsque nous arriverons à l'époque mémorable de l'établissement du gouvernement constitutionnel en ce pays, nous recueillerons, avec soin et impartialité les actes des corps législatifs, qui doivent prendre place dans l'histoire. Cet événement est aussi pour nous un sujet de réminiscence; il nous rappelle un de ces actes glorieux dont toute une race, jusque dans ses plus lointaines ramifications, aime à s'honorer: et nous devons l'avouer, nous portons nos regards sur ceux qui ont conquis autrefois la charte des libertés anglaises, et dont la victoire devait ainsi nous profiter, avec d'autant plus de vénération que la race normande, d'où sortent la plupart des Canadiens, est celle qui a doté l'Angleterre de ce bienfait, principale cause de sa gloire et de sa puissance. L'histoire de cette colonie redouble d'intérêt à partir de ce moment. L'on voit en effet les sentimens, les tendances et le génie du peuple, longtemps comprimés, se manifester soudainement et au grand jour; de grandes luttes politiques et de races agiter la société, le gouvernement et les représentans populaires combattre, sur les limites extrêmes de leurs pouvoirs respectifs, pour des droits et des privilèges toujours contestés; enfin tout attache dans le spectacle animé de ces joutes paisibles de l'intelligence et de la raison, dont l'amélioration du pays et le bien-être de ses habitans, constituent l'objet. Cette partie de notre tâche ne sera ni la moins difficile ni la moins importante.

DISCOURS PRÉLIMINAIRE

L'histoire est devenue, depuis un demi siècle, une science analytique rigoureuse; non seulement les faits, mais leurs causes, veulent être indiqués avec discernement et précision, afin qu'on puisse juger des uns par les autres. La critique sévère rejette tout ce qui ne porte pas en soi le cachet de la vérité. Ce qui se présente sans avoir été accepté par elle, discuté et approuvé au tribunal de la saine raison, est traité de fable et relégué dans le monde des créations imaginaires. A ce double flambeau s'évanouissent le merveilleux, les prodiges, et toute cette fantasmagorie devant laquelle les nations à leur enfance demeurent frappées d'une secrète crainte, ou saisies d'une puérile admiration; fantasmagorie qui animait jadis les sombres forêts du Canada dans l'imagination vive de ses premiers habitans, ces indigènes belliqueux et sauvages dont il reste à peine aujourd'hui quelques traces.

Cette révolution, car c'en est une, dans la manière d'apprécier les événemens, est le fruit incontestable des progrès de l'esprit humain et de la liberté politique. C'est la plus grande preuve que l'on puisse fournir du perfectionnement graduel des institutions sociales. Les nuages mystérieux qui enveloppaient le berceau de la Grèce et de Rome, perdent de leur terreur; l'oeil peut oser maintenant en scruter les terribles secrets; et s'il pénètre jusqu'à l'origine du peuple lui-même, il voit le merveilleux disparaître comme ces légers brouillards du matin aux rayons du soleil. Car bien qu'on ait donné aux premiers rois une, nature céleste, que l'adulation des zélateurs de la monarchie, les ait enveloppés de prodiges, pour le peuple, aucun acte surnaturel ne marque son existence; sa vie prosaïque ne change même pas dans les temps fabuleux.

A venir jusqu'à il y a à peu près trois siècles une ignorance superstitieuse obscurcissait et paralysait l'intelligence des peuples. Les trois quarts du globe qu'ils habitent étaient inconnus; ils ignoraient également la cause de la plupart des phénomènes naturels qui les ravissaient d'admiration ou les remplissaient de crainte; les sciences les plus positives étaient enveloppées de pratiques mystérieuses; le chimiste passait pour un devin ou sorcier, et souvent il finissait par se croire lui-même inspiré par les esprits.

L'invention de l'imprimerie et la découverte du Nouveau-Monde ébranlèrent, sur sa base vermoulue, cette divinité qui avait couvert le moyen âge de si épaisses ténèbres. Colomb livrant l'Amérique à l'Europe étonnée, et dévoilant tout à coup une si grande portion du domaine de l'inconnu, lui porta peut-être le coup le plus funeste.

La liberté aussi, quoique perdue dans la barbarie universelle, ne s'était pas tout à fait éteinte dans quelques montagnes isolées; elle contribua puissamment au mouvement des esprits. En effet, l'on peut dire que c'est elle qui l'inspira d'abord, et qui le soutint ensuite avec une force toujours croissante.

Depuis ce moment, la grande figure du peuple apparaît dans l'histoire moderne. Jusque-là, il semble un fond noir sur lequel se dessinent les ombres gigantesques et barbares de ses maîtres, qui le couvrent presque en entier. On ne voit agir que ces chefs absolus qui viennent à nous armés d'un diplôme divin; le reste des hommes, plèbe passive, masse inerte et souffrante, semble n'exister que pour obéir. Aussi les historiens courtisans s'occupent-ils fort peu d'eux pendant une longue suite de siècles. Mais à mesure qu'ils rentrent dans leurs droits, l'histoire change quoique lentement; elle se modifie quoique l'influence des préjugés conserve encore les allures du passé à son burin. Ce n'est que de nos jours que les annales des nations ont réfléchi tous leurs traits avec fidélité; et que chaque partie du vaste tableau a repris les proportions qui lui appartiennent. A-t-il perdu de son intérêt, de sa beauté? Non. Nous voyons maintenant penser et agir les peuples; nous voyons leurs besoins et leurs souffrances; leurs désirs et leurs joies; ces masses, mers immenses, lorsqu'elles réunissent leurs millions de voix, agitent leurs millions de pensées, marquent leur amour ou leur haine, produisent un effet autrement durable et puissant que la tyrannie même si grandiose et si magnifique de l'Asie. Mais il fallait la révolution batave, la révolution de l'Angleterre, des États-Unis d'Amérique, et surtout celle de la France, pour rétablir solidement le lion populaire sur son piédestal.

Cette époque célèbre dans la science de l'histoire en Europe, est celle où paraissent les premiers essais des historiens américains de quelque réputation. On ne doit donc pas s'étonner si l'Amérique, habitée par une seule classe d'hommes, le peuple, dans le sens que l'entendent les vieilles races privilégiées de l'ancien monde, la *canaille* comme dirait Napoléon, adopte dans son entier les principes de l'école historique moderne qui prend la nation pour source et pour but de tout pouvoir.

Les deux premiers hommes qui ont commencé à miner le piédestal des idoles mythiques, de ces fantômes qui défendaient le sanctuaire inaccessible de l'inviolabilité et de l'autorité absolue contre les attaques sacrilèges du grand nombre, sont un Italien et un Suisse, nés par conséquent dans les deux pays alors les plus libres de l'Europe. Laurent Valla donna le signal au 15e. siècle. Glareanus, natif de Glaris, marcha sur ses traces. «La Suisse est un pays de raisonneurs. Malgré cette gigantesque poésie des Alpes, le vent des glaciers est prosaïque; il souille le doute.»

L'histoire des origines de Rome exerça leur esprit de critique. Erasme, Scaliger et d'autres savans hollandais vinrent après eux. Le Français, Louis de Beaufort, acheva l'oeuvre de destruction; il fut le véritable réformateur; mais s'il démolit, il n'édifia point. Le terrain étant déblayé, le célèbre Napolitain, Vico, parut et donna (1725) son vaste système de la métaphysique de l'histoire dans lequel, dit Michelet, existent déjà en germe du moins, tous les travaux de la science moderne. Les Allemands saisirent sa pensée et l'adoptèrent; Niebuhr, est le plus illustre de ses disciples.

Cependant la voix de tous ces profonds penseurs fut peu à peu entendue des peuples, qui proclamèrent, comme nous venons de le dire, l'un après l'autre, le dogme de la liberté. De cette école de doute, de raisonnement et de progrès intellectuels, sortirent Bacon, la découverte du Nouveau-Monde, la métaphysique de Descartes, l'immortel ouvrage de l'esprit des lois, Guisot, et enfin Sismondi, dont chaque ligne est un plaidoyer éloquent en faveur du pauvre peuple tant foulé par cette féodalité d'acier jadis si puissante, mais dont il ne reste plus que quelques troncs décrépits et chancellans, comme ces arbres frappés de mort par le fer et par le feu qu'on rencontre quelquefois dans un champ nouvellement défriché.

Il est une remarque à faire ici, qui semble toujours nouvelle tant elle est vraie. Il est consolant pour le christianisme, malgré les énormes abus qu'on en a faits, de pouvoir dire que les progrès de la civilisation, depuis trois ou quatre siècles, sont dus en partie à l'esprit de ce livre fameux et sublime, la Bible, objet continuel des méditations des scolastiques et des savans qui nous apparaissent au début de cette époque mémorable à travers les dernières ombres du moyen âge. La direction qu'ils ont donnée à l'esprit humain, n'a pas cessé depuis de se faire sentir; ils ont continué l'oeuvre de la généralisation du Christ, et leurs paroles, qui s'adressaient toujours à la multitude, ne faisaient que se conformer au système du maître. Le Régénérateur-Dieu est né au sein du peuple, n'a prêché que le peuple, et a choisi, par une préférence trop marquée pour ne pas être significative, les disciples de ses doctrines dans les derniers rangs de ces Hébreux infortunés, gémissant dans l'esclavage des Romains, qui devaient renverser aussi bientôt après leur antique Jérusalem. Ce fait plus que tout autre explique les tendances humanitaires du christianisme, et l'empreinte indélébile qu'il a laissée sur la civilisation moderne.

C'est sous l'influence de cette civilisation et de ces doctrines que l'Amérique septentrionale s'est peuplée d'Européens.

Une nouvelle phase se passa alors dans l'histoire du monde. C'était le deuxième débordement de population depuis le commencement de l'ère chrétienne. Le premier fut, on le sait, l'irruption des barbares qui précipita la chute de l'empire romain; le second fut l'émigration européenne en Amérique, qui précipita à son tour la ruine de la barbarie.

S'il est vrai que le spectacle tant varié de l'histoire excite constamment notre intérêt, soit qu'on assiste aux époques où les nations sont à leur plus haut degré de grandeur, ou penchent vers leur déclin, soit que, se plaçant à leur naissance, l'on jette de ce point ses regards sur la longue chaîne d'événemens heureux et malheureux qui signalent leur passage sur la scène du monde; combien cet intérêt ne dut-il pas redoubler lorsqu'il y a trois siècles, on vit sortir de différens points de l'Europe, pour se diriger au-delà des mers de l'occident, ces longues processions d'humbles mais industrieux colons, dont l'avenir, enseveli dans le mystère, donnait à la fois tant d'inquiétude et tant d'espérance. L'épée avait jusque-là frayé le chemin de toutes les émigrations. «La guerre seule a découvert le monde dans l'antiquité.» L'intelligence et l'esprit de travail sont les seules armes des hardis pionniers qui vont prendre aujourd'hui possession de l'Amérique. Leurs succès rapides prouvèrent l'avantage de la paix et d'un travail libre sur la violence et le tumulte des armes pour fonder des empires riches et puissans.

L'établissement du Canada date, des commencemens de ce grand mouvement de population vers l'ouest, mouvement dont on a cherché à apprécier les causes générales dans les observations qui précèdent, et dont la connaissance intéresse le Canada comme le reste de l'Amérique. Nous ne devons pas en effet méconnaître le point de départ et la direction du courant sous-marin qui entraîne la civilisation américaine. Cette étude est nécessaire à tous les peuples de ce continent qui s'occupent de leur avenir.

Tel est donc, nous le répétons, le caractère de cette civilisation, et de la colonisation commencée et activée sous son influence toute-puissante. Entre les établissemens américains, ceux-là ont fait le plus de progrès qui ont été le plus à même d'en utiliser les avantages. Le Canada, quoique fondé, pour ainsi dire, sous les auspices de la religion, est une des colonies qui ont ressenti le plus faiblement cette influence, pour des raisons qu'on aura lieu d'apprécier plus d'une fois dans la suite. C'est pourquoi aussi y a-t-il peu de pays qui, avec une population aussi faible, aient déjà passé par tant de guerres, d'orages et de révolutions.

Au surplus, dans une jeune colonie chaque fait est gros de conséquences pour l'avenir. L'on se tromperait fort gravement si l'on ne voyait dans le planteur qui abattit les forêts qui couvraient autrefois les rives du Saint-Laurent, qu'un simple bûcheron travaillant pour satisfaire un besoin momentané. Son oeuvre, si humble en apparence, devait avoir des résultats beaucoup plus vastes et beaucoup plus durables que les victoires les plus brillantes qui portaient alors si haut la renommée de Louis XIV. L'histoire de la découverte et de l'établissement du Canada, ne le cède en intérêt à celle d'aucune autre partie du continent. La hardiesse de Cartier qui vient planter sa tente au pied de la montagne d'Hochelaga, au milieu de tribus inconnues, à près de trois cents lieues de l'Océan; la persévérance de Champlain qui lutte avec une rare énergie, malgré la faiblesse de ses moyens, contre l'apathie de la France et la rigueur du climat, et qui, triomphant enfin de tous les obstacles, jette les fondemens d'un empire dont les destinées sont inconnues; les souffrances des premiers colons et leurs sanglantes guerres avec la fameuse confédération iroquoise; la découverte de presque tout l'intérieur de l'Amérique septentrionale, depuis la baie d'Hudson jusqu'au golfe du Mexique, depuis la Nouvelle-Ecosse jusqu'aux nations qui habitaient les rives occidentales du Mississipi; les expéditions guerrières des Canadiens dans le Nord, dans l'île de Terreneuve, et jusque dans la Virginie et la Louisiane; la fondation, par eux ou leurs missionnaires, des premiers établissemens européens dans les Etats du Michigan, de l'Ouisconsin, de la Louisiane et dans la partie orientale du Texas, voilà, certes, des entreprises et des faits bien dignes de notre intérêt et de celui de la postérité, et qui donnent aux premiers temps de notre histoire, un mouvement, Une variété, une richesse de couleurs, qui ne sont pas, ce nous semble, sans attraits.

Si l'on envisage l'histoire du Canada dans son ensemble, depuis Champlain jusqu'à nos jours, on voit qu'elle se partage en deux grandes phases que divise le passage de cette colonie de la domination française à la domination anglaise, et que caractérisent, la première, les guerres des Canadiens avec les Sauvages et les provinces qui forment aujourd'hui les États-Unis; la seconde, la lutte politique et parlementaire qu'ils soutiennent encore pour leur conservation nationale. La différence des armes, entre ces deux époques militantes, nous les montre sous deux points de vue bien distincts; mais c'est sous le dernier qu'ils m'intéressent davantage. Il y a quelque chose de touchant et de noble à la fois à défendre la nationalité de ses pères, cet héritage sacré qu'aucun peuple, quelque dégradé qu'il fût, n'a jamais osé répudier publiquement. Jamais cause, non plus, et plus grande et plus sainte n'a inspiré un coeur haut placé, et mérité la sympathie des hommes généreux.

Si la guerre a fait briller autrefois la bravoure des Canadiens avec éclat; à leur tour, les débits politiques ont fait surgir, au milieu d'eux, des noms que respectera la postérité; des hommes dont les talens, le patriotisme ou l'éloquence, sont pour nous à la fois un juste sujet d'orgueil, et une cause de digne et généreuse émulation. Les Papineau, (père), les Bedard, les Stuart, descendus dans la tombe entourés de la vénération publique, ont à ce titre pris la place distinguée que leurs compatriotes leur avaient assignée depuis longtemps dans notre histoire, comme dans leur souvenir.

Par cela même que le Canada a été soumis à de grandes vicissitudes, qui ne sont pas de son fait, mais qui tiennent à la nature de sa dépendance coloniale, les progrès n'y marchent qu'à travers les obstacles, les secousses sociales, et une complication qu'augmentent, de nos jours, la différence des races mises en regard par la métropole, les haines, les préjugés, l'ignorance et les écarts des gouvernant et quelquefois des gouvernés. L'union des Canadas, surtout, projetée en 1822, et exécutée en 1839, n'a été qu'un moyen adopté pour couvrir d'un voile légal une grande injustice. L'Angleterre, qui ne voit, dans les Canadiens français, que des colons turbulens, entachés de désaffection et de républicanisme, oublie que leur inquiétude ne provient que de l'attachement qu'ils ont pour leurs institutions et leurs usages menacés, tantôt ouvertement, tantôt secrètement par l'autorité proconsulaire. L'abolition de leur langue, et la restriction de leur franchise électorale pour les tenir, malgré leur nombre, dans la minorité et la sujétion, ne prouvent-ils pas que trop, du reste, que ni les traités, ni les actes publics les plus solennels, n'ont pu les protéger contre les attentats commis au préjudice de leurs droits.

Mais quoiqu'on fasse, la destruction d'un peuple n'est pas chose aussi facile qu'on pourrait se l'imaginer; et la perspective qui se présente aux Canadiens, est, peut-être, plus menaçante que réellement dangereuse. Néanmoins, il est des hommes que l'avenir inquiète, et qui ont besoin d'être rassurés; c'est pour eux que nous allons entrer dans les détails qui vont suivre. L'importance de la cause que nous défendons nous servira d'excuse auprès du lecteur. Heureux l'historien qui n'a pas la même tâche à remplir pour sa patrie!

L'émigration des îles britanniques, et l'acte d'union des Canadas dont on vient de parler, passé en violation des statuts impériaux de 1774 et 1791, sont, sans doute, des événemens qui méritent notre plus sérieuse attention. Mais a-t-on vraiment raison d'en appréhender les révolutions si redoutées par quelques uns de nous, tant désirées par les ennemis de la nationalité franco-canadienne? Nous avons plus de foi dans la stabilité d'une société civilisée, et nous croyons à l'existence future de ce peuple dont l'on regarde l'anéantissement, dans un avenir plus ou moins éloigné, comme un sort fatal, inévitable. Si je m'abandonnais, comme eux, à ces pensées sinistres, loin de vouloir retracer les événemens qui ont signalé sa naissance et ses progrès, et de me complaire dans la relation des faits qui l'honorent, je ne trouverais de voix que pour gémir sur son tombeau. Je me couvrirais la tête pour ne pas voir agoniser ma patrie, expirer ma race. Non, homme d'espérance, l'on n'entendra jamais ma voix prédire le malheur; homme de mon pays; l'on ne me verra jamais, par crainte ou par intérêt, calculer sur sa ruine supposée pour abandonner sa cause.

Mais, dans le vrai, cette existence du peuple canadien n'est pas plus douteuse aujourd'hui, qu'elle ne l'a été à aucune époque de son histoire. Sa destinée est de lutter sans cesse, tantôt contre les barbares qui couvrent l'Amérique, tantôt contre une autre race qui, jetée en plus grand nombre que lui dans ce continent, y a acquis depuis longtemps une prépondérance, qui n'a plus rien à craindre. Mais qui peut dire que ces luttes aient retardé essentiellement sa marche? C'est pendant celle dont on craint les plus funestes résultats, que son extension a pris les plus grands développemens. Dans les 152 ans de la domination française, la population du Canada n'a atteint que le chiffre de 80,000 âmes environ, tandis que dans les 83 ans de la domination anglaise, ce chiffre s'est élevé à plus de 500,000, et le pays s'est établi dans sa plus grande étendue. On voit donc que les frayeurs dont l'on vient de parler, sont plus chimériques que réelles.

En effet, ce qui caractérise la race française, par-dessus toutes les autres, c'est «cette force secrète de cohésion et de résistance, qui maintient l'unité nationale à travers les plus cruelles vicissitudes et la relève triomphante de tous les obstacles.» La vieille étourderie gauloise, dit un auteur, a survécu aux immuables théocraties de l'Egypte et de l'Asie, aux savantes combinaisons politiques des Hellènes, à la sagesse et à la discipline conquérante des Romains. Doué d'un génie moins flexible, moins confiant et plus calculateur, ce peuple antique et toujours jeune quand retentit l'appel d'une noble pensée ou d'un grand homme, ce peuple eût disparu comme tant d'autres plus sages en apparence, et qui ont cessé d'être parce qu'ils ne comprenaient qu'un rôle, qu'un intérêt ou qu'une idée.

Rien ne prouve que les Français établis en Amérique aient perdu, au contraire, tout démontre qu'ils ont conservé, ce trait caractéristique de leurs pères, cette puissance énergique et insaisissable qui réside en eux-mêmes, et qui, comme le génie, échappe à l'astuce de la politique comme au tranchant de l'épée. Il se conserve, comme type, même lorsque tout semble annoncer sa destruction. Un noyau s'en forme-t-il au milieu des races étrangères, il se propage, en restant comme isolé, au sein de ces populations avec lesquelles il peut vivre, mais avec lesquelles il ne peut guère s'amalgamer. Des Allemands, des Hollandais, des Suédois se sont établis par groupes dans les États-Unis, et se sont insensiblement fondus dans la masse sans résistance, sans qu'une parole même révélât leur existence au monde. Au contraire, aux deux bouts de cette moitié du continent, deux groupes français ont pareillement pris place, et non seulement ils s'y maintiennent comme race, mais on dirait qu'une énergie qui est comme indépendante d'eux, repousse les attaques dirigées contre leur nationalité. Leurs rangs se resserrent, la fierté du grand peuple dont ils descendent et qui les anime alors qu'on les menace, leur fait rejeter toutes les capitulations qu'on leur offre; leur esprit de sociabilité, en les éloignant des races flegmatiques, les soutient aussi dans les situations où d'autres perdraient toute espérance. Enfin cette force de cohésion, dont nous venons de parler, se développe d'autant plus que l'on veut la détruire.

«La nationalité d'ailleurs n'est pas un fruit artificiel; c'est le don de Dieu; personne ne peut l'acquérir, et il est impossible de le perdre.» Les six siècles de persécution, d'esclavage et de sang de l'Irlande sont une preuve mémorable des dangers de la *dénationalisation*, qu'on me passe ce terme, forcée et violente d'un peuple civilisé par un autre peuple civilisé.

Les hommes d'état éminens qui ont tenu le timon des affaires de la Grande-Bretagne après la cession du Canada en 1763, comprirent que la situation particulière des Canadiens, dans l'Amérique septentrionale, était un gage de leur fidélité; et cette prévision n'a été qu'une des preuves de la sagacité que le cabinet de cette puissance a données en tant d'occasions.

Livrés aux réflexions pénibles que leur situation dut leur inspirer après la lutte sanglante et prolongée dans laquelle ils avaient montré tant de dévouement à la France, les Canadiens jetèrent les yeux sur l'avenir avec inquiétude. Délaissés par la partie la plus riche et la plus éclairée de leurs compatriotes qui, en abandonnant le pays, les privèrent du secours de leur expérience; faibles en nombre et mis un instant pour ainsi dire à la merci des populeuses provinces anglaises auxquelles ils avaient résisté pendant un siècle et demi avec tant d'honneur, ils ne désespérèrent pas, néanmoins, de leur position. Ils exposèrent au nouveau gouvernement leurs voeux en réclamant les droits qui leur avaient été garantis par les traités; ils représentèrent avec un admirable tact que la différence même qui existait entre leur langue et leur religion et celles des colonies voisines, les attacherait plutôt à la cause métropolitaine qu'à la cause coloniale: ils avaient deviné la révolution américaine.

Le hasard a fait découvrir dans les archives du secrétariat provincial à Québec, un de ces mémoires, écrit avec beaucoup de sens, et dans lequel l'auteur a fait des prédictions que les événemens n'ont pas tardé à réaliser. En parlant de la séparation probable de l'Amérique du nord d'avec l'Angleterre, il observe «que s'il ne subsiste pas entre le Canada et la Grande-Bretagne d'anciens motifs de liaison et d'intérêt étrangers à ceux que la Nouvelle-Angleterre pourrait, dans le cas de la séparation, proposer au Canada, la Grande-Bretagne ne pourra non plus compter sur le Canada que sur la Nouvelle-Angleterre. Serait-ce un paradoxe d'ajouter, dit-il, que cette réunion de tout le continent de l'Amérique formée dans un principe de franchise absolue, préparera et amènera enfin le temps où il ne restera à l'Europe de colonies en Amérique, que celles que l'Amérique voudra bien lui laisser; car une expédition préparée dans la Nouvelle-Angleterre sera exécutée contre les Indes de l'ouest, avant même qu'on ait à Londres, la première nouvelle du projet.

S'il est un moyen d'empêcher, ou du moins, d'éloigner cette révolution, ce ne peut-être que de favoriser tout ce qui peut entretenir une diversité d'opinions, de langage, de moeurs et d'intérêt entre le Canada et la Nouvelle-Angleterre.»

La Grande-Bretagne influencée par ces raisons qui tiraient une nouvelle force des événemens qui se préparaient pour elle au-delà des mers, ne balança plus entre ses préjugés et une politique dictée si évidemment dans l'intérêt de l'intégrité de l'empire. La langue, les lois et la religion des Canadiens furent conservées dans le temps même où il aurait été comparativement facile pour elle d'abolir les unes et les autres, puisqu'elle possédait alors la moitié de toute l'Amérique. Elle eut bientôt lieu de se réjouir de ce qu'elle avait fait cependant. Deux ans à peine s'étaient écoulés depuis la promulgation de l'acte de 1774, que ses anciennes colonies étaient toutes en armes contre son autorité, et faisaient de vains efforts pour s'emparer du Canada, qu'elles disaient n'avoir aidé à conquérir que pour l'intérêt et la gloire de l'Angleterre.

Les Canadiens appelés à défendre leurs institutions et leurs lois garanties par les traités et par ce même acte de 1774, que le congrès des provinces rebelles avait maladroitement «déclaré injuste, inconstitutionnel, très dangereux et subversif des droits américains,» se rangèrent sous le drapeau de leur nouvelle mère-patrie, qui profita ainsi plus tôt qu'elle ne l'avait pensé, de la sagesse de sa politique, politique sanctionnée depuis par le parlement impérial, en deux occasions solennelles, savoir: en 1791, en octroyant une charte constitutionnelle à cette province; et, en 1828, en déclarant que «les Canadiens d'origine française ne devaient pas être inquiétés le moins du monde dans la jouissance de leurs lois, de leur religion et de leurs priviléges, tel que cela leur avait été assuré par des actes du parlement britannique.»

Si cette politique, qui a déjà sauvé deux fois le Canada, a été méconnue et répudiée par l'acte d'union, il n'est pas improbable que les événemens y fassent revenir, et qu'on s'aperçoive que les Canadiens, en s'amplifiant, ne deviennent rien moins qu'Anglais. Rien n'indique que l'avenir sera différent du passé; et ce retour pourrait être commandé par le progrès des colonies qui restent encore à la Grande-Bretagne dans ce continent, et par la perspective d'une révolution semblable à celle qui a frayé le chemin à l'indépendance de l'Union américaine.

S'il en était autrement, il faudrait croire que le cabinet de Londres a jugé d'avance la cause de la domination britannique dans cette partie du monde, et qu'il la regarde comme définitivement perdue. Mais l'on doit présumer qu'il y connaît fort bien la situation des intérêts anglais; qu'il a déjà jeté les jeux sur l'avenir, comme on peut l'inférer de quelques passages qui se trouvent dans le rapport de lord Durham sur le Canada, et qu'il désire enfin le dénoûment le moins préjudiciable à la nation. La Grande-Bretagne tient notre sort entre ses mains; et selon que sa conduite sera juste et éclairée, ou rétrécie et tyrannique, ces belles et vastes provinces formeront, lorsque le temps en sera venu, une nation indépendante et une alliée utile et fidèle, ou elles tomberont dans l'orbite de la puissante république qui semble destinée à lui disputer l'empire des mers. Cette question mérite l'attention grave des hommes d'état métropolitains et coloniaux; plusieurs peuples sont intéressés à sa solution.

Dans les observations ci-dessus, nous avons énoncé franchement et sans crainte nos vues sur un sujet qui doit préoccuper tous les Canadiens dans la situation exceptionnelle où ils se trouvent comme peuple. Nous l'avons fait, parce que nous croyons que nos lecteurs avaient droit de connaître notre opinion à cet égard; nous avons dû aussi exprimer nos espérances que nous croyons bien fondées parce qu'elles procèdent des déductions les plus sévères des faits historiques dont nous allons dérouler le riche et intéressant tableau.

INTRODUCTION

CHAPITRE PREMIER

DÉCOUVERTE DE L'AMÉRIQUE

1492-1534.

Les Grecs et les Romains, qui divinisaient tout ce qui porte un caractère de grandeur et de beauté, mettaient les fondateurs de leur patrie au rang des dieux. Chez eux Colomb eût été placé à coté de Romulus. Le hasard auquel sont dues tant de découvertes, n'a été pour rien dans celle de l'Amérique. Colomb seul a eu la magnifique idée d'aller sonder les mystères qui sommeillaient sur les limites occidentales de la mer Atlantique, vers lesquelles l'Europe jetait, en vain, un oeil scrutateur depuis tant de siècles; lui seul, il a su retrouver un monde perdu depuis des milliers d'années peut-être. Ce continent qui forme presqu'un tiers du globe habitable, a été entrevu, à ce qu'il paraît, de quelques peuples anciens de l'Europe, et probablement en relation avec les nations plus anciennes encore, qui y avaient précédé ceux-ci. Les traditions égyptiennes parlent d'une île nommée Atlantide située au couchant des colonnes d'Hercule dans l'Océan, et que les Phéniciens disent avoir aussi visitée.

Le premier auteur qui en fasse mention est Platon dans deux de ses dialogues, dont l'un est intitulé: Timéee, et l'autre Critias. Sur une tradition qui a un fond de vérité, il brode un événement qui paraît fait pour flatter la vanité nationale des Grecs. Solon voyageait en Egypte. Un prêtre de ce pays, parlant des antiquités d'Athènes, lui dit: «Il y a longtemps qu'Athènes subsiste. Il y a longtemps qu'elle est civilisée. Il y a longtemps que son nom est fameux en Egypte par des exploits que vous ignorez, et dont l'histoire est consignée dans nos archives: c'est là que vous pouvez vous instruire dans les antiquités de votre ville... C'est là que vous apprendrez de quelle manière glorieuse les Athéniens, dans les temps anciens, réprimèrent une puissance redoutable qui s'était répandue dans l'Europe et l'Asie, par une irruption soudaine de guerriers sortis du sein de la mer Atlantique. Cette mer environnait un grand espace de terre, situé vis-à-vis de l'embouchure du détroit appelé les colonnes d'Hercule. C'était une contrée plus vaste que l'Asie et la Lybie ensemble. De cette contrée au détroit il y avait nombre d'autres îles plus petites. Ce pays dont je viens de vous parler, ou l'île Atlantide, était gouvernée par des souverains réunis. Dans une expédition, ils s'emparèrent d'un côté de la Lybie jusqu'à l'Egypte, et de l'autre côté de toutes les contrées jusqu'à la Tirhénie. Nous fûmes tous esclaves, et ce furent vos ayeux qui nous rendirent la liberté: ils conduisirent leurs flottes contre les Atlantes et les défirent. Mais un plus grand malheur les attendait. Peu de temps après leur île fut submergée; et cette contrée plus grande que l'Europe et l'Asie ensemble disparut en un clin d'oeil.»

Les annales de Carthage rapportent qu'Himilcon vit une nouvelle terre dans les mêmes régions. L'an 356 de la fondation de Rome, un vaisseau Carthaginois ayant pris sa route vers le couchant, pénétra dans une mer inconnue, où il découvrit fort loin de la terre une île déserte, spacieuse, arrosée de grandes rivières, couverte de forêts, dont la beauté semblait répondre de la fertilité du sol. Une partie de l'équipage ne put résister à la tentation de s'y établir. Les autres étant retournés à Carthage, le Sénat auquel ils rendirent compte de leur découverte, crut devoir ensevelir dans l'oubli, un événement dont il craignit les suites. Il fit en conséquence donner secrètement la mort à ceux qui étaient revenus dans le vaisseau; et ceux qui étaient restés dans l'île demeurèrent sans ressource pour en sortir. Il semble assez certain aujourd'hui que cette île est le Nouveau-Monde.

Ces rapports ou traditions ont pris la consistance de la vérité depuis les découvertes archéologiques faites dans l'Amérique centrale par Antonio del Rio et autres; découvertes qui donnent aussi plus de probabilité que jamais à l'hypothèse que les Atlantes étaient des habitans de ce continent. Mais en quel temps ont-ils existé? Quelques écrivains veulent que ce soit avant le déluge. Quoiqu'il en soit, il est probable qu'à l'époque de l'existence de cet ancien peuple, l'Amérique était en communication avec l'Europe. Les ruines majestueuses de Palenque et de Mitla, dans les forêts du Yucatan, où l'on trouve des pyramides, des restes d'édifices aussi vastes qu'imposans, des idoles de granit, des bas-reliefs colossaux, des hiéroglyphes, &c., témoignent qu'il avait atteint un haut degré de civilisation.

Au reste, il n'existait plus au temps des Carthaginois, qui ne trouvèrent dans ce continent, comme Colomb, que des forêts sans le moindre vestige d'art ni d'industrie.

Tels sont les témoignages de l'antiquité sur l'existence de l'Atlantide qui demeura toujours cependant un objet de spéculation parmi les savans, anciens et modernes, jusqu'au 15e. siècle. A cette époque, les peuples de l'Europe avaient les idées les plus confuses des pays avec lesquels ils n'étaient pas immédiatement en rapport. Les contemporains de Colomb croyaient encore que la Zone torride, brûlée par les rayons qui tombaient perpendiculairement du soleil, était inhabitable. L'imagination se plaisait à peupler d'êtres extraordinaires et merveilleux les contrées inconnues; et l'on était plus empressé de croire des relations fabuleuses, que de les critiquer ou d'aller en reconnaître la vérité sur les lieux-mêmes.

Malgré toutes les fables que l'on débitait sur l'Occident, il est certain que jusqu'à Colomb, personne n'avait pensé à aller explorer ces régions des mers, et qu'au commencement du quinzième siècle les savans, perdus au milieu des débris des connaissances géographiques qu'ils avaient amassées avec peine, étaient dans une ignorance profonde à l'égard de cette partie du globe.

L'on ne s'arrêtera pas aux expéditions supposées des Gaulois, des Scandinaves, et d'autres peuples septentrionaux, en Amérique. Le hasard peut les avoir conduits jusque dans le Groenland, jusque dans ce continent même.

Mais quoiqu'il soit probable que les Danois ou les Norvégiens aient colonisé cette île à une époque reculée, leurs voyages étaient inconnus dans le reste de l'Europe, ou les contrées qu'ils fréquentaient étaient regardées comme des îles avancées qui hérissaient les bords orientaux de l'Océan.

Enfin, les temps étaient arrivés où les hommes, sortis des ténèbres de l'ignorance, allaient prendre un nouvel essor.

Le commerce et l'esprit d'aventures surtout, entraînaient depuis bien des années les navigateurs au-delà des anciennes limites connues. On dit que les Normands, conduits par le génie inquiet et entreprenant qui les distinguait, avaient pénétré jusqu'aux îles Canaries, où les avaient devancés les Espagnols, et même plus au sud, dans leurs expéditions commerciales, ou à mains armées pour piller les habitans. Jean de Béthencourt, baron normand, ayant conquis les Canaries, les posséda à titre de fief relevant de la couronne de Castille, et les laissa à ses enfans. Ces îles étaient fameuses chez les anciens qui y avaient placé le jardin des Hespérides, alors les bornes du monde connu. Telle fut la première navigation importante faite sur l'Océan par les modernes; elle servit à enhardir les navigateurs, et à exciter leur émulation dans leurs courses maritimes.

Le Portugal, l'un des plus petits pays de l'Europe, était destiné à ouvrir la carrière des découvertes géographiques qui devaient illustrer l'esprit curieux et insatiable des modernes. Ses capitaines avaient déjà fait des progrès dans celle nouvelle voie, lorsque Henri parut, prince à jamais mémorable dans les annales de la navigation et du commerce: il donna à tout un nouvel essor. Profondément versé dans toutes les sciences qui ont rapport à la marine, il forma le projet d'envoyer des navires en Asie en leur faisant doubler le continent africain, et d'ouvrir ainsi au commerce des Indes, un chemin plus expéditif et moins dispendieux que celui de la mer Rouge. Les Carthaginois avaient autrefois entrepris ce même voyage. S'il réussissait, lui, il faisait du Portugal le centre du commerce et des richesses de l'Europe. Cette idée était digne de son génie qui était bien en avant de son siècle.

Sous ses auspices, les navigateurs portugais doublèrent le cap Bojador, pénétrèrent dans les régions redoutables du Tropique, et explorèrent les côtes de l'Afrique jusqu'au cap Vert, entre le Sénégal et la Gambie, qu'il découvrirent en 1474. Presque dans le même temps Gonzalo Vello découvrit les îles Açores à 360 lieues de Lisbonne entre l'Europe et l'Amérique; mais Henri mourut au milieu de ces découvertes, et plusieurs années avant que Vasquez de Gama pût doubler le cap de Bonne-Espérance. Néanmoins l'honneur de cette grande entreprise lui appartient tout entier.

Les découvertes des Portugais excitèrent bientôt l'attention de toute l'Europe. Le bruit de leurs expéditions lointaines, et les relations presque merveilleuses de leurs voyageurs, se répandirent dans tous les pays. Les hommes les plus hardis se dirigèrent sur le Portugal, pour aller chercher fortune ou des aventures dans les régions nouvelles vers lesquelles les marins de cette nation, s'élançaient avec ardeur. Christophe Colomb était de ce nombre; il vint à Lisbonne en 1470.

Colomb, dont le nom est à jamais lié à l'histoire du Nouveau-Monde, est né, suivant la supposition la plus vraisemblable, à Gênes, vers 1435 ou 36. Son père était réduit à vivre du travail de ses mains. Il ne put faire donner à son fils qu'une éducation médiocre. Le jeune Colomb montra de bonne heure du penchant pour la science géographique; et la mer eut pour lui un attrait irrésistible. Il entra dans cette carrière périlleuse à l'âge de 14 ans. Les premières années de sa vie maritime sont enveloppées de beaucoup d'obscurité. Il parait néanmoins qu'il prit part à plusieurs expéditions de guerre, soit contre les barbaresques, soit contre des princes d'Italie. Il servit aussi sous Jean d'Anjou dans la guerre de Naples, et sous Louis XI, les rois de France étant dans l'usage à cette époque de prendre des navires de Gênes à leur solde. Dans ces diverses courses, il déploya de l'habileté et un grand courage, qualités qu'il fit briller surtout dans l'expédition de Naples.

Pendant sa résidence à Lisbonne, il s'occupa de sa science favorite, et se rendit familier avec toutes les découvertes des Portugais, et avec les auteurs anciens et modernes qui traitaient de la cosmographie. Il fit avec les premiers plusieurs voyages sur les côtes de la Guinée, et un en Islande en 1477. Ses travaux et ses études le mirent aussi en relation avec plusieurs savans de l'Europe, et des navigateurs qui avaient pris part aux voyages qui s'étaient faits depuis le prince Henri. C'est en vivant au milieu de ce monde, dont l'imagination s'exaltait au récit des découvertes journellement annoncées, qu'il conçut, en 1474, le dessein d'aller aux Indes en cinglant droit à l'ouest. Ce projet, dans ses idées, n'avait rien que de raisonnable, parce qu'il s'était convaincu, contre l'opinion des partisans du système de Ptolémée, alors reçu partout, que la terre était ronde, ainsi que plusieurs anciens l'avaient pensé, et qu'allait l'enseigner Copernic dans le nord de l'Europe, quelques années plus tard.

Vers cette époque, sous Jean II de Portugal, l'on appliqua à la navigation l'astrolabe, qui est devenu l'octant par les améliorations du célèbre Auzout. Cet instrument avec la boussole qui commençait à s'introduire, permit aux navigateurs de s'éloigner sans crainte des routes tracées.

Il fit part de son projet à la cour du Portugal, et sollicita vainement le roi Jean II, de lui donner quelques vaisseaux pour tenter une entreprise dont le succès jetterait une gloire ineffaçable sur son règne. Refusé par ce prince, il partit pour l'Espagne en 1484, avec son fils Diègue, afin de faire les mêmes propositions à Ferdinand et Isabelle. Après huit ans de sollicitations auprès de ces monarques, durant lesquels il passa par toutes les épreuves, et eut à lutter contre tous les obstacles que l'ignorance et l'incrédulité peuvent inventer; son génie persévérant triompha. Tout le monde connaît le fameux examen qu'on lui fit subir devant les théologiens d'Espagne qui voulaient lui prouver, la Bible à la main, son erreur. Presque dans le même temps, les rois de France et d'Angleterre, auprès desquels il avait fait faire des démarches, par son frère Barthélemi, envoyaient des réponses favorables. Ferdinand et Isabelle lui donnèrent trois petits navires, dont deux sans pont, et le plus gros ayant nom *Santa Maria*, avec le titre d'Amiral des terres qu'il pourrait découvrir. Il fit voile de Palos le 3 août 1492, accompagné des trois frères Pinçon, qui voulurent hasarder leur vie et leur fortune dans cette expédition.

La petite escadre avait à bord pour douze mois de provisions, et portait quatre-vingt-dix hommes, la plupart marins, avec quelques aventuriers qui suivaient la fortune de Colomb. La traversée ne fut pas orageuse; mais une crainte superstitieuse qui s'était emparée de l'esprit des matelots, leur faisait voir sans cesse mille dangers imaginaires. Cette crainte fut encore augmentée par les variations du compas remarquées alors pour la première fois, et qui leur firent croire que les lois de la nature changeaient à mesure qu'ils avançaient. Tantôt ils tombaient dans le plus grand découragement; tantôt, perdant patience, ils poussaient des cris de révolte, et allèrent même un jour jusqu'à menacer Colomb de le jeter à la mer. Le génie ferme de ce capitaine ne l'abandonna point, et il réussit à les maîtriser, et à relever leur courage. Il y avait 70 jours qu'ils avaient quitté Palos, lorsque, dans la nuit du 12 octobre, une lumière qui allait et venait à quelque distance des bâtimens, frappa tout-à-coup la vue de Colomb, qui, n'osant s'en rapporter à ses yeux, la fit observer à un homme qui était près de lui. L'on attendit le jour avec la plus grande anxiété. Dès qu'il commença à poindre, on aperçut la terre. A ce spectacle, tout le monde fut transporté d'une vive allégresse sur les trois navires; l'on entonna à haute voix le *Te Deum* en action de grâces; des larmes de joie coulaient de tous les yeux.

Quand le soleil fut levé, on lança toutes les chaloupes à l'eau, et on les arma: chacun mit ses plus beaux habits. Colomb fit déployer les étendards, et donna l'ordre de ramer vers le rivage aux accens d'une musique guerrière. Il fut le premier qui y mit le pied, tenant une épée nue à la main. Tous les Espagnols tombèrent à genoux et baisèrent cette terre qu'ils désiraient si ardemment et depuis si longtemps. Ils plantèrent ensuite une croix et prirent possession du pays au nom de la couronne de Castille et de Léon. La terre où ils débarquèrent est une des îles Lucayes, ou Bahama, que Colomb nomma San-Salvador.

Les Espagnols trouvèrent la rive couverte de Sauvages qui manifestaient, par leurs gestes et par leurs attitudes, leur profond étonnement. La blancheur de la peau des Européens, leur costume, leurs armes, leurs navires, tout excitait l'admiration des naturels qui les prirent pour les fils du soleil, qui venaient visiter la terre. Les armes à feu des Espagnols, les canons surtout dont l'explosion imite le bruit du tonnerre, en les remplissant d'épouvante, contribuèrent à leur persuader davantage que ces nouveaux venus étaient d'origine céleste. D'un autre côté, si les aborigènes étaient dans l'étonnement, les Espagnols n'étaient pas moins surpris de tout ce qui frappait leurs regards. Sans parler des habitans, de leur teint cuivré, de leur mine farouche, il n'y avait pas jusqu'aux arbres et aux plantes qui ne présentassent une différence avec ceux de l'Europe. Du reste le climat était agréable, et le sol paraissait d'une grande fertilité, quoiqu'il ne portât aucune marque de culture.

Colomb continua ses découvertes. Il visita les îles Lucayes, et ensuite celles de Cuba et de St. Domingue où il trouva le tabac dont les Indigènes faisaient usage pour fumer, pratique inconnue des Européens, et la pomme de terre, humble tubercule peu apprécié alors, dit Washington Irving, mais dont l'acquisition fut plus précieuse pour l'homme que toutes les épices de l'Orient. Il prit encore possession de ces nouvelles conquêtes pour l'Espagne.

Colomb fut bien accueilli par les différentes peuplades qu'il visita. Ayant perdu un de ses navires sur l'île de St. Domingue, il se détermina à y laisser une partie de ses équipages. Il obtint du cacique de la contrée, la permission de bâtir un fort, qu'il appela de la Nativité, à condition, que la garnison qu'il y mettrait lui prêterait secours contre les Caraïbes peuple féroce et pillard qui habitaient les îles les plus méridionales. Les Indiens travaillèrent eux-mêmes, avec un aveugle empressement à élever ce fort, qui fut le premier monument de leur servitude. Le 4 janvier 1493 Colomb remit à la voile pour l'Europe. Son petit navire, après une traversée orageuse, rentra le 16 mars dans le port de Palos aux acclamations de la population.

L'immortel navigateur partit immédiatement pour aller rendre compte de ses découvertes à Ferdinand et Isabelle. Son voyage de cette ville à Barcelone où était la cour, fut une marche triomphale au milieu des populations accourues de toutes parts sur son passage pour le voir.

Les deux monarques voulurent le recevoir avec une pompe royale, et le trône fut dressé devant le peuple sous un dais magnifique. Le roi et la reine, entourés des grands de la nation, se levèrent à l'approche de Colomb, qui entra suivi d'une foule de seigneurs entre lesquels il se distinguait par un port noble et imposant, et une chevelure blanche qui tombait sur ses épaules. Après l'avoir fait asseoir en leur présence, honneur accordé très-rarement même aux plus grands de l'Espagne, les deux monarques lui firent raconter les événemens les plus remarquables de son voyage, récit qu'ils écoutèrent avec l'émotion la plus profonde. Quand il eut fini, ils se jetèrent tous deux à genoux, et levant les mains vers le ciel, ils le remercièrent, en versant des larmes de joie et de reconnaissance, d'avoir couronné leur entreprise d'un succès aussi éclatant qu'il était inattendu. Tous ceux qui étaient présens les imitèrent, et un enthousiasme profond et solennel s'empara de cette auguste assemblée.

Colomb fut anobli, lui et toute sa postérité.

La nouvelle de ses découvertes se répandit aussitôt dans le reste de l'Europe, où elle causa un étonnement extrême. Les savans capables d'en apprécier la grandeur et les effets, se félicitèrent de vivre à l'époque où cet événement extraordinaire venait de reculer si loin les bornes des connaissances et des observations de l'esprit humain.

Colomb fit encore trois voyages dans le Nouveau-Monde, dans lesquels il découvrit presque toutes les îles de l'archipel du Mexique. Dans le dernier, il côtoya le continent méridional, depuis la baie de Honduras jusqu'au golfe de Darien. Il aborda également à la côte de la Terre-Ferme et explora le golfe de Paria. C'est dans une de ces expéditions que François de Bovadilla, gouverneur de St-Domingue, et ennemi de Colomb, le fit arrêter et osa l'envoyer chargé de fers en Espagne. Le Roi lui fit des excuses; mais Colomb n'oublia jamais ce trait de noire ingratitude. Il portait ces fers partout où il allait avec lui, et il ordonna qu'ils fussent mis dans son tombeau après sa mort.

Colomb était de haute stature, avait le visage long et de bonne mine, le nez aquilin, les yeux bleus, le teint blanc, tirant sur le rouge enflammé. Il avait eu les cheveux roux dans sa jeunesse; mais les périls où il s'était trouvé, et ses travaux, les firent bientôt devenir blancs. Il avait l'air gracieux, parlait bien et avec beaucoup d'éloquence. Il était avec cela doué d'un grand courage.

Tandis qu'il continuait ses conquêtes dans les îles de la baie du Mexique, d'autres voyageurs, émules de sa gloire, tentaient des routes nouvelles dans le même hémisphère. Pinçon découvrit, en 1500, le fleuve des Amazones et une partie du Brésil. Cabral en revenant de Calicut, prenant trop au large pour doubler le cap de Bonne-Espérance, arriva en présence de terres inconnues, qui se trouvèrent être une partie des côtes du Brésil. Ainsi, comme l'observe Robertson, si Colomb n'eut pas découvert l'Amérique en 1492, le hasard l'aurait probablement indiquée à l'Europe cinq ans plus tard.

Ces brillantes découvertes des Portugais et des Espagnols réveillèrent enfin les autres nations de leur long assoupissement. Une noble émulation commença à s'emparer d'elles, et leurs marins prirent le chemin de ces mers mystérieuses sur lesquelles leur imagination ne plongeait naguère encore qu'avec effroi. Sébastien Cabot, Vénitien, au service de Henri VII, roi d'Angleterre, fit un voyage, en 1497, à la recherche d'un passage aux Indes par le Nord-Ouest. Il s'éleva au nord jusque par le 58e degré de latitude, et découvrit la Floride, Terreneuve et Labrador. Il fut le premier navigateur qui fréquenta les mers de l'Amérique septentrionale. Les Espagnols et les Anglais, qui se sont partagés presque tout ce continent, doivent ainsi ces vastes contrées au génie italien.

Cependant l'on croyait universellement que les terres découvertes au couchant, formaient partie du continent asiatique, quoiqu'elles ne répondissent point aux descriptions des Indes que l'on cherchait. On ne s'imaginait pas encore qu'elles pussent former un continent à part, c'est pourquoi on leur donna d'abord le nom d'*Indes occidentales*. L'on resta dans cette erreur jusqu'en 1513, que Vasco de Nunez aperçut du haut des montagnes du Mexique, la mer Pacifique dont lui avait parlé un chef indien quelque temps auparavant. Déjà vers cette époque, l'on commençait à donner à une portion du Brésil, le nom d'Amérique, qui s'étendit petit à petit dans la suite à tout le continent. Voici comment s'introduisit cette appellation. Améric Velpuce, de Florence, accompagna Alonzo de Ojeda dans une expédition à la Terre-Ferme en 1499. Il fit deux ans après un autre voyage sur les côtes du Brésil, et ensuite un troisième dans la même contrée, où il découvrit la baie de tous les Saints pour le roi de Portugal. Il publia à Strasbourg, en 1505, et à St.-Diez en Lorraine deux ans après, deux relations de ses voyages, dans la dernière desquelles il prétend avoir découvert la Terre-Ferme en 1497, l'année même où Colomb y aborda pour la première fois. Presque tous les auteurs, s'appuyant sur des documens contemporains, regardent cette dernière relation, que Velpuce a donnée, sous la forme d'une lettre au Prince René de Lorraine, comme l'histoire de ses aventures particulièrement dans le voyage qu'il fit avec Ojeda. Néanmoins comme ses deux relations furent longtemps les seules rendues publiques sur le Nouveau-Monde, son nom resta attaché à ce continent, et fut ensuite consacré par l'usage.

Trois ans après le voyage de Cabot, il paraît que les côtes de Terreneuve et de Labrador furent visitées par un Portugais nommé Cortéréal; mais il n'y fit point d'établissement, du moins rien ne l'indique.

Nous touchons enfin à l'époque où nous trouvons les Basques, les Bretons et les Normands faisant tranquillement la pêche de la morue sur le grand banc de Terreneuve et sur les côtes du Canada. Charlevoix nous assure avoir vu, dans des mémoires, qu'un habitant de Honfleur, nommé Jean Denis, avait tracé une carte d'une partie du golfe St.-Laurent en 1506. L'on peut raisonnablement se demander comment ils ont pu se mettre en possession, simultanément et si peu de temps après le voyage du navigateur vénitien, de cette branche d'industrie. Il semble qu'il aurait fallu à cette pêche plus d'une dizaine d'années pour acquérir l'étendue et l'importance qu'elle avait déjà. C'est ce qui a fait croire à quelques écrivains, que les navigateurs français connaissaient les parages dont nous parlons depuis longtemps. Quelques uns même l'assurent positivement, comme l'auteur des Us et coutumes de la mer, ouvrage estimé.

Il est certain que, lorsque Sébastien Cabot visita Terreneuve, les naturels qu'il vit sur le rivage lui dirent que cette île se nommait *Bacaleos* du nom d'un poisson qui fréquentait ces mers. Ce mot qui n'est pas sauvage, mais basque, est le nom que la morue porte dans cette langue. Nous livrons du reste ces réflexions au lecteur qui en tirera les conjectures qu'il croira les plus raisonnables.

Cependant, malgré l'intérêt que plusieurs autres nations prenaient aux découvertes d'outre-mer, le gouvernement français ne fit aucune attention à l'Amérique jusqu'en 1523. Les seuls rapports que la France avait eus jusque-là avec ces nouvelles contrées, avaient été établis par des particuliers et dans l'intérêt de leurs entreprises commerciales. Il est probable qu'il entrait dans leurs calculs de se tenir autant que possible dans l'ombre du secret. Néanmoins, en 1518, le baron de Léri, mû par le bien public et la gloire de la nation, et sans doute aussi par l'exemple des Espagnols, essaya de fonder un établissement dans le nord de l'Acadie. C'était un homme de courage et qui brûlait du désir de se distinguer par de grandes choses. Il partit pour le Nouveau-Monde afin d'y commencer une colonie; son dessein était de s'y fixer lui-même. Mais les vents et d'autres obstacles firent échouer son entreprise.

François I venait de succéder à Louis XII. Les guerres et la sévère économie du feu roi, qui n'avait d'autre pensée que celle d'alléger les charges qui pesaient sur ses peuples, l'empêchèrent d'envoyer des expéditions dans le Nouveau-Monde, soit pour y faire des découvertes, ou y fonder des colonies. François I, quoique moins homme d'état que guerrier, avait néanmoins des qualités plus brillantes, et quelques unes de celles qui distinguent un grand prince. Il aimait les entreprises qui pouvaient jeter de l'éclat sur sa couronne; et au milieu de la guerre acharnée qu'il soutenait contre Charles-Quint, dont les vastes Etats menaçaient l'indépendance de l'Europe, il ne perdit point de vue l'Amérique. Il excita l'émulation de ses sujets pour le commerce et la navigation, comme il le faisait pour les lettres et les beaux arts. Verazzani, navigateur italien à son service, fut chargé d'aller découvrir de nouvelles terres dans le Nouveau-Monde, dans la vue d'y ouvrir des établissemens si le sol et le climat étaient favorables. Ce capitaine fit avec quatre vaisseaux, en 1523, un voyage dont la relation ne nous est pas parvenue. Il en parle dans la lettre qu'il adressa au roi après son second voyage; mais comme il le suppose instruit de ses premières découvertes, il n'entre dans aucun détail sur les pays qu'il avait visités.

Il partit l'année suivante pour sa seconde expédition avec deux navires, dont il laissa un, la Normande, sur les côtes d'Espagne, et continua seul sa route avec la Dauphine, ayant à bord 50 hommes d'équipage. Après 50 jours de traversée, il atteint une terre peu élevée qu'il côtoya l'espace d'environ 50 lieues en se dirigeant vers le sud. Ne trouvant point de havre, il vira de bord, et vint jeter l'ancre en pleine mer devant une côte droite et régulière, par les 34 degrés de latitude nord, ou à peu près. Les Indigènes, comme ceux de San Salvador, accoururent sur le rivage, et manifestèrent, à la vue des Européens et de leur vaisseau, autant de surprise que d'admiration. Il croissait dans leur pays des palmiers, des cyprès d'une grande hauteur, des lauriers, et plusieurs sortes d'arbres inconnus en Europe, qui répandaient un doux parfum sur la mer.

Déployant de nouveau ses voiles, le navigateur français s'éleva au nord jusqu'aux terres découvertes, dit-il, au temps passé par les Bretons, sous le 50e degré de latitude.

Le roi fut si content du rapport qu'il lui fit à son retour en France, qu'il lui donna ordre de préparer une nouvelle expédition. Ce célèbre et infortuné voyageur repartit, suivant l'ordre de son maître, et l'on n'a plus entendu parler de lui depuis.

Le sort funeste de cette expédition interrompit le projet qu'on avait formé d'aller profiter des immenses territoires que le hasard venait de livrer à l'entreprise et à la cupidité européenne au-delà des mers. D'ailleurs, la nation étant encore moins maritime que commerçante, l'on ne pensait pas en France qu'il fût de quelque utilité d'avoir des possessions dans les régions éloignées.

Une autre circonstance qui entrava longtemps la fondation des colonies, c'est l'état agité de la France dans ce siècle. Cet état, on ne peut mieux le peindre, qu'en empruntant les paroles philosophiques de l'historien des deux Indes: «Des troubles intérieurs, dit-il, la détournaient (la France) encore plus des grands objets d'un commerce étendu et éloigné, et de l'idée d'aller chercher des royaumes dans les deux Indes.

«L'autorité des rois n'était pas formellement contestée. Mais on lui résistait, on l'éludait. Le gouvernement féodal avait laissé des traces; et plusieurs de ses abus subsistaient encore. Le prince était sans cesse occupé à contenir une noblesse inquiète et puissante. La plupart des provinces qui composaient la monarchie, se gouvernaient par des lois et des formes différentes. La machine du gouvernement était compliquée. La nation négociait sans cesse avec le prince. L'autorité des rois était illimitée, sans être avouée par les lois; la nation souvent trop indépendante n'avait aucun garant de sa liberté. De là on s'observait, on se craignait, on se combattait sans cesse. Le gouvernement s'occupait uniquement, non du bien de la nation, mais de la manière de l'assujettir.»

François I est un des rois qui eurent la moins de difficultés et de dissensions intérieures à combattre. Cependant la révolte du fameux connétable de Bourbon, et des émeutes populaires au sujet des impôts, troublèrent son règne. Les discordes civiles et religieuses auraient été probablement beaucoup plus sérieuses sans ses guerres avec le puissant Charles-Quint, dans lesquelles les grands comme les petits voyaient l'intérêt de la France profondément engagé.

A l'époque du départ de Verazzani pour son troisième voyage, l'on était dans le fort de la guerre; et après la fin désastreuse de cette expédition, jusqu'au rétablissement de la paix, tout projet de colonisation parut abandonné.

CHAPITRE II

DÉCOUVERTE DU CANADA

1534-1543.

Le traité de Cambrai avait rendu la paix à la France. Philippe de Chabot, amiral du royaume voyant le succès des Portugais et des Espagnols dans l'Amérique centrale et méridionale, où ils soumettaient d'immenses pays à leur domination, avec autant de facilité qu'à peu de frais, proposa au roi de reprendre ses desseins sur le Nouveau-Monde, d'où il pourrait tirer comme eux de grandes richesses. Les pêcheries considérables qu'on avait sur les côtes de Terreneuve, étaient déjà un premier acheminement vers cette région.

Le monarque qui avait le goût des entreprises lointaines, se voyant en paix, agréa ce projet, et choisit Jacques Cartier, habile navigateur de St.-Malo, pour le mettre à exécution. Lorsque la nouvelle en parvint aux rois d'Espagne et de Portugal, ils firent tous deux grand bruit de l'empiétement des Français. *Eh quoi!* dit en riant François I, quand on lui raconta leurs prétentions, *ils partagent tranquillement entre eux toute l'Amérique sans souffrir que j'y prenne part comme leur frère! Je voudrais bien voir l'article du testament d'Adam qui leur lègue ce vaste héritage?*

Cartier partit de St.-Malo dans le printemps de 1534, avec deux bâtimens de 60 tonneaux chacun et 61 hommes d'équipage, et arriva, au bout de 20 jours, à Terreneuve, d'où il pénétra par le détroit de Belle-île dans le golfe St.-Laurent. Il parcourut une partie des côtes de cette mer intérieure de 106 lieues de long sur 79 de large, trafiquant avec les Indigènes et examinant le pays attentivement. Il employa deux mois et demi à cette exploration.

Dans ce premier voyage, il ne fit aucune découverte importante, la plupart des parages qu'il visita étant déjà connus des pêcheurs français qui y avaient même donné des noms à plusieurs caps. Il reconnut la côte aride et désolée du Labrador, longea Terreneuve jusqu'au cap de Raye, passa devant les îles de la Magdeleine et entra dans la baie des Chaleurs, à laquelle il donna le nom qu'elle porte aujourd'hui, à cause du chaud excessif qu'il y éprouva. Selon la coutume européenne, il prit possession du pays pour François I, en élevant, malgré les protestations d'un vieux chef indien, une croix sur une pointe de terre située probablement entre cette baie et le cap des Rosiers.

Toutefois, cette expédition ne fut pas sans fruit, puisqu'elle le conduisit à la découverte du St.-Laurent. Deux naturels de Gaspé qu'il emmena en France, sont les premiers, à ce qu'il paraît, qui lui donnèrent connaissance de l'existence de ce fleuve; et nous sommes porté à croire, par la route qu'il a suivie, que son second voyage a eu principalement pour objet la vérification de ce rapport des Indiens, qui lui donnèrent aussi des informations sur les contrées que ce fleuve traverse depuis Montréal jusqu'à la mer.

Cependant la cause de la colonisation ralliait tous les jours de nouveaux amis et d'utiles défenseurs. A Philippe de Chabot, à qui l'on devait la reprise de ces voyages, vint se joindre Charles de Mouy, sieur de la Mailleraie, vice-amiral, qui s'en montra l'un des plus actifs partisans, et les encouragea de toute son influence. Il obtint pour Cartier des pouvoirs beaucoup plus amples que ceux de l'année précédente, et il lui fit donner trois navires et de bons équipages.

Suivant l'usage à cette époque de fervente piété lorsqu'on commençait quelque grande entreprise, Cartier et ses compagnons implorèrent, avant de s'embarquer, l'aide et la protection du maître de toutes choses. Ils se rendirent en corps à la cathédrale de St.-Malo, où, après avoir assisté à une messe solennelle et communié très-dévotement, l'évêque, revêtu de ses habits pontificaux et entouré de son clergé, leur donna sa bénédiction qu'ils reçurent tous avec un pieux recueillement.

L'escadre portant 110 hommes et des provisions pour un long voyage, ouvrit enfin, après quelques jours d'attente, ses voiles à un vent favorable dans le mois de mai (1535). Elle se composait de la Grande-Hermine de 100 à 120 tonneaux, sur laquelle Cartier arbora son pavillon, comme capitaine général; de la Petite-Hermine et de l'Émerillon, commandés, l'un par Guillaume Le Breton, et l'autre par Marc Jalobert. Plusieurs gentilshommes servaient à bord en qualité de volontaires. Dans la traversée qui fut longue, la petite flotte fut dispersée par les vents. Cartier n'arriva qu'en juillet dans la baie des Châteaux, dans une île située entre Terreneuve et Labrador, qu'il avait donnée pour rendez-vous; et les deux autres bâtimens que 10 jours après.

Le capitaine français entra dans le fleuve du Canada par le nord de l'île d'Anticosti. Il s'arrêta quelque temps dans une baie que l'on suppose être l'embouchure de la rivière St. Jean, et à laquelle il donna le nom de St.-Laurent, appellation qui s'est étendue dans la suite à ce fleuve et au golfe dans lequel il se jette.

Conduit par ses deux Sauvages qu'il avait ramenés avec lui, il le remonta plus de 200 lieues à partir de l'Océan, jusqu'au pied d'un île agréablement située (l'île d'Orléans). Selon leur rapport ce pays se divisait en trois provinces. Le Saguenay s'étendait depuis l'île d'Anticosti jusqu'à l'île aux Coudres. Le Canada, dont la principale bourgade était *Stadaconé* (Québec), commençait à cette dernière île et se prolongeait en remontant le fleuve jusque vers Hochelaga, qui formait la dernière province et la portion la plus riche et la plus populeuse de toute la contrée.

Le nom de *Canada*, donné ici par les Indigènes à une partie du pays à la totalité duquel il s'étend maintenant, ne permet point d'avoir de doutes sur son étymologie. L'on doit donc rejeter les hypothèses de ceux qui veulent lui donner une origine européenne. L'on sait du reste que ce mot signifie, en dialecte indien, amas de cabanes, village.

Cartier fit mettre alors ses guides à terre pour s'aboucher avec les naturels, qu'il vit bientôt s'approcher de ses navires dans de nombreux canots d'écorce, et offrir aux Français des poissons, du maïs et des fruits: il les reçut avec politesse et leur fit distribuer des présens.

Le lendemain, l'*Agouhanna*, ou chef du pays, qui résidait à Stadaconé, descendit avec douze canots pour visiter les étrangers qui entraient sur le territoire de la tribu. L'entrevue fut amicale; et les Européens et les Sauvages se séparèrent fort contens les uns des autres. Avant de partir le chef indien demanda la permission de baiser les bras du capitaine français; ce qui était une des plus grandes marques de respect chez ces peuples.

Cependant, ce dernier, après avoir reconnu le fleuve jusqu'au bassin de Québec, voyant la saison avancée, prit la résolution hardie d'y passer l'hiver. En conséquence, il fit monter ses vaisseaux dans la rivière St.-Charles, nommée par lui, Ste.-Croix, sous la bourgade de Stadaconé qui couronnait une montagne du côté du sud, pour les mettre en hivernage. Cet endroit du St.-Laurent est, à cause de ses points de vue, l'un des sites les plus grandioses et les plus magnifiques de l'Amérique.

Les deux rives du fleuve depuis le golfe ont un aspect imposant, mais triste. Sa grande largeur à son embouchure, quatre vingt dix milles, les dangers de ses nombreux écueils et ses brouillards en en faisant un lieu redoutable pour les navigateurs, contribuent encore à augmenter cette tristesse. Les côtes escarpées qui le bordent pendant l'espace de plus de cent lieues; les montagnes couvertes de sapin noir, qui resserrent au nord et au sud la vallée qu'il descend et dont il occupe par endroit presque tout le fond; les îles aussi nombreuses et variées par leur forme, que dangereuses aux marins, et dont la multitude augmente à mesure qu'on avance; enfin tous ces débris épars des obstacles qu'il a rompus et renversés pour se frayer un passage à la mer, saisissent l'imagination du voyageur qui le remonte pour la première fois autant par leur majesté que par la solitude profonde qui y règne.

Mais à Québec la scène change. Autant la nature est âpre et sauvage sur le bas du fleuve, autant elle est ici variée et pittoresque, sans cesser de conserver un caractère de grandeur.

A peine d'anticiper sur le temps, reproduisons le tableau qu'en fait un des auteurs qui aient le mieux écrit sur l'Amérique britannique, aujourd'hui que la main de la civilisation a répandu partout sur cette scène l'art, le mouvement et la vie.

«En remontant le fleuve, dit M. McGregor, le spectateur n'aperçoit la ville qu'au moment ou il est presqu'en ligne avec l'extrémité supérieure de l'île d'Orléans et la pointe de Lévy. Alors Québec et les beautés sublimes qui l'environnent lui apparaissent tout à coup. Le grand et vaste tableau qui s'offre à ses regards frappe d'une manière si irrésistible qu'il est rare que ceux qui l'ont vu une fois oublient la majesté de cette scène et l'impression qu'ils en ont reçue. Un promontoire abrupte de 350 pieds de hauteur, couronné d'une citadelle imprenable (le Gibraltar du Nouveau-Monde) et entouré de fortes murailles sur lesquelles flotte tous les jours la bannière britannique; les clochers des cathédrales et des autres églises dont la couverture en fer blanc étincelle au soleil; la résidence des vice-rois soutenue par de solides contreforts et suspendue au bord du précipice; les maisons et les magasins qui se pressent dans la basse-ville; le nombre de navires qui couvrent la rade, ou gisent le long des quais; les bateaux-à-vapeur qui sillonnent le port dans tous les sens; des multitudes d'embarcations de toutes les formes; des vaisseaux en construction, ou qu'on lance dans les ondes; la cataracte de Montmorency dont l'eau se précipite écumante d'une hauteur de 220 pieds dans le St.-Laurent; les églises, les maisons, les champs et les bois de Beauport et de Charlesbourg derrière lesquels s'élèvent les montagnes qui bordent l'horison; la côte escarpée et les clochers du village de St.-Joseph, et au pied les tentes et les canots d'écorce éparpillés sur le rivage; d'immenses radeaux de bois descendant sur le noble fleuve et venant des forêts des Outaouais; tout cela peut donner une idée du panorama qui se déploie aux yeux du spectateur qui remonte le St.-Laurent, lorsqu'il aperçoit pour la première fois la capitale de l'empire britannique dans l'Amérique du nord.»

S'il était permis à Cartier de sortir du tombeau et de contempler maintenant le vaste pays qu'il a livré, couvert de forêts et de hordes barbares et misérables, à l'entreprise et à la civilisation européenne, ce spectacle suffirait bien, ce semble, pour le récompenser de ses travaux et des inquiétudes de ses dangereuses navigations.

Impatient de voir Hochelaga dont on lui avait fort exagéré l'étendue, il partit le 29 septembre avec les gentilshommes et une partie des matelots; il mit treize jours à y parvenir. L'on sait que cette bourgade occupait à peu près l'emplacement où est aujourd'hui Montréal.

A l'apparition du capitaine français et de sa suite, une grande foule d'hommes, de femmes et d'enfans vint au devant de lui et le reçut avec les marques de la plus grande joie. Le lendemain, il entra dans la bourgade suivi des gentilshommes et des marins qui n'étaient pas restés à la garde des embarcations, tous vêtus de leurs plus beaux habits. Elle se composait d'une cinquantaine de maisons en bois de 50 pas de longueur sur douze ou quinze de largeur, et couvertes d'écorces cousues ensemble avec beaucoup de soin. Chaque maison contenait plusieurs chambres distribuées autour d'une grande salle carrée, où toute la famille se tenait habituellement, et où se faisait aussi l'ordinaire.

La ville était entourée d'une triple enceinte circulaire de palissades, percée d'une seule porte fermant à barre. Des galeries régnaient au haut de cette enceinte en plusieurs endroits et au dessus de la porte, avec des échelles pour y monter. Des amas de pierre y étaient déposés pour la défense. Dans le milieu de la bourgade se trouvait une grande place. C'est là où l'on fit arrêter les Français. Après les saluts d'usage parmi ces nations, les Sauvages s'accroupirent autour d'eux. Aussitôt des femmes apportèrent des nattes qu'elles étendirent sur le sol, et y firent asseoir les étrangers. L'*agouhanna* arriva peu de temps après, porté par une dizaine d'hommes. Une peau de cerf fut déployée par terre, et on le déposa dessus. Il paraissait âgé d'environ 50 ans, et perclus de tous les membres. Un bandeau rouge de fourrure ceignait son front. Après avoir salué le capitaine et ceux qui l'accompagnaient, il exprima par des signes combien leur arrivée lui faisait de plaisir. Comme il souffrait beaucoup, il montra à Cartier les bras et les jambes, le priant de les toucher. Celui-ci les frotta avec ses mains. Le chef sauvage prit alors le bandeau qu'il avait sur la tête et le lui présenta. Aussitôt de nombreux malades et infirmes entourèrent le capitaine français et se pressaient les uns les autres pour le toucher.

Après avoir fait distribuer des présens, il se fit conduire à une montagne qui était à un quart de lieue de là. Du sommet, il découvrit un vaste pays s'étendant de tous côtés jusqu'où l'oeil peut atteindre, excepté vers le nord-ouest où l'horison est borné dans le lointain par des montagnes bleuâtres. Vers le centre de ce tableau que traverse le St-Laurent, «grand, large et spacieux,» s'élèvent quelques pics isolés. Les Sauvages lui montrèrent de la main la direction que suit le fleuve qui vient du couchant, et les endroits où la navigation en est interrompue par des cascades. Partout le pays lui parut propre à la culture. Dans la direction du nord-ouest, ils lui indiquèrent la rivière des Outaouais, dont un bras baigne le pied des Deux-Montagnes; et lui dirent que passé les rapides du St.-Laurent, l'on pouvait naviguer trois lunes en le remontant, et qu'il y avait vers sa source des mines d'argent et de cuivre.

Enchanté de la vue étendue qu'on a du haut de cette montagne, Cartier la nomma Mont-Royal.

De retour à la rivière St. Charles, ayant quelque soupçon sur les dispositions des Sauvages, il fit renforcer les palissades que ses gens avaient élevées, pendant son absence, autour des vaisseaux, et garnies de canons. Il s'occupa ensuite des moyens de conserver la santé de ses équipages pendant l'hiver qu'il avait à passer dans le pays. Mais malgré tous ses soins, le scorbut éclata parmi eux dès le mois de décembre avec une extrême violence, et l'on ne trouva d'abord aucun remède pour arrêter cette maladie qui était encore peu connue. La situation des Français devint déplorable.

Dans cette calamité, la fermeté et le courage de Cartier ne se démentirent pas un instant. Le froid fut excessif; la glace qui entourait ses vaisseaux avait deux brasses d'épaisseur; et il y avait quatre pieds de neige sur la terre; elle était plus haute que les bords des navires. Sur 110 hommes, il n'y en eut que trois ou quatre pendant quelque temps qui fussent en santé; et dans un des vaisseaux il ne resta personne capable de prendre soin des malades. Trop faibles pour creuser la terre gelée, ceux qui pouvaient marcher enterraient leurs compagnons morts sous la neige. Vingt six personnes succombèrent jusqu'au mois d'avril; et la plupart des autres étaient mourantes, lorsqu'un Indien rencontra par hasard Cartier atteint lui-même de la contagion, et lui indiqua un remède, qui en quelques jours guérit complètement non seulement les simples scorbutiques, mais encore ceux qui étaient attaqués avec cela du mal vénérien.

La belle saison, qui contribua peut-être autant que le remède du Sauvage à la guérison des malades, arriva enfin. L'on se prépara pour le départ, et le 16 mai Cartier, abandonnant la Petite-Hermine aux naturels faute d'hommes pour la manoeuvre, commença à redescendre le fleuve, emmenant avec lui pour les présenter au roi, quelques Sauvages au nombre desquels était Donnacona, qui se vantait d'avoir beaucoup voyagé, et d'avoir vu dans les pays occidentaux des hommes portant des vêtemens de laine.

Cartier trouva à son retour la France en proie aux persécutions religieuses, et engagée dans une guerre terrible avec Charles-Quint. Dès l'année précédente, des lois sévères avaient été décrétées contre les nouveaux sectaires; des échafauds et des bûchers couvraient le royaume. Pendant ce temps-là, l'empereur avait su, par une politique habile, endormir son rival dans ses conquêtes en Italie, et il en profitait pour fondre à la fois sur le nord et sur le sud de ses Etats, que ses vastes provinces enveloppaient des deux côtés jusqu'à l'Océan. La voix de Cartier fut perdue dans le fracas des armes; le gouvernement n'eut pas le temps de penser à l'Amérique.

Il fallut attendre un moment plus favorable. Dès l'année suivante cependant, le succès de François I amena une trêve qui fut ensuite prolongée; mais ce ne fut que vers 1540 qu'on s'occupa sérieusement de la découverte du célèbre navigateur malouin. Tout en France a ses ennemis acharnés; même les choses les plus utiles. Le résultat de la dernière expédition réveilla le parti opposé à la colonisation; il fit sonner bien haut la rigueur du climat des contrées visitées par Cartier; son insalubrité qui avait fait périr d'une maladie affreuse une partie des Français, enfin l'absence de mines d'or et d'argent. Ces assertions et bien d'autres encore laissèrent une impression défavorable dans quelques esprits. Mais les amis des colonies repoussèrent toutes ces attaques, et firent valoir les avantages que l'on pourrait tirer du commerce de pelleteries avec les Indigènes. D'ailleurs, disait-on, l'intérêt de la France ne permet point que les autres nations partagent seules la vaste dépouille du Nouveau-Monde.

Le parti du progrès l'emporta pour le moment. Dans ce parti se distinguait par dessus tous les autres, François de la Roque, seigneur de Roberval, que François I appelait le petit roi de Vimeu.

Ce seigneur, qui avait su conquérir l'estime du monarque par sa bravoure et par sa fidélité, demanda et obtint le gouvernement des pays nouvellement découverts. Cartier fut en même temps nommé capitaine-général de l'escadre qui devait y transporter les colons; car l'on avait décidé d'y former sans délai un établissement. La difficulté de réunir tout ce qu'il fallait pour l'entreprise, retarda cependant le départ de Roberval; Cartier prit les devans avec cinq vaisseaux au commencement de l'été de 1541, et après avoir attendu vainement à Terreneuve le gouverneur qui devait le suivre à quelques jours de distance, il continua sa route et vint jeter l'ancre dans l'embouchure de la rivière du Cap-Rouge, à trois lieues de Québec, donnant la préférence à cette rivière sur celle de St.-Charles, à cause de l'excellente position défensive qu'offre l'élévation d'un de ses bords, qui commande aussi le fleuve très rétréci vers cet endroit.

Il fortifia ce poste et fit commencer les défrichemens tandis qu'il allait inutilement tenter une seconde fois, avec le vicomte de Beaupré, de remonter le fleuve au-dessus du Sault-St-Louis.

L'hiver se passa assez tranquillement; mais au printemps les secours qu'on attendait ne parurent point; et les Sauvages commencèrent à devenir menaçans. Dans ces circonstances Cartier ne vit pas d'autre parti à prendre que de se rembarquer pour la France.

Cependant Roberval n'avait pu faire voile pour le Canada qu'en 1542, avec trois vaisseaux portant 200 personnes des deux sexes et plusieurs gentilshommes. Le hasard fit que les deux escadres se rencontrèrent à St.-Jean de Terreneuve; mais Cartier, pour des motifs que nous ne connaissons pas, ne voulut point retourner sur ses pas et suivre le gouverneur, qui n'arriva au Cap-Rouge que vers le milieu de l'été. Cartier avait nommé ce lieu *Charlesbourg-Royal*, celui-ci le nomma *France-Roy*.

Il fit aussitôt commencer de grands travaux pour mettre les colons à l'abri des injures de l'air et des attaques des Indigènes. Dans l'automne, il renvoya deux de ses vaisseaux en France, pour informer le roi de son débarquement et demander des secours de vivres pour l'année suivante.

Le Cap-Rouge, comme la plupart des lieux où l'on a commencé des colonies en Amérique, dut payer le tribut à la mort. Cinquante colons périrent dans le cours de l'hiver. Le printemps seul mit un terme à cette effrayante mortalité.

Dans le mois de juin, le gouverneur partit avec 70 hommes pour tâcher de remonter le fleuve jusqu'à sa source, où les Indiens disaient que l'on trouvait des pierres précieuses et des mines d'or abondantes. Mais il paraît qu'il n'eut pas plus de succès que Cartier; du moins c'est ce que l'on doit inférer du silence qui règne à cet égard; car, quoique la fin de la relation de son voyage soit perdue, s'il eût fait quelque nouvelle découverte, il nous en serait sans doute parvenu quelque chose.

Cependant, la nouvelle de son débarquement en Canada était arrivée à Paris juste au moment où la guerre allait se déclarer de nouveau entre François I et Charles-Quint; et le roi, au lieu de lui envoyer les secours qu'il demandait, chargea, au rapport de Lescarbot, Cartier en 1543 de le ramener en France, où sa valeur et son influence sur les populations de la Picardie, qui allait devenir le théâtre de la lutte, pourraient lui être utiles, comme en effet elles le furent à ce monarque. La colonie entière se serait rembarquée avec lui.

Ainsi finit le premier essai de colonisation fait par la France dans l'Amérique septentrionale il y a plus de trois cents ans, si l'on excepte toutefois celui du baron de Léry. C'est la guerre avec Charles-Quint qui amena l'abandon du Cap-Rouge: premier exemple du funeste effet du système politique européen des Français pour leurs possessions d'outre-mer.

Le nom de Jacques Cartier, immortalisé par la découverte du Canada, disparaît de l'histoire après ce voyage. Rien n'indique néanmoins que ce navigateur cessât de ce moment d'avoir des rapports avec l'Amérique. Si l'on en croit les représentations que firent ses neveux près d'un demi siècle après, pour obtenir la continuation des privilèges accordés à leur oncle, l'on doit supposer qu'il y fit encore longtemps la traite des pelleteries.

Cartier s'est distingué dans ses expéditions au Canada par son habileté et par son courage. Aucun navigateur n'avait encore osé de son temps, si rapproché de Colomb, pénétrer aussi loin que lui dans l'intérieur du Nouveau-Monde. En s'aventurant dans le climat rigoureux du Canada, où la terre est couverte de neige et les communications fluviales interrompues durant six mois de l'année; en hivernant deux fois au milieu de peuplades barbares dont il pouvait avoir tout à craindre, il a donné une nouvelle preuve de l'intrépidité des marins de cette époque.

Avec lui commence la longue série de voyageurs qui ont découvert l'intérieur de l'Amérique du Nord. Le St.-Laurent qu'il remonta jusqu'au Sault-St.-Louis fut la grande voie qu'il indiqua aux Français, et qui les conduisit successivement dans la vallée du Mississipi, dans le bassin de la baie d'Hudson, et jusque dans les immenses contrées que baigne la mer Pacifique.

Pour récompense de ses découvertes, il fut anobli, dit-on, par le roi de France. Mais sa gloire la plus durable sera toujours celle d'avoir placé son nom à la tête des annales canadiennes, et ouvert la première page d'un nouveau livre dans la grande histoire du monde.

CHAPITRE III

ABANDON TEMPORAIRE DU CANADA

1543-1603.

La guerre dura plusieurs années entre François I et l'Empereur Charles-Quint. Comme cela était déjà arrivé, et devait arriver encore, on oublia le Canada dans le tumulte des camps.

Enfin la paix étant rétablie, Roberval, dont la réputation de bravoure s'était encore accrue, travailla sans perdre de temps à former une nouvelle expédition pour retourner en Amérique. Il s'adjoignit à cet effet son frère, soldat très brave que le roi, bon juge en cette matière, avait surnommé le *Gendarme d'Hannibal*. Il fit voile en 1549, sous le règne de Henri II, et périt dans le voyage avec tous ses compagnons, sans qu'on ait jamais su comment était arrivé ce malheur, qui fit abandonner entièrement le Canada, et qui aurait eu probablement l'effet de dégoûter pour longtemps la France de ces hasardeuses entreprises, sans l'Amiral de Coligny, qui tourna l'attention vers d'autres climats.

En 1555, ce chef des Huguenots, un des génies les plus étendus, dit l'abbé Raynal, les plus fermes, les plus actifs qui aient jamais illustré ce puissant empire; grand politique, citoyen jusque dans les horreurs des guerres civiles, proposa à Henri II de former une colonie dans quelque partie du Nouveau-Monde, où ses sujets de la religion réformée pourraient se retirer pour exercer leur culte librement et en paix. Le roi approuva ce dessein. Heureux pour la France s'il eût été érigé en système et suivi fidèlement. Quelles sources de richesses et de puissance il lui eût assurées! et combien il eût fait éviter peut-être de discordes civiles et de désastres! Mais à cette époque de haineuses passions, l'on sacrifiait avec délices les plus chers intérêts du pays aux fureurs du fanatisme et aux appréhensions d'une tyrannie égoïste et soupçonneuse.

Nicolas Durant de Villegagnon, chevalier de Malte, et vice-amiral de Bretagne, imbu des doctrines nouvelles, s'offrit pour conduire les colons dans le Brésil, contrée que sa température faisait préférer au Canada. Cet établissement échoua néanmoins. Villegagnon étant revenu au catholicisme, la désunion se mit parmi les Français et ils ne purent se maintenir dans le pays.

Cependant les dissensions religieuses allaient toujours croissantes en France. L'effroyable boucherie des Vaudois (1545) avait rempli les protestans d'une secrète terreur. La guerre civile allait se rallumer. Coligny songea encore plus sérieusement qu'auparavant à trouver un asile pour ses co-religionnaires, sur lesquels on avait recommencé à faire peser les rigueurs d'une sanglante persécution. Il profita d'une espèce de trêve, en 1562, pour intéresser la cour au plan d'établissement qu'il avait projeté pour eux dans la Floride. Charlevoix assure que, selon toutes les apparences, il ne découvrit pas ce dessein au roi; et qu'il ne lui fit envisager son projet que comme une entreprise avantageuse à la France; mais il est difficile de croire qu'il pût en imposer à la cour à cet égard. Charles IX n'ignorait point, et il fut fort aise en effet de voir que Coligny n'employait à cette expédition que des calvinistes, parce que c'était autant d'ennemis dont il purgeait l'Etat. Les catholiques firent bientôt néanmoins changer cette sage et prudente politique.

L'amiral fut laissé maître de toute l'entreprise. Il donna le commandement de l'expédition à Jean de Ribaut, de Dieppe, bon marin, lequel partit, en 1562, pour la Floride, et jeta les fondemens d'un établissement qu'il nomma Charlesfort, dans une île de Port-Royal (Caroline du sud) au septentrion de la rivière Savannah. Deux ans plus tard, Laudonnière à qui le roi avait fait compter cinquante mille écus, arrivant avec de nouveaux colons, fit abandonner ce poste et élever un autre fort dans un endroit plus avantageux sur la rivière Alatamaha (Géorgie) à deux lieues de la mer.

Cette colonie nommée la Caroline, qui serait devenue un empire florissant si elle eût été suffisamment protégée, a fini par un événement tragique trop célèbre pour le passer sous silence. Trois ans après sa fondation, elle fut attaquée par une flotte espagnole de six vaisseaux commandée par Don Pedro Menendez. Philippe II ayant appris que les Français avaient fondé un établissement dans la Floride, qu'il prétendait appartenir à sa couronne, avait résolu de les en chasser, et cette flotte était envoyée pour exécuter la volonté du farouche monarque. Le fort des Français fut surpris, et tous ceux qui ne purent s'échapper, hommes, femmes et enfans, furent massacrés avec cette cruauté froide qui distingue les Espagnols. Les détails des actes de barbarie commis par eux font frémir d'horreur. Les prisonniers furent fusillés, ou pendus à un arbre, sur lequel on mit par dérision une inscription portant ces mots: «*Ceux-ci n'ont pas été traités de la sorte en qualité de Français, mais comme hérétiques et ennemis de Dieu*». Presque tous les colons périrent dans cette catastrophe: quelques uns seulement réussirent à se sauver avec leur chef, Laudonnière. Les vainqueurs gardèrent leur conquête, et s'y fortifièrent avec l'intention de rester dans le pays.

Lorsque la nouvelle de ce massacre arriva en France, elle y excita au plus haut point l'indignation publique. Tous les Français, de quelque religion qu'ils fussent, regardèrent cet acte comme une insulte à la nation, et brûlaient de la venger. Mais la cour fut d'une opinion contraire, et, en haine de Coligny et des Huguenots, Charles IX, ou plutôt Catherine de Médicis, car c'était elle qui gouvernait l'Etat, le roi n'ayant encore que 15 ans, fit semblant de ne pas s'apercevoir de cet affront. Le monarque oubliant ainsi son devoir, un simple individu prit entre ses mains la défense de l'honneur national et la vengeance de la France. Cet homme était le chevalier Dominique de Gourgues d'une famille distinguée de la Gascogne, et en outre bon catholique. C'était un officier de la plus grande distinction, et qui avait été éprouvé par des revers de fortune. Il soutint près de Sienne en Toscane, avec un détachement de 30 hommes, longtemps les efforts d'une partie de l'armée espagnole; tous ses soldats ayant été tués, il fut fait prisonnier et envoyé aux galères. La galère dans laquelle il était fut prise par les Turcs, et ensuite reprise par les chevaliers de Malte. Ce dernier événement l'ayant rendu à la liberté, il se mit à voyager, et visita toutes les parties du globe. Il devint l'un des marins les plus habiles et les plus hardis de son siècle. Vivement ému au récit du massacre des Français à la Caroline, il jura de les venger. Il vendit pour cela tout son bien, et arma trois navires montés par 80 matelots et 150 soldats, la plupart gentilshommes.

Rendu à l'île de Cuba, il assembla toutes ses gens, et leur retraça sous les plus vives couleurs le tableau des cruautés inouïes que les espagnols avaient exercées sur les Français de la Floride. «Voilà, ajouta-t-il, mes camarades le crime de nos ennemis. Et quel serait le nôtre, si nous différions plus longtemps à tirer justice de l'affront qui a été fait à la nation française? C'est ce qui m'a engagé à vendre mon bien; c'est ce qui m'a ouvert la bourse de mes amis; j'ai compté sur vous, je vous ai cru assez jaloux de la gloire de votre patrie pour lui sacrifier jusqu'à votre vie en une occasion de cette importance; me suis-je trompé? J'espère donner l'exemple, être partout à votre tête, prendre pour moi les plus grands périls; refuserez-vous de me suivre?»

L'on répondit par des acclamations à cette allocution noble et chaleureuse; et, dès que le temps le permit, l'on cingla vers la Floride. Les Sauvages étaient mal disposés contre les Espagnols. De Gourgues en profita et forma une ligue avec eux. Sans perdre de temps, il fit les dispositions nécessaires pour attaquer les ennemis, qui avaient ajouté deux forts à celui qu'ils avaient enlevé aux Français. On garda le plus grand secret pour ne pas leur donner l'éveil.

De Gourgues divisa ses troupes en deux colonnes pour l'attaque, et marcha, aidé des Sauvages, contre le premier fort. La garnison qui était de soixante hommes, l'ayant abandonné, tomba entre les deux colonnes, et fut presque toute détruite au premier choc. Le second fort fut pris après quelque résistance de la part de ses défenseurs, qui dans leur fuite furent aussi cernés et taillés en pièces. Le troisième fort, la Caroline, était plus grand que les autres, et renfermait deux cents hommes. Le commandant français ayant résolu de l'escalader, avait disposé des troupes autour de la place, lorsque les assiégés firent une sortie avec 80 arquebusiers, ce qui avança leur perte. On les attira par stratagème loin de leurs murailles, et on leur coupa la retraite. Assaillis de tous côtés, ils furent tous tués après avoir offert la plus vigoureuse résistance. Les soldats qui formaient le reste de la garnison, effrayés, voulurent se sauver dans les bois; mais ils tombèrent aussi sous le fer des Français et des Indiens, excepté quelques uns que l'on réserva pour une mort plus ignominieuse. On fit un butin considérable. Les prisonniers furent amenés au lieu où les Français avaient subi leur supplice, et où Menendez avait fait graver sur une pierre ces mots: «*Je ne fais ceci comme à des Français, mais comme à des Luthériens.*» De Gourgues leur fit des reproches sanglans sur leur cruauté et sur leur manque de foi, et ensuite les fit pendre à un arbre, sur lequel il fit mettre à la place de l'ancienne inscription, celle-ci écrite sur une planche de sapin: «*Je ne fais ceci comme à Espagnols; mais comme à traîtres, voleurs et meurtriers.*»

Trop faibles pour garder le pays, les Français rasèrent les forts et mirent à la voile pour la France, où le peuple accueillit avec satisfaction la nouvelle du succès de leur entreprise, qui fut regardée comme un acte de justes représailles. Mais la reine-mère et la faction des Guises auraient sacrifié de Gourgues au ressentiment du roi d'Espagne, sans des amis, et le président de Marigny qui le cacha à Rouen. Sa conduite reçut hautement l'approbation des autres nations, et la reine d'Angleterre, Elizabeth, alla jusqu'à lui offrir un poste avantageux dans sa marine. Il remercia cette princesse de ses offres généreuses, le roi lui ayant rendu ses bonnes grâces.

Il se préparait à aller prendre le commandement de la flotte de don Antoine, qui disputait à Philippe II, la couronne du Portugal, lorsqu'il mourut à Tours en 1567. Il emporta dans la tombe le regret général, et laissa après lui la réputation d'un des meilleurs capitaines du siècle, aussi habile sur mer que sur terre.

La faiblesse de Catherine de Médicis dans cette affaire, sembla autoriser les bruits que les Espagnols faisaient courir pour atténuer l'odieux de leur conduite. Ils assuraient que Charles IX s'était entendu avec leur roi, son beau-frère, pour exterminer les Huguenots établis à la Floride. Quoiqu'il se soit refusé à demander satisfaction de cette horrible violation du droit des gens, et que d'autres actes de son règne ternissent encore beaucoup plus sa mémoire, il est impossible d'ajouter foi à de pareils rapports sans des témoignages clairs et précis qui les rendent indubitables.

En formant des établissemens de protestans français dans le Nouveau-Monde, Coligny exécutait un projet patriotique, projet dont l'Angleterre sut ensuite profiter, et dont nous voyons aujourd'hui les immenses résultats. Il voulait ouvrir en Amérique à tous ceux qui s'étaient séparés de la religion établie du royaume, un asile, où, tout en formant partie du même empire, et en augmentant son étendue et sa puissance, ils pourraient jouir des avantages que possédaient les fidèles de l'ancienne religion dans la mère-patrie. Ce projet est vraiment une des plus belles et des plus nobles conceptions modernes; et s'il n'a pas réussi, quoiqu'il eût d'abord l'appui du gouvernement, c'est parce que le parti catholique, qui eut toujours la principale influence sur le trône, s'y opposa sans cesse, tantôt sourdement, tantôt ouvertement. Il en fut ainsi surtout vers le temps où nous sommes arrivé. La longue période qui s'écoula depuis l'expédition de Roberval jusqu'à celle du marquis de la Roche en Acadie, en 1598, est entièrement remplie par la lutte avec l'Espagne et l'Empire, et par les longues et sanglantes guerres de religion rendues si tristement fameuses par le massacre de la St.-Barthélemi, et que termina le traité de Vervins. Durant tout ce temps, l'attention des chefs de l'Etat fut absorbée par ces événemens mémorables, qui ébranlèrent la France jusqu'en ses fondemens.

Ce ne fut qu'après cette triste époque, et lorsque Henri IV fut solidement établi sur le trône, que l'on revint aux desseins que l'on avait formés sur le Canada et les pays voisins, et auxquels on paraît en général avoir tenu jusque-là plus par esprit d'imitation et par fantaisie, que par ambition ou par intérêt bien entendu.

Mais tandis que le reste des Français travaillait à s'entre-détruire avec un acharnement qu'on a peine à concevoir aujourd'hui, pour des croyances dont ces massacres mêmes prouvaient que Dieu seul pouvait être le juge, et qui devront servir de salutaire exemple dans tous les temps aux peuples de ce continent, où il y a tant de religions diverses, les Normands, les Basques et les Bretons continuaient de faire la pêche de la morue et de la baleine, comme si leur pays eût joui de la plus grande tranquillité. Tous les jours ils agrandissaient le cercle de leur navigation. C'était à eux que l'on devait cette pêche qu'ils avaient créée à une époque reculée, et qui augmentait d'une manière si considérable l'industrie française. Ils l'avaient d'abord commencée sur le grand banc de Terreneuve; ils l'étendirent graduellement sur les côtes voisines et dans le golfe et le fleuve St.-Laurent. En 1578, cent cinquante navires français vinrent à Terreneuve. Un autre négoce non moins profitable qui s'était établi avec les Indigènes des côtes, est celui des pelleteries, lequel se faisait avec une grande facilité et avec avantage pour la France. Les trafiquans de fourrures furent attirés à la recherche de cette marchandise, le long d'une grande partie des rivages de l'Amérique du nord, et dans les rivières qui tombent dans la mer. Ils remontaient le fleuve St.-Laurent jusqu'au-dessus de Québec, côtoyaient les îles du golfe et des environs, et les pays voisins. C'est à ce commerce enfin que sont dûs en grande partie les premiers établissemens que l'on va voir bientôt se former au Canada et dans l'Acadie.

Jacques Noël et Châton, neveux et héritiers de Cartier, avaient continué ses entreprises, et s'étaient livrés au commerce des pelleteries qui rendait de grands bénéfices; ils excitèrent à tel point la jalousie des autres traitans, que ceux-ci brûlèrent trois ou quatre de leurs pataches. Afin de ne plus être exposés aux mêmes attaques, ils sollicitèrent du roi le renouvellement des priviléges qui avaient été accordés à leur oncle, dans la vue de former une habitation dans la Nouvelle-France, avec le droit exclusif de commercer avec les Sauvages durant 12 ans, et d'exploiter les mines qu'ils avaient découvertes. En considération des services de leur oncle, des lettres-patentes leur furent accordées à cet effet en 1588. Cependant, dès que les marchands de St.-Malo eurent appris ce qui venait de se passer, et l'existence du privilége qui les privait d'un négoce lucratif, ils se plaignirent hautement. Ils se pourvurent au conseil privé du roi, pour faire révoquer les lettres-patentes, et obtinrent un arrêt favorable à leur demande sans beaucoup de difficultés.

Dans l'année même du rétablissement de la paix (1598), le marquis de la Roche, de la province de Bretagne, se fit confirmer par le roi dans la charge de lieutenant-général du Canada, de l'Acadie et des pays adjacens, que lui avait accordée Henri III, et dont les troubles du royaume l'avaient probablement empêché de prendre possession. Ses pouvoirs avaient la même étendue que ceux de Roberval. Il était autorisé à prendre dans les ports de France, les navires, capitaines et matelots dont il pourrait avoir besoin; à lever des troupes, faire la guerre et bâtir des villes dans les limites de sa vice-royauté; à y promulguer des lois et les faire exécuter; à concéder les terres aux gentilshommes, à titre de fiefs, seigneuries, baronnies, comtés, etc. Le commerce était laissé également sous son contrôle absolu.

Revêtu ainsi d'une autorité aussi despotique que vaine et imaginaire, il partit pour le Nouveau-Monde avec 60 hommes. Aucun marchand n'osa élever la voix contre le monopole accordé à ce seigneur, comme on l'avait fait contre les neveux de Cartier: son rang leur imposa silence.

Le marquis de la Roche, soit qu'il craignit la désertion de ses gens, composés de repris de justice, soit qu'il crut ce lieu plus à la main en attendant qu'il eût trouvé dans la terre ferme un territoire propre à son dessein, les déposa dans l'île de Sable. Cette île, en forme de croissant, étroite, aride et d'un aspect sauvage, ne porte ni arbres, ni fruits; il n'y pousse qu'un peu d'herbe, et l'on n'y trouve qu'un lac d'eau douce au centre.

Après avoir ainsi débarqué ses colons sur cette terre désolée, entourée d'écueils battus par la mer, il passa en Acadie. En revenant, il fut surpris par une furieuse tempête qui le chassa en dix ou douze jours sur les côtes de France. Il n'eut pas plutôt mis pied à terre, qu'il se trouva enveloppé dans une foule de difficultés. Le duc de Mercoeur, qui commandait en Bretagne, le garda aussi prisonnier quelque temps. Ce ne fut que cinq ans après, qu'il put raconter au roi qui se trouvait à Rouen, ce qui lui était arrivé dans son voyage. Le monarque, touché du sort des malheureux abandonnés dans l'île de Sable, ordonna au pilote qui y avait conduit le marquis de la Roche, d'aller les chercher. Il n'en trouva plus que douze sur quarante qui y avaient été débarqués.

Dès qu'ils avaient été livrés à eux-mêmes, ces hommes, accoutumés à donner libre cours à la fougue de leurs passions, n'avaient plus voulu reconnaître de maître. La discorde les avait armés bientôt les uns contre les autres, et plusieurs avaient péri dans des querelles qui empirèrent encore leur triste position. A la longue cependant la misère dompta leur caractère farouche, et ils prirent des habitudes plus paisibles, et que nécessitait d'ailleurs l'intérêt de leur conservation.

Ils se construisirent des huttes avec les débris d'un navire échoué sur les rochers de la plage, et vécurent pendant quelque temps de la chair des animaux que le baron de Léry y avait débarqués 80 ans auparavant, et qui s'y étaient propagés (Laët.--*Histoire de l'Amérique*). Ils en avaient aussi apprivoisé quelques uns qui leur fournissaient des laitages; mais bientôt cette ressource leur manqua, et il ne leur resta plus que la pêche pour fournir à leur subsistance. Lorsque leurs habits furent usés, ils s'en firent de peaux de loup-marin. A leur retour, Henri IV voulant les voir dans le même état dans lequel on les avait trouvés, on les lui présenta avec les vêtemens dont l'on vient de parler. Leur barbe et leurs cheveux qui étaient d'une longueur démesurée et fort en désordre, donnaient un air rude et sauvage à leur figure. Le roi leur fit distribuer à chacun cinquante écus, et leur permit de retourner dans leurs familles sans pouvoir être recherchés de la justice pour leurs anciennes offenses.

Cependant, le marquis de la Roche qui avait engagé sa fortune dans cette entreprise, la perdit toute entière par suite des malheurs qui ne cessèrent de l'accabler. Ruiné et sans espérance de pouvoir reprendre un projet qu'il avait toujours à coeur, le chagrin s'empara de lui et le conduisit lentement au tombeau. L'histoire des traverses et de l'infortune de cet homme et des colons qui le suivirent dans l'île de Sable, forme un épisode digne d'exercer la plume d'un romancier.

On a reproché à M. de la Roche plusieurs fautes. Sans nous arrêter à blâmer des plans qu'il n'a pas eu le temps de développer, nous devons dire que, comme victime de ses efforts pour la cause de la colonisation, il a laissé un nom qui sera toujours respecté en Amérique.

Plusieurs causes contribuaient à cette époque à ces insuccès. L'insurbordination, et le choix d'hommes de guerre n'ayant d'autre expérience que celle de l'épée, pour conduire ces entreprises, sont parmi les principales. Dans toutes les tentatives faites jusqu'alors, ni règle, ni ensemble n'a été suivi; et toujours le manque de prévoyance l'a disputé à l'inconstance et à l'apathie des gouvernemens; aux divisions et à la faiblesse de moyens des individus. Au reste, les mutineries et les désordres étaient le mal des populations du temps, fruit sans doute des agitations sociales qui bouleversaient l'Europe depuis près d'un siècle.

La France n'est pas le seul pays qui ait eu de ces obstacles à vaincre. L'histoire des États-Unis nous apprend que l'Angleterre s'y prit plusieurs fois avant de pouvoir réussir à se fixer dans ce continent, d'une manière solide et durable. Sans parler de la première colonie qu'elle y envoya en 1579, et que les Espagnols, maîtres de la mer et jaloux des entreprises que les autres nations pouvaient faire dans le Nouveau-Monde, attaquèrent en route et forcèrent à rebrousser chemin (*Oldys. American Annals*), l'on sait que dès quatre ans après, le chevalier Humphrey Gilbert alla commencer un établissement dans l'île de Terreneuve, à St.-Jean; et que, malgré les espérances qu'on en conçut d'abord, l'indiscipline des colons amena une fin désastreuse; que le célèbre Walter Raleigh, élève de Coligny, dont il avait contracté l'esprit de persévérance, voulant continuer les desseins de son beau-frère Gilbert, n'eut pas plus de succès à Roenoke dans la Floride, et qu'au bout de trois ans l'amiral Drake fut obligé de ramener dans leur patrie les colons qu'il y avait débarqués ; qu'en 1587 une autre plantation fut commencée dans la Virginie, dont tous les habitans moururent de misère, ou furent massacrés par les Indigènes; qu'en 1602 encore l'on ne fut pas plus heureux dans un nouvel essai fait sur les côtes de la Nouvelle-Angleterre, qu'enfin, il en fut ainsi de plusieurs autres entreprises du même genre dans la suite, parmi lesquelles plusieurs cependant ont été plutôt des expéditions commerciales que des tentatives sérieuses d'établissement.

LIVRE PREMIER

ETABLISSEMENT PERMANENT DE LA NOUVELLE-FRANCE

CHAPITRE I

ACADIE (Nouvelle-Ecosse.)

1603-1613.

Nous sommes enfin parvenu à l'époque à laquelle on peut fixer le commencement des succès permanens de la colonisation française. Bien des obstacles et bien des calamités en arrêteront encore le cours, paraîtront même l'interrompre; mais ils ne cesseront pas d'être réels; ils seront comme la lumière qui paraît et disparaît vacillante au souffle du vent; elle brûle toujours quoiqu'elle semble quelquefois s'éteindre.

Cette époque correspond au règne d'Henri IV, l'un des plus grands rois qu'ait eus la France, et à celui de son successeur, Louis XIII. La guerre civile avait fait place à la guerre étrangère; et Richelieu achevait l'abaissement de la maison d'Autriche, et de la noblesse du royaume que les guerres de religion avaient divisée et affaiblie. Le caractère national s'était retrempé dans ces longues et sanglantes disputes; son énergie s'était réveillée. Rendue à la paix, la France eut besoin de nouvelles carrières pour donner cours à son activité.

La marche de la civilisation ne s'était pas ralentie en Europe. La grande lutte religieuse où le principe protestant avait triomphé, avait donné, si je puis m'exprimer ainsi, plus de ressort et plus d'étendue à l'esprit humain, en agrandissant le champ de son expérience et en détruisant ses préjugés.

La France, l'Angleterre et les Provinces-Unies avaient pris un accroissement rapide de population, de richesse et de grandeur.

Henri IV police et fait fleurir son royaume, rétablit l'ordre dans les finances, réforme la justice, oblige les deux religions de vivre en paix; encourage l'agriculture et le commerce, établit des manufactures de drap d'or et d'argent, de tapisseries, de glaces. C'est aussi sous lui que les vers à soie sont introduits en France et qu'on y creuse le canal de Briare.

Le commerce établissait déjà des communications entre tous les pays, mettait en regard leurs moeurs et leurs usages. L'imprimerie qui se propageait, en généralisant les connaissances, appelait les hommes de génie à éclairer leurs concitoyens prêts à recevoir l'impulsion qui leur serait donnée et à marcher dans la voie des progrès. Les classes moyennes ayant acquis par l'industrie de l'importance, de la liberté et des richesses, reprenaient le rang qu'elles doivent occuper dans la société dont elles sont la principale force. En repoussant du poste qu'elle occupait depuis des siècles cette noblesse guerrière qui ne s'était distinguée que par la destruction et l'effusion du sang, elles allaient introduire dans l'Etat des principes plus favorables à sa puissance et à la liberté des peuples. «Tout progrès, en effet, dit Lamennais, se résout dans l'extension de la liberté, car le progrès ne peut être conçu que comme un développement plus libre ou plus complet des puissances propres des êtres. Or, dans l'ordre social, nulle liberté sans propriété: elle seule affranchit pleinement l'homme de toute dépendance.»

La découverte du Nouveau-Monde avait activé ce grand mouvement. Les nations s'étaient mises à coloniser, les unes pour se débarrasser de sectaires remuans, d'autres pour ouvrir un champ aux travaux des prédicateurs chrétiens, toutes pour se créer des sources de richesse et de puissance. La France s'est surtout distinguée par ses efforts pour convertir les infidèles, et l'on peut dire à l'honneur de sa foi, qu'aucun autre peuple n'a tant fait pour cette cause toute de sainteté et de philantropie. C'est par cela probablement que l'on peut expliquer l'estime que toutes les nations indiennes ont eue dans tous les temps pour elle sur tous les autres peuples.

Cette conduite de la France, envisagée sous le rapport politique, ne mérite pas les mêmes louanges, surtout à cause de la pernicieuse influence qu'elle exerça sur la police des colonies. En Canada, par exemple, de peur de scandaliser les Sauvages par le spectacle de plusieurs religions, l'on persuada au gouvernement de n'y laisser passer que des émigrans catholiques. Ainsi le catholicisme forcé de laisser subsister la religion protestante à côté de lui dans la métropole, eut encore assez de force cependant pour le faire exclure dans les plantations d'outre-mer, exclusion qui annonce déjà l'arrière pensée qui devait se manifester plus tard par la révocation de l'édit de Nantes, et qui devait aussi altérer le système de gouvernement intérieur adopté par Henri IV et Sully. Les tendances libérales et quelque peu républicaines des Huguenots, les rendirent d'ailleurs redoutables à la cour, qui voyait d'un tout autre oeil la soumission des catholiques et du haut clergé aussi hostile pour le moins que le pouvoir royal aux libertés populaires.

Tel était l'état de l'Europe et particulièrement celui de la France, lorsque s'ouvrit le dix-septième siècle.

Le commerce de pelleteries et la pêche de la morue prenant de jour en jour plus de développement, il devenait aussi d'une grande importance pour cette nation de s'assurer de la possession des pays où se faisaient ces deux négoces si avantageux pour sa marine. D'ailleurs le système colonial de l'Espagne s'agrandissait rapidement; l'Angleterre persistait à s'établir dans la Floride en dépit de ses échecs. Elle ne pouvait donc rester tranquille en Europe, pendant que ses ennemis ou ses rivaux cherchaient à se fortifier en Amérique. Elle se mit aussi en frais plus sérieusement qu'elle ne l'avait fait jusque là, d'y avoir au moins un pied à terre. Mais les premiers hommes à qui elle confia cette tâche après la mort du marquis de la Roche, en firent simplement un objet de spéculation.

Pontgravé l'un des principaux négocians de St.-Malo, forma le vaste projet d'accaparer la traite des fourrures en Canada et en Acadie. Pour le réaliser, il jeta les yeux sur un capitaine de vaisseau nommé Chauvin, qui avait des amis puissans à la cour, et qui se recommandait en outre par les services qu'il avait rendus au roi dans les dernières guerres. Cet officier obtint facilement les pouvoirs qui avaient été accordés à la Roche. Mais il mourut après avoir débarqué à Tadoussac une douzaine de colons qui seraient morts de faim dans l'hiver sans les Sauvages qui les recueillirent dans leurs cabanes.

Le commandeur de Chaste, gouverneur de Dieppe, succéda à ses priviléges. Il paraît que le commerce n'était pour lui qu'un objet secondaire; mais Pontgravé, qui n'entrait dans ces entreprises que pour s'enrichir, lui démontra la nécessité de la traite pour subvenir aux dépenses de premier établissement toujours si considérables. Le nouveau gouverneur forma, à sa suggestion, une société dans laquelle entrèrent plusieurs personnes de qualité et les principaux marchands de Rouen.

Sur ces entrefaites, Samuel de Champlain, capitaine de vaisseau, officier distingué, nouvellement arrivé des Indes occidentales, se trouva à la cour où Henri IV le retenait près de lui. A la demande du commandeur il voulut bien accompagner l'expédition qu'on envoyait en Canada.

La petite flotte qui consistait en barques de douze à quinze tonneaux seulement, fit voile en 1603. Champlain remonta le St.-Laurent avec Pontgravé jusqu'au Sault-St.-Louis, et de retour en France, il montra au roi la carte et la relation de son voyage. Henri en fut si content qu'il promit de favoriser l'entreprise de tout son pouvoir; et le commandeur étant mort pendant ce temps-là, il donna sur le champ sa commission à Pierre Dugua, sieur de Monts, de la province de Saintonge, gentilhomme ordinaire de sa chambre et gouverneur de Pons, avec le privilége exclusif de faire la traite depuis le cap de Raze, en Terreneuve, jusqu'au 50e degré de latitude nord. Les Huguenots eurent la liberté de professer leur religion dans les colonies qu'on établirait tout comme en France; mais les Indigènes devaient être instruits dans la foi catholique.

On attendait beaucoup des talens et de l'expérience de M. de Monts, qui avait toujours montré un grand zèle pour la gloire de son pays.

La société formée par son prédécesseur fut continuée et même augmentée par l'adjonction de plusieurs marchands de la Rochelle et d'autres villes du royaume. Cet accroissement permit de faire un armement plus considérable qu'à l'ordinaire. Quatre vaisseaux furent donc équipés, dont un pour faire la traite à Tadoussac; un autre pour visiter les côtes maritimes de la Nouvelle-France et saisir les bâtimens qui trafiqueraient avec les Sauvages en contravention à la défense du roi; et les deux derniers pour transporter les colons et chercher un lieu propre à leur établissement. Nombre de gentilshommes et d'hommes de métier s'embarquèrent sur ces navires avec quelques soldats.

On a déjà pu remarquer avec quelle ardeur les jeunes gens de famille noble se jetaient dans ces entreprises. Cartier et Roberval furent accompagnés par des gentilshommes dans tous leurs voyages. L'esprit inquiet et aventureux qui a distingué à un si haut degré la noblesse française du moyen âge, alors la première du monde, et dont les exploits depuis les bords brumeux d'Albion jusqu'aux rochers arides du Jourdain, formeraient un livre si intéressant et si dramatique, cet esprit, disons-nous, semblait chercher en Amérique un nouvel élément à son activité, et l'occasion de se soustraire à la sujétion que la politique du souverain faisait peser de plus en plus sur cette caste, dont l'ambition et l'indépendance avaient été pendant si longtemps pour la royauté un objet de souci et de crainte.

Champlain s'embarqua de nouveau avec le baron Jean de Poutrincourt pour l'Amérique, où ce dernier avait dessein de s'établir avec sa famille. Partis en mars 1604, du Havre-de-Grâce, les vaisseaux chargés d'émigrans des deux religions avec leurs prêtres et leurs ministres, se dirigèrent vers l'Acadie, dont de Monts préférait le climat à celui du Canada, qu'il trouvait trop rigoureux.

L'Acadie à peine connue, n'était fréquentée que par les traitans. C'était le plus beau pays de la Nouvelle-France du côté de l'Océan; il y a plusieurs ports excellens, où l'on entre, et d'où l'on sort par tous les vents, et le climat y est tempéré et fort sain. Le long de la mer le sol est rocheux et aride; mais dans l'intérieur il est de la plus grande fertilité, et l'on y a découvert des mines de cuivre, de fer, de charbon et de gypse. Le poisson de toute espèce abondait sur les côtes, comme la morue, le saumon, le maquereau, le hareng, la sardine, l'alose, etc. Le loup-marin, la vache-marine, ou phoque, et la baleine y étaient aussi en grande quantité. Les Micmacs, ou Souriquois, qui habitaient cette contrée quoique très-braves avaient des moeurs fort douces, et ils accueillirent les Français avec beaucoup de bienveillance.

Outre l'avantage du climat et de la pêche, l'Acadie possède encore sur le Canada celui d'une situation plus heureuse pour le commerce maritime; la navigation y est ouverte dans toutes les saisons. Tout contribuait donc à justifier le choix de cette contrée.

On fit terre d'abord dans un port de l'Acadie qui fut nommé de Rossignol, aujourd'hui *Liverpool*. De là l'on côtoya toute la presqu'île acadienne jusque dans le fond de la baie de Fundy, appelée par de Monts la baie Française.

L'on entra, chemin faisant, dans un bassin spacieux, entouré de collines d'où coulaient plusieurs rivières. Le baron de Poutrincourt, enchanté de la beauté de ce port et des terres qui l'environnent, en obtint la concession, et le nomma Port-Royal. Il devint et demeura le chef-lieu de l'Acadie durant toute la durée de la domination française.

L'on descendit ensuite vers le sud en longeant les côtes du Nouveau-Brunswick, où Champlain qui avait pris les devants, découvrit la rivière St.-Jean et lui donna ce nom qu'elle conserve encore. A une vingtaine de lieues de là, l'on atteignit l'île de Ste.-Croix (maintenant *Boon* ou *Doceas Island*) dans l'embouchure d'une grosse rivière (Ste.-Croix ou Schoodic) où M. de Monts résolut de placer sa colonie, la saison commençant à être avancée. Cette petite île était facile à défendre, et le sol, comme celui du pays environnant, paraissait d'une grande fertilité.

Les Indigènes furent enchantés des manières des Français et de la douceur de leurs moeurs. M. de Monts surtout captiva tellement leur confiance qu'ils le choisissaient pour juge des différends qui s'élevaient entre eux, et se soumettaient volontiers à ses décisions.

Cependant l'hiver fit bientôt apercevoir les inconvéniens du poste qu'on avait choisi. L'on se trouva sans eau et sans bois dans l'île, et ce n'était qu'avec des peines infinies qu'on pouvait s'en procurer de la terre ferme. Le scorbut, dont trente six personnes moururent, vint encore aggraver la situation des Français. L'on résolut dès lors d'aller s'établir ailleurs dès que la belle saison serait venue.

Après avoir exploré les côtes jusqu'au cap Cod (dans l'Etat du Massachusetts), et que Champlain qui avait poussé en chaloupe jusqu'à une vingtaine de lieues au delà, appelle cap Mallebarre, de Monts ne trouvant point de localité qui réunît tous les avantages qu'il désirait, songea à retourner en Acadie.

Sur ces entrefaites, Pontgravé arriva d'Europe avec 40 nouveaux colons. Ce secours, venu fort à propos, releva tous les courages que les fatigues de l'hiver écoulé, et surtout les ravages du scorbut, avaient très-abattus. La colonie se transporta à Port-Royal sur la rivière de l'Equille, où l'on jeta les fondemens (1604) de la ville qu'on appelle maintenant Annapolis.

Dans l'automne M. de Monts étant passé en France, trouva les esprits prévenus contre son entreprise, par suite des bruits que les gens intéressés à la traite de la pelleterie, et que son privilége avait privés de ce négoce, faisaient courir contre le climat de l'Acadie et l'utilité de ces établissemens dispendieux. Il craignit un moment de voir sa société se dissoudre; mais le baron de Poutrincourt, repassé en Europe, vint à son aide, et se chargea du gouvernement de la colonie naissante pour laquelle il partit sans délai. Il était temps qu'il arrivât en Amérique, car les colons, se croyant délaissés, s'étaient déjà embarqués pour repasser dans leur pays natal.

Celui qui rendit alors les plus grands services à Port-Royal, fut le célèbre Lescarbot, homme très-instruit et le premier qui indiqua les vrais moyens de donner à un établissement de ce genre une base durable. Il représenta que la culture de la terre était la seule garantie de succès; qu'il fallait s'y attacher particulièrement, et donna lui-même l'exemple aux colons. Il animait les uns, dit un auteur, il piquait les autres d'honneur, il se faisait aimer de tous, et ne s'épargnait lui-même en rien. Il inventait tous les jours quelque chose de nouveau pour l'utilité publique, et jamais l'on ne comprit mieux de quelle ressource peut être dans un nouvel établissement un esprit cultivé par l'étude, que le zèle de l'Etat engage à se servir de ses connaissances et de ses réflexions. C'est à lui que nous sommes redevables des meilleurs mémoires que nous ayons de ce qui s'est passé sous ses yeux, et d'une histoire de la Floride française. L'on y voit un auteur exact et judicieux, un homme qui a des vues, et qui eût été aussi capable d'établir une colonie que d'en écrire l'histoire.

Une activité aussi intelligente porta bientôt ses fruits. L'on fabriqua du charbon de bois; des chemins furent ouverts dans la forêt; un moulin à farine, mû par l'eau, fut construit sur la rivière et épargna beaucoup de fatigues aux colons qui avaient été jusque-là obligés de moudre leur blé à bras, opération des plus pénibles; l'on fit des briques et un fourneau dans lequel on monta un alambic pour clarifier la gomme de sapin et en faire du goudron. Les Indiens étaient tout étonnés de voir naître tant d'inventions qui étaient des merveilles pour eux. Ils s'écriaient dans leur admiration, «Que les Normands savent beaucoup de choses!» C'est ainsi qu'ils appelaient les Français, parceque la plupart des pêcheurs qui fréquentaient leurs côtes étaient de cette partie de la nation.

Mais tandis que les amis de l'établissement se félicitaient du succès qui avait enfin couronné trois ans de pénibles efforts, deux accidens vinrent détruire de si belles espérances. Toutes les pelleteries de la société acquises dans une année de trafic, furent enlevées par les Hollandais conduits par un transfuge; ce qui lui causa une perte à peine réparable. Et dans le même temps, les marchands de St.-Malo, obtinrent la révocation du privilége exclusif de la traite accordée à M. de Monts, son chef, qui ne reçut en retour qu'une indemnité imaginaire.

Ces deux événemens, arrivés coup sur coup, amenèrent la dissolution de la société. Les lettres qui contenaient ces nouvelles furent lues publiquement à Port-Royal, où elles causèrent un deuil universel. L'on abandonnait en effet l'entreprise au moment où le succès paraissait assuré, car dès l'année suivante la colonie aurait pu suffire à ses besoins.

Poutrincourt s'était fait chérir des Indigènes. Ils versèrent des larmes en le reconduisant sur le rivage, larmes qui font le plus bel éloge de sa conduite et de son humanité. Tel était leur respect pour les Français qu'ils ne dérangèrent rien dans les habitations qu'ils avaient abandonnées; et que, quand ils revinrent trois ans après, ils trouvèrent le fort et les maisons dans l'état dans lequel ils les avaient laissés, les meubles étant même encore à leur place. C'est en 1607 que Port-Royal fut ainsi abandonné.

Mais Poutrincourt était parti avec la résolution de revenir, s'il pouvait trouver quelque citoyen riche pour s'associer à son entreprise, de Monts s'en étant retiré tout-à-fait. Des personnes de qualité l'amusèrent d'abord pendant deux ans de leurs vaines promesses. Voyant que ces négociations n'avaient aucun résultat, il tourna les yeux ailleurs, et forma enfin un traité avec deux riches négocians de Dieppe, nommés Dujardin et Duquêne. Le coeur plein de joie, il remit à la voile pour l'Acadie (1610) avec bon nombre d'artisans et de personnes appartenant aux classes les plus respectables.

Dans la même année fut assassiné Henri IV. Cette calamité nationale eut encore des suites plus funestes pour la lointaine et faible colonie de la baie Française, que pour le reste du royaume. L'intrigue et la violence qui firent place, sous Marie de Médicis et son ministre Concini, à la politique conciliante du feu roi, vinrent troubler jusqu'aux humbles cabanes de Port-Royal, où elles jetèrent la confusion, et dont elles causèrent la ruine plus tard.

Dès que le ministre italien fut au pouvoir, les Jésuites eurent assez d'influence pour forcer le baron de Poutrincourt de les recevoir dans son établissement en qualité de missionnaires. Ses associés qui étaient huguenots, ou qui avaient des préjugés contre ces religieux, qu'ils regardaient comme les auteurs de la ligue et de l'assassinat de Henri, préférèrent se retirer de la société que d'y rester si l'on persistait à les admettre dans la colonie. Ils y furent remplacés sur le champ par la marquise de Guercheville qui s'était déclarée la protectrice des missions de l'Amérique: c'était tout ce que l'on demandait. La marquise acheta en outre les droits que de Monts avait sur toute l'Acadie, et qu'elle se promettait de faire revivre. Poutrincourt se trouva complètement à sa merci. Son fils signa un arrangement avec elle, par lequel la subsistance des missionnaires devait être prise sur le produit de la pêche et du commerce des pelleteries.

Cette dame qui ne faisait rien sans l'avis des Jésuites, les fit entrer encore dans le partage des profits de la traite, ôtant ainsi, selon Lescarbot, à ceux qui auraient eu la volonté d'aider à l'entreprise, le moyen d'y prendre part. «S'il fallait donner quelque chose, continue ce judicieux écrivain, c'était Poutrincourt, et non au Jésuite qui ne peut subsister sans lui. Je veux dire qu'il fallait premièrement aider à établir la république, sans laquelle l'Eglise ne peut être, d'autant que, comme disait un ancien évêque, l'Eglise est en la république, et non la république en l'Eglise.»

Les profits que rendaient les pelleteries se trouvèrent ainsi en partie absorbés pour le soutien des missions au détriment de Port-Royal. Les protestans et les catholiques, partisans de la politique de Sully, composaient ce qu'il y avait de plus industrieux en France, et étaient par cela-même plus favorables aux améliorations que leurs adversaires, auxquels ils durent cependant céder le pas dans les plantations comme ailleurs, depuis l'avènement de Marie de Médicis aux affaires. L'intérêt du pays fut ainsi sacrifié à la dévotion sublime, mais outrée du 17e siècle.

Les dissensions ne tardèrent pas à éclater en Acadie. Les Jésuites, agissant au nom de celle qui les y avait envoyés et maintenus, firent saisir les vaisseaux de Poutrincourt; il s'en suivit des emprisonnemens et des procès qui le ruinèrent, et réduisirent les habitans de Port-Royal auxquels il ne put envoyer des provisions, à vivre de glands et de racines durant tout un hiver.

La marquise de Guercheville se retira alors de la société, et avisa aux moyens d'établir les Jésuites ailleurs. Champlain fit tout ce qu'il put pour l'engager à se lier avec de Monts; mais elle refusa constamment de s'associer avec un calviniste. Au reste les Jésuites espéraient peut-être former en Acadie un établissement semblable à celui qu'ils avaient déjà dans le Paraguay, et qui fût entièrement sous leur contrôle; mais leur tentative eut les suites les plus funestes.

Leur protectrice fit armer à ses frais un vaisseau à Harfleur, dépense à laquelle la reine-mère voulut bien contribuer; et de la Saussaye, un de ses favoris, fut choisi pour le commander. Il alla prendre les Jésuites de Port-Royal et continua sa route vers le Mont-Désert, où il entra dans la rivière Penobscot (Pentagoët), que le P. Biart avait explorée l'année précédente, et commença sur la rive gauche un établissement qu'il nomma St.-Sauveur (1613).

Tout marcha d'abord comme on pouvait le désirer; et l'on se flattait déjà d'un succès qui dépasserait toutes les espérances, lorsqu'un orage, parti du côté d'où l'on devait le moins l'attendre, vint fondre sur la nouvelle colonie et l'étouffer dans son berceau. Voici ce qui donna lieu à cet événement.

L'Angleterre réclamait le pays jusqu'au 45e. degré de latitude septentrionale, c'est-à-dire, une grande portion de l'Acadie. La France, au contraire, prétendait descendre vers le sud jusqu'au 40e. degré. Il résultait de ce conflit que, tandis que la Saussaye se croyait dans les limites de la Nouvelle-France à St.-Sauveur, les Anglais l'y regardèrent comme empiétant sur leur territoire.

Aussi le capitaine Argall de la Virginie, n'eut-il pas été plutôt informé de son apparition sur la rivière Penobscot, qu'il résolût d'aller le déloger. L'espoir d'y faire un riche butin fut néanmoins pour beaucoup dans cet accès de patriotisme.

Il parut devant St.-Sauveur avec un vaisseau de 14 canons, et jeta la terreur dans la place qui était sans défense, et qui le prit d'abord pour un corsaire. Le P. Gilbert du Thet voulut opposer de la résistance avec quelques habitans et fut tué. Argall s'empara alors de l'établissement et le livra au pillage, donnant lui-même le premier l'exemple.

Pour légitimer cet acte de piraterie, il déroba la commission que la Saussaye tenait du roi de France, et feignit de le regarder, lui et les siens, comme des gens sans aveu; il se radoucit cependant lorsqu'il eut pris tout ce qu'il avait trouvé à sa guise, et rendit les prisonniers à la liberté, en proposant à ceux qui avaient des métiers de le suivre à Jamestown, d'où, après y avoir travaillé un an, on les transporterait dans leur patrie. Une douzaine acceptèrent cette offre. Les autres avec la Saussaye et le P. Masse, préférèrent se risquer sur une frêle embarcation pour atteindre la Hève, où ils trouvèrent un bâtiment de St. Malo qui les ramena en France.

Ceux qui s'étaient fiés à la parole d'Argall, furent bien surpris en arrivant à Jamestown de se voir jeter en prison et traiter comme des pirates. Ils réclamèrent vainement l'exécution du traité conclu avec lui, et furent condamnés à mort. Celui-ci qui n'avait pas songé que la soustraction de la commission de la Saussaye finirait d'une manière aussi tragique, et ne voulant point prendre sur lui la responsabilité de l'exécution des condamnés, la remit au gouverneur, le chevalier Thomas Dale, et avoua tout.

Ce document et les renseignemens puisés dans le cours de l'affaire, engagèrent le gouvernement de la Virginie à chasser les Français de tous les points qu'ils occupaient au sud de la ligne 45. En conséquence, une escadre de trois vaisseaux sous les ordres du même Argall, fut chargée d'aller exécuter cette résolution. Les prisonniers de St.-Sauveur y furent embarqués, et entre autres le P. Biart, qu'on accuse avec trop de précipitation sans doute d'avoir servi de pilote aux ennemis à Port-Royal, en haine de Biencourt, qui en était gouverneur, et avec lequel il avait eu des difficultés en Acadie.

La flotte alla ruiner d'abord tout ce qui restait de l'ancienne habitation de Ste.-Croix, vengeance inutile puisqu'elle était abandonnée depuis plusieurs années; elle cingla ensuite vers Port-Royal, où elle ne trouva personne en arrivant, tout le monde étant aux champs à deux lieues de là. En moins de deux heures toutes les maisons et le fort furent réduits en cendre. Alors le P. Biart voulut vainement persuader aux habitans, attirés par la fumée et les flammes qui dévoraient leurs asiles, de se retirer avec les Anglais; que leur chef était ruiné et ne pourrait plus les soutenir; ils repoussèrent cet avis avec mépris, et l'un d'eux leva même une hache sur ce Jésuite et menaça de le tuer, en l'accusant d'être la cause de leurs malheurs.

Après la destruction de Port-Royal, une partie des habitans se dispersa dans les bois ou se mêla avec les naturels; une autre gagna l'établissement que Champlain avait fondé sur le fleuve St.-Laurent. Ce désastre acheva d'épuiser les ressources du baron de Poutrincourt, qui, l'amertume dans l'âme et n'ayant plus aucune espérance, abandonna pour jamais l'Amérique.

De retour en France il prit du service, et dans les troubles qui survinrent à l'occasion du mariage du roi, il fut chargé de s'emparer de Méri-sur-Seine et de Château-Thierri. Il fut tué au siège de la première ville qui fut prise, et son corps fut enterré à St.-Just en Champagne. On peut le regarder à juste titre comme le véritable fondateur de Port-Royal ou Annapolis. Sa persévérance assura le succès de l'établissement de l'Acadie; car la destruction de Port-Royal n'amena pas l'abandon de cette province, qui continua d'être occupée par la plupart des anciens colons, auxquels vinrent bientôt se joindre de nombreux aventuriers.

Le gouvernement français, qui n'avait pris aucun intérêt direct à cette colonie, n'eut pas même l'idée de venger les actes de piraterie d'Argall. La cour de la régente, livrée aux cabales et aux factions des grands qui finirent par se soulever, et mirent la monarchie sur le bord de l'abîme, avait d'ailleurs bien autre chose à faire qu'à prendre en main la cause des pauvres planteurs de l'Acadie. Poutrincourt n'avait pas assez d'influence auprès de Marie de Médicis pour espérer qu'elle se chargeât de la défense de ses intérêts, et il ne fit aucune démarche auprès d'elle. Il se contenta d'adresser des plaintes inutiles contre le P. Biart à l'amirauté de Guyenne.

La marquise de Guercheville envoya la Saussaye à Londres pour y demander réparation des dommages qu'on lui avait faits contre le droit des gens; elle fut indemnisée d'une partie de ses pertes par l'appui qu'elle reçut sans doute de la part de l'ambassadeur de France. Elle reconnut alors, mais trop tard, la faute qu'elle avait faite de ne pas suivre l'avis de Champlain qui la rejette indirectement sur le P. Cotton, confesseur de Louis XIII. Mais y aurait-il eu bien de la sûreté répète-t-on à confier à un calviniste la direction d'un établissement dont le principal objet était de répandre la foi catholique parmi les tribus de la Nouvelle-France? Ce que l'on peut répondre à cela, c'est qu'il est bien fâcheux que l'intérêt des colonies et celui de la religion, n'aient pas toujours été identiques.

Malgré la nullité de ses résultats aujourd'hui, l'on ne peut s'empêcher cependant d'admirer un enthousiasme religieux comme celui qui animait madame de Guercheville, et qui la portait à sacrifier une partie de sa fortune pour la conversion des infidèles. Mais en lui rendant toute la justice qui lui est due pour un dévouement qui doit paraître sublime dans ce siècle de froid calcul et d'égoïste avidité, l'on peut se demander pourquoi est-il resté sans fruit, et ultérieurement sans avantage pour la France. Il est vrai qu'à cette époque l'expérience n'avait pas encore appris que l'intérêt religieux même exigeait impérieusement que tout fût sacrifié à l'avancement et à la consolidation des colonies; car celles-ci tombant, la ruine des missions devait en être la suite, ou du moins leur succès devenait fort problématique.

CHAPITRE II

CANADA

1603-1628.

Nous avons vu dans le chapitre précédent que M. de Monts avait abandonné l'Acadie, après le retrait de son privilège exclusif de la traite en 1607. Il tourna alors entièrement ses regards du côté du Canada, où deux motifs le firent persister dans son entreprise: l'augmentation des possessions françaises, et l'espoir de pénétrer quelque jour par le St.-Laurent jusqu'à la mer occidentale, et de là à la Chine. Le passage au grand Océan par le Nord-Ouest, est un problème dont on cherche la solution depuis Colomb, et qui n'a été résolu que de nos jours.

Ayant obtenu du roi le renouvellement de son privilège pour un an, afin de s'indemniser de ses dépenses, il nomma Champlain pour son lieutenant; et arma en 1608, avec ses associés, deux navires, dont l'un pour trafiquer à Tadoussac, et l'autre pour porter les colons qui devaient commencer l'établissement qu'il avait projeté dans le St.-Laurent.

Champlain arriva à Québec le 3 juillet, et débarqua sur une pointe qu'occupe aujourd'hui la Basse-Ville. La nature avait formé l'île de terre qu'entourent le fleuve St.-Laurent et les rivières du Cap-Rouge et St.-Charles, pour être le berceau de la colonie; et en effet depuis Cartier les avantages de cette situation frappaient tous ceux qui remontaient le fleuve. Il y fit élever une habitation fortifiée et spacieuse, et tout le monde fut mis à défricher la terre, ou employé à d'autres travaux. Ainsi le bruit et le mouvement remplacèrent le silence qui avait régné jusque-là sur cette plage déserte et solitaire, et annoncèrent aux Sauvages l'activité européenne, et la naissance d'une ville qui devait devenir l'une des plus fameuses du Nouveau-Monde.

L'étymologie du nom de Québec a été, comme celle du nom du Canada, un objet de discussion parmi les savans. Malheureusement pour les amateurs d'origines romanesques ou singulières, nous sommes forcé bien malgré nous de détruire encore ici une de leurs illusions. Québec ne doit le nom qu'il porte, ni au cri d'admiration d'un Normand enthousiasmé, ni à la piété patriotique d'un colon transportant soigneusement avec lui une appellation propre à réveiller dans son coeur les souvenirs de son pays natal. Champlain nous dit positivement qu'il débarqua dans un lieu que les Indigènes nommaient Québec, mot sauvage qui signifie *détroit*, et qui désigne en effet le rétrécissement du St.-Laurent sur ce point de son cours, où (au Cap-Rouge) il n'a pas plus de 900 verges de largeur.

A peine pouvait-on dire que la colonie existât, qu'une conspiration faillit de la détruire de fond en comble. La discipline sévère maintenue par son chef, servit de prétexte à un serrurier normand, nommé Jean Duval, pour se défaire de lui. Cet homme, d'un caractère déterminé, qui avait été blessé dans la guerre avec les Sauvages de la Nouvelle-Angleterre pendant son séjour en Acadie, entraîna plusieurs personnes dans son complot. Les conjurés après avoir fait périr le gouverneur, soit en l'étranglant dans son lit, soit en le tuant à coup d'arquebuse si le premier moyen ne réussissait pas, devaient piller les magasins et se retirer en Espagne avec leurs dépouilles. Quatre jours avant l'exécution du projet, un d'entre eux, tourmenté de remords, vint tout avouer et nomma ceux de ses complices qui lui étaient connus. Quatre des principaux furent arrêtés sur le champ; et dans l'ignorance où l'on était de l'étendue des ramifications, on les envoya à Tadoussac afin de rompre entièrement la trame, et d'ôter à leurs associés l'envie même de les délivrer.

Lorsqu'on eût pris les mesures de sûreté nécessaires, et organisé le conseil pour faire leur procès, on les ramena à Québec, où ils confessèrent leur crime et furent condamnés à mort. Duval seul fut exécuté; les autres ayant été reconduits en France, y reçurent leur grâce. Cette prompte justice en imposa aux mécontens et la paix ne fut plus troublée.

Le gouverneur avait été revêtu des pouvoirs exécutif, législatif et judiciaire les plus amples, qui passèrent ensuite à ses successeurs. La colonie resta soumise à ce despotisme pur jusqu'en 1663, sans qu'il y fût fait presqu'aucune modification. Alors il fut circonscrit dans son action par des formes qui en limitèrent l'abus. Ces pouvoirs sont consignés dans la commission que le fondateur du Canada reçut du roi en partant pour ce pays, laquelle peut être à ce titre regardée comme la première constitution qu'il ait tenue des Européens. Voici quelques unes des principales dispositions de ce document, que nous reproduisons dans leur vieux style et textuellement.

«En paix, repos, tranquillité, y commander (le gouverneur) tant par mer que par terre: ordonner, décider, et faire exécuter tout ce que vous jugerez se devoir et pouvoir faire, pour maintenir, garder, et conserver les dits lieux sous notre puissance et autorité, par les formes, voies et moyens prescrits par nos ordonnances. Et pour y avoir égard avec nous, commettre, établir et constituer tous officiers, tant ès affaires de la guerre que de justice et police pour la première fois, et de là en avant nous les nommer et présenter, pour en être par nous disposé, et donner les lettres, titres et provisions tels qu'ils seront nécessaires. Et selon les occurrences des affaires, vous-même avec l'avis de gens prudens et capables, prescrire sous notre bon plaisir, des lois, statuts et ordonnances, autant qu'il se pourra conformes aux nôtres, notamment ès choses et matières, auxquelles n'est pourvu par icelles.»

Les gouverneurs n'avaient pour tempérer leur volonté, que les avis d'un conseil de leur choix, et qu'ils n'étaient pas tenus de suivre. Tout cela était bien vague et bien fragile. Mais tels sont à peu près les pouvoirs qui ont été délégués à tous les fondateurs de colonies dans l'Amérique septentrionale, sauf quelques rares exceptions dans les provinces anglaises. Ce système avait peu d'inconvéniens dans le commencemens, parce que la plupart des planteurs étaient aux gages d'un gouverneur ou d'une compagnie sous les auspices desquels se formait l'établissement. Mais à mesure que les colonies prenaient de l'extension, leurs institutions se formulaient sur celles de leurs mères-patries respectives, dont elles prenaient plus ou moins la physionomie et le caractère.

Champlain trouva que depuis Jacques Cartier, le Canada avait été bouleversé par des révolutions. Stadaconé et Hochelaga n'existaient plus; et il paraît aussi que ce n'était plus les mêmes habitans qui occupaient le pays. Ces bourgades avaient-elles été renversées par la guerre ou transportées ailleurs par suite des vicissitudes de la chasse ou de la pêche? Colden rapporte que les cinq nations iroquoises avaient occupé autrefois les environs de Montréal, et qu'elles en avaient été chassées par les Algonquins; c'était là, dit-il, une tradition accréditée chez ces nations elles-mêmes. Il est tout probable en effet qu'au moins une partie a possédé cette contrée dans un passé plus ou moins éloigné.

Les révolutions de cette nature n'étaient pas rares chez les nations indiennes, qui erraient dans leurs vastes forêts sans laisser ni monument de leur existence, ni trace de leur passage.

D'après les relations de Cartier l'on serait porté à croire cependant, que la lutte entre les Iroquois et les autres Sauvages du Canada n'était pas encore commencée de son temps. Il ne parle que des *Toudamens*, tribus établies sur les bords de la mer, entre la N. Ecosse et la N. York, lesquels traversaient les Alleghanys pour venir porter leurs ravages dans la vallée du St.-Laurent.

A l'époque de l'arrivée de Champlain le pays était occupé par des peuplades encore plus barbares que celles qui existaient au temps de Cartier, et qui luttaient avec difficulté contre des ennemis qui leur étaient supérieurs, sinon par le courage du moins par l'habileté et par la prudence. Ces peuples désespérés s'empressèrent d'accourir au devant de lui et de briguer son alliance contre les Iroquois qui occupaient les forêts situées à l'occident du lac Ontario. Ces Sauvages, de la famille des Hurons, formaient cinq nations confédérées; et chacune d'elle était partagée en trois tribus qui portaient les noms allégoriques de la *Tortue*, de *l'Ours* et du *Loup* (Cadwallader Colden.)

Ignorant la force et le caractère de cette confédération, Champlain accepta peut-être trop précipitamment des offres dont l'effet fut de doter la colonie d'une guerre qui dura plus d'un siècle. Il pensait qu'en ayant pour alliés toutes les tribus du pays, il pourrait subjuguer facilement, non seulement cette confédération, mais encore toutes les peuplades qui voudraient entraver ses projets par la suite. Jusqu'alors les autres nations européennes, n'avaient trouvé que des ennemis dans les Indiens parmi lesquels elles étaient venues s'établir; il dut croire, lui, en les voyant rechercher son amitié, qu'avec leur appui le succès de son entreprise n'était que plus assuré. Il ne savait pas encore que d'autres Européens, rivaux de la France, étaient déjà établis à côté des Iroquois, et prêts à les soutenir dans leurs luttes.

On explique ainsi l'origine de la guerre entre ces Sauvages et les autres tribus canadiennes, les Algonquins, les Hurons et les Montagnais.

«Une année, il arriva qu'un parti d'Algonquins, peu adroits ou peu exercés à la chasse, y réussit mal. Les Iroquois qui les suivaient, demandèrent la permission d'essayer s'ils seraient plus heureux. Cette complaisance qu'on avait eue quelquefois, leur fut refusée. Une dureté si déplacée les aigrit. Ils partirent à la dérobée pendant la nuit, et revinrent avec une chasse très abondante. La confusion des Algonquins fut extrême. Pour en effacer jusqu'au souvenir, ils attendirent que les chasseurs iroquois fussent endormis, et leur cassèrent à tous la tête. Cet assassinat fit du bruit. La nation offensée demanda justice. Elle lui fut refusée avec hauteur. On ne lui laissa pas même l'espérance de la plus légère satisfaction.

«Les Iroquois, outrés de ce mépris, jurèrent de périr ou de se venger; mais n'étant pas assez forts pour tenir tête à leur superbe offenseur, ils allèrent au loin s'essayer à s'aguerrir contre des nations moins redoutables. Quand ils eurent appris à venir en renards, à attaquer en lions, à fuir en oiseaux, c'est leur langage, alors ils ne craignirent plus de se mesurer avec l'Algonquin. Ils firent la guerre à ce peuple, avec une férocité proportionnée à leur ressentiment.» (Raynal)

Gonflés par des succès inouïs, ils se considérèrent comme supérieurs au reste des hommes, et s'appelèrent orgueilleusement *Ongue honwe*, c'est-à-dire, hommes qui surpassent les autres hommes.

Ils devinrent la terreur de toutes les nations de l'Amérique septentrionale. Lorsque les Agniers prenaient les armes contre les tribus de la Nouvelle-Angleterre, un seul de leurs guerriers paraissait-il parmi elles, aussitôt le terrible cri d'alarme s'élevait de colline en colline, un Iroquois! un Iroquois! Et saisies d'épouvante, toutes les tribus, hommes, femmes et enfans, prenaient la fuite comme un timide troupeau de moutons poursuivis par des loups. Cette terreur de leur nom, ils mettaient le plus grand soin à la répandre en cherchant en toutes occasions à persuader aux autres peuples qu'ils étaient invincibles.

Pontgravé lui ayant amené à Québec deux barques remplies d'hommes, Champlain repartit aussitôt avec ses nouveaux alliés et une douzaine de Français pour marcher contre eux. Il les rencontra sur les bords du lac auquel il a donné son nom. Les deux armées se trouvèrent en présence le 29 Juillet (1609) et se préparèrent au combat. Les Sauvages passèrent toute la nuit à danser, à chanter et à se provoquer d'un camp à l'autre à la façon des Grecs et des Troyens d'Homère. Les Français pour qui les usages des Indigènes étaient nouveaux, regardaient tout cela avec une curiosité mêlée de surprise.

Le lendemain matin, les Indiens sortirent de leurs retranchemens et se rangèrent en bataille. Les Iroquois au nombre de 200 s'avancèrent au petit pas avec beaucoup de gravité et d'assurance, sous la conduite de trois chefs que distinguaient de grands panaches. Champlain n'avait que deux Français avec lui, les autres étant restés en arrière. Ses alliés se séparèrent en deux corps et le mirent en avant à leur tête, tandis que ses deux compagnons se placèrent sur la lisière du bois avec quelques Sauvages. On lui dit de tirer sur les chefs. Les ennemis s'arrêtèrent à 30 pas de lui, et le contemplèrent quelque temps avec surprise; alors les deux partis firent une décharge de flèches, et dans le même temps tombèrent raides morts deux chefs Iroquois frappés par les balles, et un troisième mortellement blessé. Les alliés poussèrent un cri de joie; les ennemis saisis d'épouvante, prirent la fuite et se dispersèrent dans les bois, mais non sans avoir encore perdu plusieurs guerriers qui furent tués ou faits prisonniers.

Cette victoire ne coûta que 15 ou 16 blessés aux vainqueurs qui, après avoir pillé le camp des vaincus, où ils trouvèrent du maïs et des armes, commencèrent une retraite précipitée le jour même. Le soir ils prirent un de leurs prisonniers et lui commandèrent d'entonner le chant de mort. Ensuite, suivant la coutume de ces barbares, il lui firent souffrir les plus affreux tourmens. Champlain, révolté de leur cruauté, n'obtint la permission d'achever ce pauvre misérable qu'après qu'ils furent las de le torturer, et que le sang eut satisfait leur vengeance.

Vers l'automne le gouverneur s'embarqua pour l'Europe, et se rendit à Fontainebleau où était Henry IV, qui le reçut très bien, et écouta avec intérêt le rapport qu'il lui fit de la situation de la Nouvelle-France, nom que ce grand roi donna alors au Canada.

De Monts fit d'inutiles efforts pour faire renouveler son privilège de la traite; des intérêts trop puissans s'y opposaient pour qu'il pût réussir. Néanmoins ses associés ne l'abandonnèrent pas encore tout à fait après cet échec, espérant pouvoir dans la concurrence générale retirer des pelleteries de quoi couvrir les dépenses de la colonie naissante. Le Gendre et Collier furent ceux qui secondèrent son zèle avec le plus d'ardeur. Il put, grâce à leur appui, expédier dans le printemps (1610) deux navires sur l'un desquels revint Champlain, qui trouva les habitans de Québec dans les dispositions les plus encourageantes, la santé publique ne s'étant pas un instant altérée, et la récolte ayant produit abondamment de manière à répondre aux espérances les plus ambitieuses.

Les Indigènes attendaient son retour avec impatience pour entreprendre une nouvelle expédition contre leurs ennemis qu'ils ne craignaient plus maintenant d'aller attaquer chez eux. A peine donc fut-il débarqué et eut-il donné ses ordres, qu'il partit pour se mettre à la tête de leur armée réunie à l'embouchure de la rivière Richelieu.

On ne marcha pas longtemps sans rencontrer les Iroquois que l'on croyait bien plus loin. Ils s'étaient fortement retranchés pour se mettre à l'abri des armes meurtrières des Européens, dont ils avaient vu l'effet au combat de l'année précédente, et ils repoussèrent leurs assaillans dans une première attaque. A la seconde cependant, le feu de la mousqueterie décida la victoire qui fut longtemps disputée. Champlain et un de ses gens y furent blessés. Les ennemis furent taillés en pièces, et ceux qui échappèrent au casse-tête périrent dans une rivière dans laquelle ils furent culbutés. Deux cents Hurons arrivèrent après le combat. La plupart d'entre eux n'ayant jamais vu d'Européens regardaient les Français, leurs habits, leurs armes, avec étonnement.

La liberté du commerce des pelleteries ayant été promulguée dans tous les ports de mer du royaume, plusieurs navires vinrent en Canada pour faire la traite. Ils apportèrent la nouvelle de la mort de Henri IV. Ce tragique événement y répandit la même consternation qu'à Port-Royal. Tout le monde sentait la perte qu'on venait de faire, et surtout Champlain qui avait joui de la protection et de l'amitié de cet infortuné monarque. Il partit presque immédiatement pour la France, afin de veiller aux intérêts de Québec qui auraient pu se trouver gravement compromis dans les dissensions que faisaient redouter cette catastrophe.

L'esprit du nouveau gouvernement et la liberté entière de la traite, qui dès lors donna lieu à une concurrence très-vive, obligèrent de Monts à abandonner tous ses projets, faute de moyens pour les continuer, ayant même eu de la peine à subvenir aux dépenses de la colonie dans le temps qu'il était en possession du monopole de son commerce. Il fallut donc songer à adopter un nouveau système; et Champlain, après en avoir conféré avec lui à Pons, travailla à former une nouvelle compagnie et à mettre le Canada sous la protection de quelque grand personnage de la nation, comme le moyen le plus propre à lui assurer les dispositions favorables de la cour. L'exemple de l'influence de la marquise de Guercheville dans les affaires de l'Acadie, lui semblait prouver la nécessité d'une pareille protection, à laquelle la couronne montrait beaucoup d'égards, pour récompenser sans doute et encourager la fidélité de la noblesse, avec laquelle elle voulait se mettre en faveur comme elle faisait avec le clergé.

Charles de Bourbon, comte de Soissons, se chargea à sa prière des intérêts du Canada. Il s'en fit nommer par la régente lieutenant-général à la place de M. de Monts, et choisit Champlain pour son lieutenant, par ses lettres du mois d'octobre 1612. A peine cette commission était-elle signée que ce prince mourut. Ce capitaine allait retomber dans son premier embarras, lorsqu'heureusement le prince de Condé accepta la charge vacante par la mort du comte de Soissons, et le continua dans ses fonctions.

La commission de ce dernier lui ordonnait de saisir tous les bâtimens qui feraient la traite, sans permission, depuis Québec en remontant le fleuve. C'était abolir, pour ces limites, la liberté du commerce accordée par Henri IV. Lorsque cette commission fut publiée dans les havres et ports du royaume, elle souleva une opposition formidable. Champlain montra dans cette circonstance les ressources de son esprit ingénieux. Il proposa d'établir une association pour coloniser le Canada, et y faire le commerce des pelleteries, dans laquelle tous les marchands auraient droit d'entrer. Il voulait assurer par ce plan le succès de sa colonie, et rendre en même temps le commerce libre à tous ceux qui le faisaient, sous certaines conditions. Ce projet était bon; néanmoins les marchands de la Rochelle refusèrent de se prêter à son exécution. Ils avaient été priés de se trouver à Fontainebleau pour signer l'acte de société, ils n'y vinrent point; ceux de Rouen et de St.-Malo seulement s'y rendirent. Malgré cela, il fut décidé de leur laisser le droit d'entrer dans la compagnie pour un tiers, s'ils venaient à changer d'avis; mais ne s'étant point conformés aux articles proposés dans le temps donné, l'acte fut clos, et les deux dernières villes y furent parties chacune pour moitié. Fait pour onze années, il fut ratifié par le Prince de Condé et confirmé par le roi. Les Rochellois regrettèrent alors leur obstination, parceque la liberté du commerce se trouva abolie par cette confirmation royale, à laquelle, sans doute, ils ne s'attendaient pas. Ils continuèrent toutefois par contrebande la traite sur un pied considérable sans qu'on pût y mettre fin, à cause de l'impossibilité à cette époque de garder les côtes du Canada.

Dans la prévision d'une pareille association, Champlain avait fait faire des défrichemens dans le voisinage de Montréal, pour élever un petit fort afin de protéger le comptoir de la compagnie, qui pourrait être avantageusement établi dans cette île. C'est pendant qu'il était occupé à ce travail qu'il fut visité par 200 Hurons avec lesquels il fit un traité d'alliance et de commerce, et qu'il obtint la permission de former des établissemens dans leur pays s'il en trouvait le sol convenable.

En 1613, trompé par un imposteur qui disait être parvenu avec les Algonquins fort loin dans le nord, jusque sur les bords d'une mer où il avait vu les débris d'un navire anglais, il partit pour aller vérifier ce fait, que la découverte de la baie d'Hudson peu d'années auparavant (1602) rendait très probable. Il remonta la rivière des Outaouais jusque dans le voisinage de sa source sans rien trouver; et les Sauvages l'ayant convaincu de la fausseté de ce rapport, il revint sur ses pas. Avec de bons guides il aurait pu cependant atteindre la baie d'Hudson en peu de temps, puisqu'avec un canot léger l'on peut, dit-on, s'y rendre des Trois-Rivières par celle de St.-Maurice en 15 jours. L'année 1615 est remarquable dans les annales de la colonie par la découverte du lac Ontario, la première de ces quatre grandes mers intérieures qui distinguent l'Amérique septentrionale. Champlain se trouvant au Sault-St.-Louis, les Hurons et les Outaouais réclamèrent encore son secours contre les Iroquois, qui leur barraient le chemin pour venir vendre leurs pelleteries aux comptoirs français. Dans l'intérêt de la traite et de ses projets de découverte, il consentit à aller se mettre à leur tête, et se rendit quelque temps après de sa personne à *Cahiagué*, où les alliés devaient réunir leurs forces. Il prit la route de la rivière des Outaouais, parvint jusqu'au lac *Nipissing*, à environ 60 lieues au nord-est du lac Huron, puis descendant vers le sud, il arriva sur les bords du lac Ontario à la fin de juillet. Il est le premier Européen qui ait contemplé cette *mer douce*, comme il l'appelle, ce lac océanique que ne sillonnaient encore que les fragiles esquifs de l'Indien, qui ne réfléchissait que les sombres forêts de ses rives solitaires; mais qui devait baigner dans la suite tant de villes florissantes, et porter sur son sein les plus gros navires qu'ait inventés l'industrie humaine.

Il trouva dans une bourgade 14 Français qui étaient partis avant lui de Montréal; il traversa cinq autres villages tous défendus par de triples palissades, et entra enfin dans celui de *Cahiagué* qui renfermait 200 cabanes. Il fut reçu avec la plus grande distinction par toute la tribu.

Cependant l'armée barbare ne tarda pas à se mettre en marche; l'on traversa le St.-Laurent par le 43e. degré de latitude. L'ennemi prévenu de l'invasion, avait eu le temps de prendre ses mesures et de se mettre en état de défense. Solidement retranché, il repoussa toutes les attaques des alliés qui furent faites sans ordre et avec une confusion étrange, malgré les efforts des Français pour régulariser les mouvemens de ces hordes indociles, qui passèrent alors de l'excès de la présomption au plus profond découragement. Il fallut songer à la retraite qui s'opéra néanmoins avec régularité et sans perte.

Champlain qui avait reçu deux blessures dans cette campagne, demanda, lorsqu'il fut assez rétabli pour supporter les fatigues du voyage, des guides pour le reconduire à travers les forêts à Montréal. On les lui refusa sous divers prétextes, et il fut obligé de passer l'hiver chez ces peuples. Mettant ce délai à profit, il étendit ses courses au midi du lac Ontario, et visita la nation neutre, tribu populeuse qui, malgré sa position intermédiaire entre les parties belligérentes, conservait des relations amicales avec tous ses voisins. Il ne fut de retour au Sault-St.-Louis que dans le mois de juin suivant. Le bruit avait été répandu qu'il était mort; ce fut donc avec la plus grande joie que ses compatriotes le virent arriver sain et sauf au milieu d'eux, après avoir fait des découvertes qui devaient ajouter encore une nouvelle célébrité à son nom.

En 1618, les Etats du royaume étant assemblés, les députés de la Bretagne réussirent à faire accepter par le conseil l'article de leurs cahiers qui demandait la liberté du commerce des pelleteries en Canada, fait qui démontre l'importance que ce négoce avait prise du moins dans cette province de France. Champlain qui était passé en Europe en partie pour veiller aux intérêts de la colonie dans les troubles qui agitaient encore le royaume, comme il l'avait déjà fait lors de la mort de Henri IV, fit revenir sur cette mesure, qui sappait par sa base la société du Canada qu'il avait eu tant de peine à former; et après une discussion approfondie où tous les intéressés furent entendus, elle fut retirée. Des procès et des difficultés sans nombre assaillissaient de toutes parts cette compagnie, qui, n'ayant que des motifs de lucre, se fût bientôt dégoûtée d'une entreprise ingrate sans Champlain qui, mettant tour à tour en jeu l'intérêt, le patriotisme et l'honneur, réussit encore à l'empêcher de se dissoudre et à conserver ce qu'il regardait comme la sauvegarde de la colonie. Après avoir ainsi assuré l'existence de cette société, il la pressa de travailler avec zèle à la colonisation; elle lui fit des promesses qu'elle se donna bien de garde d'exécuter. Au reste il eut bientôt lieu d'en éprouver lui-même les bonnes volontés, et de se convaincre de la manière dont elle entendait acquitter ses obligations.

Comme il se préparait à passer à Québec avec toute sa famille, elle voulut l'employer seulement à des voyages de découverte pour lier de nouvelles relations commerciales avec les nations qu'il pourrait découvrir; et charger de l'administration de la province Pontgravé, homme facile et tout à fait selon ses vues, et qui ne s'était jamais intéressé qu'à la traite. Il refusa de consentir à cet arrangement. Là dessus s'éleva une contestation qui fut portée devant le conseil du roi, lequel par un arrêt rendu en 1619, maintint Champlain à la tête du gouvernement de la Nouvelle-France pour laquelle il ne put partir cependant qu'en 1620 à cause de toutes ces difficultés. A peu près dans le même temps le prince de Condé qui avait été emprisonné pendant les troubles, fut rendu à la liberté et céda la lieutenance-générale de ce pays, dont il était chargé depuis quelques années, au duc de Montmorenci pour 11,000 écus; d'où l'on peut conclure que le patronage du Canada valait déjà quelque chose. Champlain fut confirmé dans ses fonctions, et reçut ordre de bâtir un fort à Québec. M. Dolu, grand audiencier, fut chargé en France des affaires du Canada, auxquelles le duc de Montmorenci parut prendre plus d'intérêt que son prédécesseur. Les associés voulurent encore partager le commandement de Champlain; mais les ordres du roi les restreignirent à leur commerce seul, et placèrent la colonie sous l'administration exclusive de ce capitaine.

C'est à son retour à Québec qu'il fit commencer la construction du château St.-Louis, sur la cime du cap, château devenu célèbre pour avoir servi de résidence aux gouverneurs du Canada jusqu'en 1834, qu'il fut entièrement détruit par un incendie. Tous leurs actes étaient généralement datés de cette demeure vice-royale, qui n'a pas été rebâtie.

Les Récollets commencèrent aussi à se construire cette année un couvent sur la rivière St.-Charles, quoique la population de Québec ne dépassât pas encore une cinquantaine d'âmes, en y comprenant même ces moines. Mais tel était l'esprit de dévotion en France que différens ordres religieux purent, par les libéralités des personnes pieuses, élever au milieu des forêts du Canada, qu'ils étaient obligés de défricher pour en poser les fondations, les vastes établissemens scolaires et de bienfaisance qui font aujourd'hui encore l'honneur de ce pays. Des corps religieux les Récollets qui y sont venus les premiers, sont aussi les premiers qui en ont disparu. Ce qui frappait davantage autrefois l'étranger en arrivant sur ces bords, c'étaient nos institutions conventuelles, comme dans les provinces anglaises, c'étaient les monumens du commerce et de l'industrie: cela était caractéristique de l'esprit des deux peuples. Tandis que nous érigions des monastères, le Massachusetts se faisait des vaisseaux pour commercer avec toutes les nations.

L'année suivante, Champlain promulgua des ordonnances et des réglemens pour la bonne conduite des colons et le maintien de l'ordre. Ce petit code de lois, le premier qui ait été fait pour le Canada, ne paraît pas avoir été conservé. Ce serait une pièce curieuse pour l'histoire des premiers jours de la colonie. Il n'est pas non plus indigne de cette histoire de mentionner que c'est vers cette époque qu'il commence à y avoir des habitans qui vivent du produit de leurs terres; et les Hébert et les Couillard sont les plus notables de ceux dont l'on trouve le nom dans nos anciennes annales: c'est en 1628 seulement qu'on laboura pour la première fois avec des boeufs. La plupart des Français passés en Canada étaient encore alors employés à la traite des pelleteries, dont Tadoussac, Québec, les Trois-Rivières et le Sault-St.-Louis étaient les principaux comptoirs.

Cependant les Sauvages qui avaient toujours continué de se faire la guerre, soupiraient depuis longtemps après la paix. Les deux partis fatigués d'une lutte sanglante qui, selon leur rapport, durait depuis plus de 50 ans, avaient en effet tacitement consenti à une espèce de trêve, qui fut suivie ensuite d'un traité solennel ratifié en 1622.

D'un autre côté, la traite était un objet continuel de disputes entre les négocians qui y étaient engagés, ou entre ces négocians et le gouvernement. La société formée entre Rouen et St.-Malo en 1616, avait été supprimée par le roi, faute par elle d'avoir rempli ses obligations relativement à la colonisation du pays; et une nouvelle association s'était, à ce qu'il paraît, organisée avec les frères de Caen à sa tête. Il s'éleva aussitôt des procès entre l'ancienne et la nouvelle compagnie au sujet de réclamations litigieuses. Le tout fut porté devant le conseil du roi, et se termina par la réunion des deux sociétés.

Il est souvent difficile de démêler la complication des sociétés commerciales qui exploitaient alors la colonie; mais il importe peu qu'elles fussent composées de tels ou tels hommes, portassent tels ou tels noms, ou eussent telles ou telles obligations à remplir envers elle; il suffit de savoir que toutes elles se ressemblaient sous un point, c'est-à-dire, qu'elles ne faisaient rien ou presque rien pour le Canada. Elles n'avaient pas fait défricher un seul arpent de terre; et il est constant qu'elles regardèrent, en Canada comme en Acadie, l'établissement du pays comme destructif de la traite.

Le duc de Montmorenci fatigué comme vice-roi de tous ces débats, céda pour une certaine somme sa charge à Henri de Lévis, duc de Ventadour. Le roi fit en conséquence expédier en 1625 ses lettres patentes nommant lieutenant-général de la Nouvelle-France ce dernier duc, qui dégoûté du monde était entré dans les ordres sacrés. Son but en acceptant cette charge était de travailler bien moins à l'établissement de la colonie qu'à la conversion des idolâtres. Aussi fit-il peu de chose pour elle; mais s'il y envoya peu ou point de colons, en revanche il y fit passer, dans l'année même et à ses propres frais, cinq Jésuites: c'étaient les P. P. Lallemant, Bréboeuf, Masse et deux autres religieux. Tout louable qu'était ce dessein, cela donnait peu d'espoir à ceux qui désiraient voir avancer le Canada en population, en industrie et en richesses. Mais Champlain veillait sur lui, et s'il ne faisait pas de progrès, du moins sa main l'empêchait de tomber.

A la fin outré de la coupable indifférence de la nouvelle compagnie, il l'accusa auprès du duc de Ventadour, et peignit à ce seigneur avec énergie l'abandon dans lequel elle laissait languir cette province, qui ne demandait qu'un peu d'aide pour fleurir et prospérer. Ces plaintes parvinrent aux oreilles de Richelieu chargé alors des destinées de la France. En apprenant le mal, il avisa au remède avec sa décision et sa promptitude ordinaires.

Ce ministre que l'Europe s'accorde à regarder comme le plus grand homme d'état moderne, était parvenu au timon des affaires en 1624. Créature du maréchal d'Ancre, il sut acquérir les bonnes grâces de la reine mère, dont il fut dans la suite un ennemi acharné. Il s'employa activement pour rétablir la paix entre elle et le roi son fils; pour l'en récompenser, elle lui fit obtenir le chapeau de cardinal et une place dans le conseil, qu'il assujettit bientôt à ses volontés par sa fermeté et par ses talens. Il introduisit un système de politique qui changea la face de l'Europe. Ce puissant génie, dit l'abbé Millot, gouvernant la monarchie française, maîtrisant la faiblesse du monarque, subjuguant l'audace des calvinistes et l'ambition séditieuse des grands, étonna le monde par l'éclat de ses entreprises. Il fit couler des fleuves de sang, il gouverna avec un sceptre de fer, il rendit la France malheureuse, il fut craint et haï autant qu'admiré; mais son ministère fera une des principales époques de l'histoire par les révolutions et les événemens célèbres qu'il a produits.

C'est sous ce ministre que commencèrent à naître la marine et le commerce extérieur du royaume. Une des grandes idées qui le préoccupaient, c'était bien de donner à la France une marine importante et redoutable; il sut aussi entrevoir, pour exécuter ce projet, quelles étaient les mesures les plus sages et les plus efficaces.

Au lieu de construire des vaisseaux de guerre et d'employer une portion des revenus publics à les équiper, il commença par améliorer les ports de mer sur les côtes de la France, et il se fit donner les fonctions de surintendant des affaires des colonies dont ils connaissait plus que personne l'importance; il voulut lui-même encore les encourager par l'influence de son nom; mais l'esprit absorbé par les révolutions que son génie faisait subir au monde, et par les luttes intestines de la monarchie, il ne travailla pas assez constamment à jeter les bases d'un système colonial qui pût augmenter la puissance de la mère-patrie. Il paraît plutôt qu'il avait pour principe d'affranchir le gouvernement du soin de coloniser l'Amérique, et d'abandonner cette tâche à des compagnies particulières, ne réservant pour ainsi dire à la couronne qu'une redevance et une autorité nominale. Dès 1625, il mit ce principe en pratique pour Saint-Christophe, la première des îles de l'Archipel du Mexique, où les Français aient fondé un établissement. Il fit la même chose pour la Nouvelle-France. Ainsi les colonies retombaient encore sous le monopole. Le gouvernement ne faisant rien pour elles, il fallait donner des avantages commerciaux aux compagnies qui se chargeaient de les peupler. D'ailleurs «c'était l'usage d'un temps où la navigation et le commerce n'avaient pas encore assez de vigueur pour être abandonnés à la liberté des particuliers.»

Instruit par les représentations de Champlain de l'état du Canada, il jugea que, pour donner l'essor à cette colonie qui languissait dans son berceau, et la faire progresser, il était nécessaire de former une compagnie puissante et qui eût un grand capital, parce que l'expérience du passé, en France et ailleurs, avait appris que la classe des émigrans n'était pas en état, par ses seules ressources et sans secours étrangers, de se transporter en Amérique, d'y ouvrir des terres et d'attendre le moment où elles lui fourniraient de quoi subsister.

En outre, les difficultés nombreuses qui s'élevaient tous les jours entre le pouvoir politique et les sociétés qui exploitaient les colonies, le déterminèrent à y établir une seule autorité afin d'éviter des collisions fâcheuses, personne plus que lui ne sentant l'importance de l'unité de pouvoir et d'action. Pour parer donc à ces deux inconvéniens, il forma une association connue sous le nom des cent associés, et il lui concéda à perpétuité la Nouvelle-France et la

Floride, à la réserve de la foi et hommage au roi, et de la nomination des officiers de la justice souveraine, qui devaient être toutefois désignés et présentés par la compagnie, lorsqu'elle jugerait à propos d'en établir. L'acte de son établissement fut confirmé par les lettres patentes du roi du 6 mai 1628. Ainsi cette contrée passa du régime royal à celui d'une compagnie qui devint le modèle de ces sociétés puissantes dites des Indes, qui ont brillé avec tant d'éclat, et dont celle d'Angleterre surtout a acquis de nos jours un si vaste empire en Asie.

CHAPITRE III

NOUVELLE-FRANCE JUSQU'A LA PAIX DE ST.-GERMAIN-EN-LAYE

1613-1632.

«Si l'on ne réussit pas, dit Lescarbot en parlant de colonisation, il faut l'attribuer partie à nous même qui sommes en trop bonne terre pour nous en éloigner, et nous donner de la peine pour les commodités de la vie.» L'on a en effet reproché aux Français de n'être pas un peuple émigrant; que leur passion pour les charmes de la société l'emportait sur le désir d'améliorer leur condition, lorsqu'il fallait pour pour cela sacrifier une jouissance qui leur était si douce; que leur attachement enfin pour leur pays natal a formé un grand obstacle à l'avancement de leurs colonies. Mais ce sentiment est commun à tous les peuples, même à ceux qui sont à demi-nomades. *Dirons-nous*, répondait le chef d'une peuplade indienne dont l'on voulait prendre le territoire, *dirons-nous aux os de nos pères, levez-vous et marchez*. Il y a tout un monde de souvenirs dans cette parole que nous révèle le passé sons la forme la plus vraie et la plus expressive. La pensée de quitter pour jamais la patrie est douloureuse pour tous les hommes; par cet exil qui ne doit pas finir mille liens, qui les attachent d'une manière imperceptible mais presqu'indissoluble au sol qui les a vus naître, sont froissés et brisés tout d'un coup. Il n'y a que les motifs les plus impérieux qui puissent les engager à rompre ainsi avec tout ce qui leur a été cher, pour ne plus songer qu'à l'avenir avec ses chances et ses craintes, ses illusions et ses cruels mécomptes. Aussi, si l'on examine attentivement l'histoire des migrations qui ont pour ainsi dire signalé chaque siècle, l'on trouve qu'elles ont eu toutes pour motifs une nécessité absolue; tantôt c'est une guerre funeste, tantôt c'est l'oppression la plus intolérable, une autre fois c'est une misère tellement profonde que l'abandon de son pays pour s'en racheter est vraiment un léger sacrifice.

Lorsque dans un pays existent quelques unes de ces causes, et que l'esprit d'émigration se manifeste, la seule chose qui reste à faire au gouvernement, c'est de chercher à diriger le flot de population qui s'exile de manière que l'Etat non seulement n'en souffre point, mais au contraire qu'il en retire encore des avantages.

Le dix-septième siècle fut pour la France l'époque la plus favorable pour coloniser, à cause des luttes religieuses du royaume, et du sort des vaincus, assez triste pour leur faire désirer d'abandonner une patrie qui ne leur présentait plus que l'image d'une persécution finissant souvent par l'échafaud ou le bûcher. Si Louis XIII et son successeur eussent ouvert l'Amérique à cette nombreuse classe d'hommes, le Nouveau-Monde compterait aujourd'hui un empire de plus, un empire français! Malheureusement l'on adopta une politique contraire; et malgré tous les avantages qu'on pût offrir aux catholiques, ceux-ci se trouvant bien dans leur patrie, ne se levèrent point pour émigrer, Il en fut ainsi en Angleterre des classes favorisées; elles ne bougèrent pas, tandis que les républicains vaincus, les catholiques persécutés, les dissidens foulés et méprisés, recevaient comme une faveur la permission de passer dans le Massachusetts et la Virginie, où l'on s'empressa par politique de laisser écouler ces mécontens si nuisibles dans la métropole à la marche et aux projets du gouvernement.

Déjà le joug étranger chassait depuis longtemps les Irlandais et les Ecossais de leur patrie. Dès 1620, les derniers pour se soustraire au joug des Anglais, émigraient dans la Pologne, dans la Suède et dans la Russie. Leurs conquérans eux-mêmes qui ont senti la pesanteur du joug des Normands jusque dans le 14e siècle, et qui se sont ensuite précipités dans les orages des révolutions politiques, n'ont probablement pas échappé à cette influence attiédissante, lorsqu'ils voyaient encore les sommités sociales de leur pays occupées par des hommes de cette race, sous laquelle leurs pères avaient souffert tant de maux. Cela joint aux persécutions religieuses dont une partie d'entre eux était l'objet, devait diminuer leurs regrets en quittant un pays dont le présent et le passé leur présentaient de si sombres images.

Richelieu fit donc une grande faute, lorsqu'il consentit à ce que les protestans fussent exclus de la Nouvelle-France; s'il fallait expulser une des deux religions, il aurait mieux fallu, dans l'intérêt de la colonie, faire tomber cette exclusion sur les catholiques qui émigraient peu; il portait un coup fatal au Canada en en fermant l'entrée aux Huguenots d'une manière formelle par l'acte d'établissement de la compagnie des cent associés.

Jusqu'à cette époque, il est vrai, ils en avaient été tenus éloignés d'une manière sourde et systématique, tout comme après la conquête on a longtemps repoussé les Canadiens français du gouvernement, et comme ils le sont encore aujourd'hui de certains départemens publics; mais il s'en introduisait toujours quelques uns. Ce ne fut que quand Richelieu eût écrasé les Huguenots à la Rochelle, qui fut prise en 1628, que l'on ne se crut plus obligé de les ménager, et qu'ils furent sacrifiés à la vengeance de leurs ennemis victorieux. Le système colonial français eût eu un résultat bien différent, si on eût levé les entraves qu'on mettait pour éloigner ces sectaires du pays, et si on leur en eût laissé les portes ouvertes.

L'on va voir tout à l'heure que le premier fruit de cette funeste décision, fut la conquête du Canada, au profit de l'Angleterre, par ces mêmes Huguenots qu'on persécutait dans la mère-patrie et que l'on excluait de ses possessions d'outre-mer.

Nous avons déjà exposé les motifs de la formation de la compagnie des cent associés, à laquelle furent abandonnées toutes les colonies françaises de l'Amérique.

Elle obtint en même temps le droit de les fortifier et de les régir à son gré; de faire la guerre et la paix; à l'exception de la pêche de la morue et de la baleine, qu'on rendit libre à tous les citoyens, tout le commerce qui pouvait se faire par terre et par mer, lui fut cédé pour quinze ans. La traite du castor et des pelleteries, lui fut accordée à perpétuité.

A tant d'encouragemens, on ajouta d'autres faveurs. Le roi fit présent de deux gros vaisseaux à la société, composée de 107 intéressés. Douze des principaux obtinrent des lettres de noblesse. On pressa les gentilshommes, le clergé même, de participer à ce commerce. La compagnie pouvait envoyer, pouvait recevoir toutes sortes de denrées, toutes sortes de marchandises, sans être assujettie au plus petit droit. La pratique d'un métier quelconque, durant six ans dans la colonie, en assurait le libre exercice en France. Une dernière faveur, fut l'entrée franche de tous les ouvrages qui seraient manufacturés dans ces contrées éloignées. Cette prérogative singulière, dont il n'est pas aisé de pénétrer les motifs, donnait aux ouvriers de la Nouvelle-France, un avantage incomparable sur ceux de l'ancienne, enveloppés de péages, de lettres de maîtrise, de frais de marque, de toutes les entraves que l'ignorance et l'avarice y avaient multipliées à l'infini.

Pour répondre à tant de preuves de prédilection, la compagnie qui avait un fond de cent mille écus, s'engagea à porter dans la colonie, dès l'an 1628, qui était le premier de son privilège, deux ou trois cents ouvriers des professions les plus convenables, et jusqu'à seize mille de l'un et l'autre sexe avant 1643. Elle devait les loger, les nourrir, les entretenir pendant trois ans, et leur distribuer ensuite une quantité de terres défrichées, suffisante pour leur subsistance, avec le blé nécessaire pour les ensemencer la première fois. (Raynal) Les colons devaient être Français et catholiques. Richelieu, le Maréchal Defiat, le commandeur de Razilli et Champlain étaient au nombre de ses membres; le reste se composait de nobles, de négocians et de bourgeois des principales villes du royaume.

Une association revêtue d'aussi grands privilèges, et formée de tant de personnes riches et puissantes, ayant pour chef le premier ministre du roi, réveilla les espérances de tous les amis des colonies. En effet le succès ne parut plus douteux. Elle prit sur le champ des mesures pour secourir Québec, menacé de la famine. Plusieurs navires furent équipés et mis sous les ordres de Roquemont, l'un des associés. Quantité de familles et d'ouvriers, pleins d'espoir et de courage, s'embarquèrent pour le Canada avec des provisions de toute espèce. Cet armement mit à la voile en 1628; mais il ne devait pas parvenir à sa destination.

Après la destruction de Port-Royal par Argall, les Anglais abandonnèrent l'Acadie. Ce ne fut que huit ans après, en 1631, que le chevalier Guillaume Alexander, obtint de Jacques I la concession de cette province pour y établir des Ecossais. Cette concession embrassait tout le pays situé à l'est d'une ligne tirée depuis la rivière Ste.-Croix jusqu'au fleuve St.-Laurent, dans la direction du nord. Cette contrée reçut le nom de *Nouvelle-Ecosse*. C'est ainsi que l'on donna naissance à la confusion qui causa tant de difficultés dans la suite entre la France et l'Angleterre, l'une soutenant que la Nouvelle-Ecosse et l'Acadie étaient deux noms qui désignaient une seule et même province; l'autre, qu'ils désignaient deux pays distincts, parce que les limites de chacun n'étaient pas semblables.

L'année suivante, le chevalier Alexander envoya des émigrans pour prendre possession du pays; mais ils partirent si tard qu'ils furent obligés de passer l'hiver à Terreneuve. Ils abordèrent au printemps de 1623 au Cap-Breton; et de là côtoyant l'Acadie, ils arrivèrent après avoir visité deux ou trois ports, au cap de Sable, où ils trouvèrent les Français qui n'avaient pas cessé d'occuper la contrée depuis l'invasion d'Argall, et quantité d'aventuriers qui s'étaient joints à eux. Ils n'osèrent débarquer, et revinrent en Angleterre, où ils firent la peinture la plus exagérée de la beauté et de la salubrité de l'Acadie ainsi que de la fertilité du sol. L'on crut sur leur parole que c'était un vrai paradis terrestre. Il y eut un instant d'engouement. Le chevalier Alexander se hâta de faire confirmer sa concession par Charles I, qui fonda aussi l'ordre des chevaliers baronnets de la Nouvelle-Ecosse, dont le nombre ne devait point excéder cent cinquante. Cette chevalerie nouvelle fut pendant longtemps l'objet des railleries des plaisans, qui la ridiculisèrent dans leurs écrits et dans leurs discours. Pour pouvoir y être admis, il fallait travailler à l'établissement de la Province. Cette condition remplie, le candidat obtenait une concession de terre assez considérable, et un certificat du gouverneur, qui lui donnait le droit de recevoir les honneurs de la chevalerie, dont les lettres patentes devaient être confirmées par le parlement. Aujourd'hui elles sont expédiées dans la même forme que celles des autres ordres; et le nombre des chevaliers n'est plus limité.

La guerre entre les catholiques et les huguenots se ralluma en France. Buckingham, qui était à la tête du cabinet de Londres, plein de présomption, et aussi jaloux de Richelieu qu'il lui était inférieur en génie, ne manqua point l'occasion de secourir ces derniers, reculés dans la Rochelle, et de montrer ainsi sa haine contre le cardinal. Il vint avec une armée formidable pour faire lever le siége de cette ville, et envahir la France, se vantant d'aller dicter la paix à Paris. Mais son armée ayant été battue dans l'île de Rhé, il eut la mortification d'être obligé de se retirer, et de voir triompher son rival. La guerre ainsi commencée entre les deux couronnes plus par vengeance personnelle que par intérêt d'état, fut portée en Amérique.

Le chevalier Alexander, devenu ensuite comte de Sterling, encouragé par la cour, saisit ce moment de reconquérir l'Acadie, avec l'aide du chevalier David Kirtk, calviniste français, natif de Dieppe. Dix-huit vaisseaux sortirent des ports d'Angleterre pour fondre à la fois sur tous les établissemens de la Nouvelle-France. Kirtk, suivi de plusieurs réfugiés de sa nation, et entre autres du capitaine Michel, associé de de Caen, et qui commandait en second sous lui, fut chargé de prendre Québec. Il s'empara dans le golfe St.-Laurent d'un des navires de la nouvelle société, et de plusieurs autres bâtimens qui y faisaient la traite et la pêche. Rendu à Tadoussac, il écrivit le 8 juillet 1628, une lettre très-polie à Champlain, dans laquelle il lui disait qu'il était informé de la disette qui régnait dans la colonie; que, comme il gardait le fleuve avec ses vaisseaux, il ne devait pas attendre de secours, et que s'il rendait la place, il lui accorderait les conditions les plus favorables. Il envoya porter cette lettre par des Basques, enlevés dans le golfe, et qui étaient chargés aussi de lui remettre les prisonniers faits à la ferme du Cap-Tourmente incendiée par un détachement qu'il avait envoyé pour cela.

Champlain qui avait appris la veille l'arrivée de Kirtk, jugea, après avoir lu sa sommation, qu'il menaçait de trop loin pour être à craindre; et il lui fit une réponse si fière qu'en effet l'amiral anglais n'osa pas venir l'attaquer. En même temps pour dissimuler la disette qui régnait dans la ville, il lit faire bonne chère aux envoyés qu'il garda jusqu'au lendemain. Les habitans étaient alors réduits chacun à sept onces de pois par jour, et il n'y avait pas 50 livres de poudre dans les magasins. Kirtk n'aurait eu qu'à se présenter devant la place pour s'en rendre maître; mais trompé par l'attitude de Champlain, il brûla toutes les barques et autres petits vaisseaux qu'il y avait à Tadoussac, et regagna le bas du fleuve.

Dans le même temps Roquemont, comme nous l'avons déjà dit plus haut, parti de France après la conclusion de la paix, et qui ne s'attendait probablement pas à rencontrer d'ennemis, entrait dans le golfe où il apprit des Sauvages que Québec était tombé aux mains des Anglais. A cette nouvelle, il dépêcha sur le champ onze hommes dans une embarcation avec ordre de remonter jusqu'à cette ville pour s'assurer de la vérité de ce rapport. Cette barque s'était à peine éloignée, qu'elle aperçut six vaisseaux ennemis, et le lendemain entendit une vive canonnade. C'était Kirtk qui en était venu aux mains avec Roquemont dont les bâtimens plus petits, pesamment chargés et manoeuvrant difficilement, furent pris avec tous les colons qu'il y avait dessus. Ce capitaine oubliant qu'il portait toute la ressource d'une colonie prête à succomber, loin de chercher à éviter le combat, parut vouloir le désirer. Son imprudente ardeur laissa Québec en proie à la famine, et fut cause de sa reddition l'année suivante. Tel fut le résultat de cette expédition qui devait sauver le Canada, et qui, abandonné aux soins d'un chef inexpérimenté, accéléra sa ruine.

Le gouverneur, auquel le rapport de la barque détachée par Roquemont, avait fait pressentir la perte des secours qui lui étaient envoyés par la nouvelle compagnie, ne fut point cependant découragé par ce malheur, aggravé encore par le manque des récoltes. Il prit des mesures pour faire durer ce qui lui restait de vivres aussi longtemps que possible. Il acheta du poisson, que les Indiens, profitant de sa situation, lui firent payer bien cher, et renvoya une partie de ses gens chez les Sauvages afin de diminuer le nombre de bouches durant l'hiver qui approchait.

Au moyen de ces arrangemens, l'on put à force de privations atteindre le printemps. Dès que la neige fut disparue tous ceux qui étaient encore en état de marcher, se mirent à courir les bois pour ramasser quelques racines pour vivre. Beaucoup cependant ne pouvaient suffire à en trouver assez pour satisfaire les demandes de leurs familles épuisées par la faim. Champlain, ne se traitant pas mieux que le plus misérable des colons, donnait l'exemple de la patience et excitait tout le monde à supporter avec courage des souffrances qui devaient, sans doute, bientôt finir.

Chacun avait l'espoir que des secours seraient envoyés de France dès le petit printemps; de fait l'on n'avait aucun doute à cet égard. Dès que le fleuve fut libre de glaces, la population impatiente et les yeux tournés vers le port, s'attendait donc à les voir paraître à tout moment. Mais aucun navire ne se montrait. L'on resta dans cette pénible anxiété jusqu'au mois de juillet, en proie à une famine qui allait toujours croissante, car les racines qu'on allait chercher jusqu'à plusieurs lieues, devinrent extrêmement rares. Enfin trois vaisseaux parurent derrière la Pointe-Levy. La nouvelle s'en répandit immédiatement avec la rapidité de l'éclair; mais la joie qu'elle causa ne fut pas de longue durée, car bientôt l'on reconnut avec douleur un drapeau ennemi au bout des mâts. Cependant, dans l'état auquel l'on était réduit, personne ne songea à se défendre. Louis et Thomas Kirtk qui commandaient cette escadre, furent reçus plutôt comme des libérateurs que comme des ennemis. Les préliminaires de la capitulation ne furent pas longs. La ville fut rendue le 29 juillet 1629; et aussitôt les provisions y abondèrent. Les conditions accordées à la colonie et le bon traitement que les habitans éprouvèrent de la part de Louis Kirtk, les déterminèrent à y rester pour la plupart. La population de Québec ne dépassait pas alors cent âmes.

L'amiral David Kirtk était resté Tadoussac avec le gros de son escadre, qui était composée réunie, des trois bâtimens qui avaient pris Québec, portant 22 canons, et de cinq vaisseaux de trois à quatre cents tonneaux, montés chacun de cent vingt hommes.

Louis, son frère, resta chargé du commandement de la ville. Champlain descendit avec Thomas à Tadoussac en route pour l'Europe. En descendant, ils rencontrèrent de Caen qui arrivait de France avec des provisions et qui ne pouvant les éviter fut pris après un combat opiniâtre. Le chevalier Kirtk fit voile en octobre pour l'Angleterre, où Champlain, débarqua, afin de rendre compte à l'ambassadeur de France de ce qui s'était passé en Amérique, et de le presser de réclamer Québec, dont on s'était emparé deux mois après la conclusion de la paix. Kirtk, en arrivant à Plymouth, apprit que les différends entre les deux cours étaient réglés. Mais il paraît qu'il en avait été informé avant la prise de Québec. Croyant y trouver de riches dépouilles, il avait feint de l'ignorer, pour tomber à l'improviste sur cette ville laissée sans défense. Il fut bien étonné de voir qu'il ne s'était emparé que d'un rocher habité par une centaine d'habitans épuisés par une longue famine, et à qui il fallait commencer par donner de quoi vivre. N'ayant presque rien trouvé non plus dans le magasin des pelleteries, tout le fruit de sa mauvaise foi fut de s'être ruiné, sans avoir même été utile au prince qu'il servait.

Cependant la prise de Québec n'entraîna pas la perte de toute la Nouvelle-France, car plusieurs points étaient encore occupés par les Français en Acadie; l'île du Cap-Breton avait été reconquise aussitôt que perdue. La compagnie avait donné ordre à Roquemont avant de partir d'aller à Brouage, ou à la Rochelle, se mettre sous la protection de l'escadre du commandeur de Rasilli, qui devait le convoyer jusqu'en Canada. Mais la paix ayant été conclue sur ces entrefaites, le Commandeur avait été envoyé contre le Maroc dont l'empereur avait mécontenté la France; et le bâtimens de la compagnie, après l'avoir attendu quarante jours, partirent sous les ordres du capitaine Daniel, en juin. Sans ce délai, Québec eut été ravitaillé et renforcé avant l'arrivée de Kirtk. Une tempête dispersa sur les bancs de Terreneuve, les vaisseaux de Daniel qui se trouva seul. Comme il approchait de la terre, un navire anglais vint se mettre le long de lui à portée de pistolet avec l'intention de l'attaquer; mais lorsqu'il eut aperçu 16 pièces de canon en batterie sur le pont de Daniel, il voulut vainement s'esquiver; celui-ci l'accrocha et le prit à l'abordage sans difficulté.

Il cingla ensuite vers le Grand-Cibou, sur la côte orientale du Cap-Breton, pour avoir des nouvelles de Québec. Il apprit là d'un capitaine de Bordeaux, que lord Jacques Stuart, ayant sous ses ordres trois vaisseaux, s'était emparé deux mois auparavant d'un bâtiment pêcheur de St.-Jean-de-Luz; et qu'il l'avait envoyé avec deux des siens à Port-Royal; que lui-même, resté avec un vaisseau, avait construit un fort au port aux Baleines, prétendant que l'île du Cap-Breton appartenait à la Grande-Bretagne. A cette nouvelle Daniel résolut sur le champ de s'emparer du fort de Stuart, et de remettre l'île sous la domination française. Il arriva devant la place dans le mois de septembre, et débarqua à la tête de cinquante-trois hommes complètement armés et munis d'échelle pour l'escalade. L'attaque fut vive et la garnison se défendit avec un grand courage; mais les portes ayant été enfoncées à coups de hache, Daniel y pénétra un des premiers et fit le capitaine Stuart prisonnier avec une partie de ses gens. Dans le même temps un drapeau blanc s'élevait sur une autre partie du rempart.

Daniel rasa le fort, et en fit bâtir un autre à l'entrée de la rivière Grand-Cibou, qu'il arma de 8 pièces de canon. Il y laissa une garnison de 38 hommes avec les PP. Vimont et Vieuxpont, Jésuites. Mettant ensuite à la voile pour la France, il débarqua en passant à Falmouth quarante-deux de ses prisonniers et emmena le reste au nombre d'une vingtaine avec leur chef, à Dieppe.

Le capitaine Stuart formait probablement partie de la flotte de l'amiral Kirtk, qui, au rapport d'Haliburton, soumit le Cap-Breton sans éprouver de résistance, et y bâtit un fort avant de remonter le St.-Laurent.

Tandis que Kirtk s'emparait de Québec, et que son lieutenant perdait le Cap-Breton, l'extrémité sud de l'Acadie repoussait les attaques de deux vaisseaux de guerre commandés par Claude de la Tour, protestant français récemment passé au service de l'Angleterre.

Cet homme d'un esprit entreprenant et qui possédait une grande fortune, avait été fait prisonnier sur un des navires de Roquemont et conduit à Londres où il avait été fort bien accueilli à la cour. Il y épousa une des dames d'honneur de la reine, et fut fait baronnet de la Nouvelle-Ecosse. Tant de marques d bienveillance achevèrent d'éteindre le reste d'attachement qu'il avait pour sa patrie. Ayant obtenu la concession d'une très-grande étendue de terre sur la rivière St.-Jean, il prit des arrangemens avec le chevalier Alexander pour y établir des colons écossais, et en même temps pour amener la soumission de son fils qui commandait un fort au cap de Sable.

Pour l'exécution de ce dernier dessein, l'on mit deux vaisseaux de guerre sous ses ordres, et il partit avec sa nouvelle épouse pour l'Acadie. Rendu au cap de Sable, il eut une entrevue avec son fils, dans laquelle il lui peignit la réception flatteuse qu'on lui avait faite en Angleterre, les honneurs dont on l'avait comblé, et les nombreux avantages qui l'attendaient lui-même, s'il voulait passer au service de la Grande-Bretagne et placer son fort sous le sceptre de cette puissance. Dans ce cas, ajouta-t-il, je suis autorisé à vous en conserver le commandement, et à vous conférer de plus l'ordre d'une chevalerie. A cette proposition inattendue, le jeune de la Tour fit une réponse pleine de noblesse. Si l'on m'a cru, dit-il, capable de trahir mon pays même à la sollicitation de l'auteur de mes jours, l'on s'est étrangement trompé. Je n'achèterai pas les honneurs qu'on m'offre au prix d'un crime. Je sais apprécier l'honneur que veut me faire le roi d'Angleterre; mais le prince que je sers est assez puissant pour payer mes services, et dans tous les cas ma fidélité me tiendra lieu de récompense. Le roi mon maître m'a confié cette place, je la défendrai jusqu'à mon dernier soupir. Le père désappointé par cette réponse à laquelle il ne s'attendait pas, retourna à bord de ses navires.

Le lendemain il adressa à son fils une lettre écrite dans les termes les plus pressans et les plus tendres, sans plus de succès; il employa alors la menace qui fut aussi inutile. Ayant échoué dans toutes ses ouvertures pacifiques, il fut contraint de recourir à la force, et ayant fait débarquer ses soldats avec un corps de matelots, il attaqua le fort avec une extrême vivacité. Repoussé une première fois, il renouvela ses attaques pendant deux jours avec un acharnement inouï, jusqu'à ce qu'enfin ses troupes rebutées refusèrent de s'exposer davantage. Force lui fut de les faire rembarquer, confus et mortifié d'avoir subi une défaite en combattant et contre son propre sang et contre sa patrie.

N'osant reparaître ni en France, ni en Angleterre, il resta en Acadie avec son épouse qui ne voulut pas l'abandonner dans ses malheurs. Son fils craignant de l'admettre dans le fort, eut cependant pitié de lui; il lui fit bâtir une petite maison très-proprement meublée à côté de lui, sur le bord de la mer, où il demeura quelques années. Il y fut visité en 1635 par l'auteur de la description géographique etc. des côtes de l'Amérique septentrionale, M. Denis.

Le chevalier Alexander, qui était son ami, le chargea de reprendre la colonisation de Port-Royal, où arrivèrent quelques émigrans écossais. Il en mourut trente du scorbut dès le premier hiver. Découragé par les dépenses énormes qu'entraînait l'établissement de cette province, Alexander la céda toute entière, excepté Port-Royal, à la Tour à la charge de relever de la couronne d'Ecosse (1631).

A peu près dans le même temps, la compagnie des cent associés expédiait deux navires pour secourir le fort du Grand-Cibou au cap Breton; et deux autres chargés de colons pour la cap de Sable. Ainsi la France et l'Angleterre travaillaient, chacune de son côté, à l'établissement de l'Acadie.

Cependant l'invasion du Canada après la conclusion de la paix, fit d'abord jeter les hauts cris aux Français, parceque l'on crut l'honneur du royaume engagé; mais après réflexion, une partie du conseil opina pour ne pas demander la restitution de Québec, disant que l'on n'avait rien perdu en perdant ce rocher, que le climat y est trop rigoureux, que l'on ne pourrait peupler un pays si vaste sans affaiblir le royaume; et de quelle utilité serait-il si l'on ne le peuplait pas? L'Asie et le Brésil ont dépeuplé le Portugal; l'Espagne voit plusieurs de ses provinces presque désertes depuis la conquête de l'Amérique. Charles V, avec tout l'or du Pérou, n'a pu entamer la France, tandis que François I, son rival, a trouvé dans ses coffres de quoi tenir tête à un prince dont l'empire était plus vaste que celui des premiers Césars? cherchons plutôt à améliorer la France disait le parti de l'abandon.

L'on répondit à ces raisons que le climat du Canada est sain, le sol très fertile et capable de fournir toutes les commodités de la vie; que c'était la retraite des Maures qui avait épuisé la péninsule espagnole d'hommes; qu'il ne fallait faire passer qu'un petit nombre de familles et de soldats réformés tous les ans dans la N.-France; que la pêche de la morue était capable d'enrichir le royaume, et que c'était une excellente école pour former des matelots; que les forêts les plus belles de l'univers, pourraient alimenter la construction des vaisseaux; enfin, que le seul motif d'empêcher les Anglais de se rendre trop puissans en Amérique, en joignant le Canada à tant d'autres provinces où ils avaient déjà de bons établissemens, était plus que suffisant pour engager le roi à recouvrer Québec, à quelque prix que ce fût.

Ces raisons, dont on avait déjà fait valoir plusieurs du temps de Jacques Cartier, ne persuadèrent pas tout le conseil. Il n'y eut que des motifs d'honneur et de religion qui déterminèrent Louis XIII à ne point abandonner le Canada. Peut-être aussi que l'orgueil du ministre qui gouvernait la France, et qui regardait l'irruption des Anglais, comme son injure personnelle, étant à la tête de la compagnie, fit-il changer d'avis comme l'avance Raynal. Quoiqu'il en soit, le roi d'Angleterre en promit la restitution; mais Richelieu voyant cette affaire traîner en longueur, afin d'activer les négociations, fit armer six vaisseaux qu'il mit sous les ordres du commandeur de Rasilli. Cette démonstration eut son effet; et par le traité de St.-Germain-en-Laye, signé le 29 mars 1632, l'Angleterre abandonna tous ses droits sur les provinces qui composaient la Nouvelle-France. De ce traité malheureux, dit Chalmers, l'on peut dater le commencement d'une longue suite de calamités pour la Grande-Bretagne et pour ses colonies, et les difficultés provinciales qui s'élevèrent plus tard, et en quelque sorte le succès de la révolution américaine.

Il reste à faire une observation sur la conduite des protestans français dans cette guerre. Si les persécutions dont ils étaient l'objet doivent être réprouvées, ils ne sont pas moins condamnables eux-mêmes, pour avoir porté les armes contre leur patrie. Le récit de cette guerre nous montre continuellement des Français armés contre des Français, dépouillant la France au profit de ses ennemis, avec une espèce d'ennivrement et à l'envi les uns des autres.

Richelieu, en excluant les Huguenots du Canada, commit, sans doute, un acte de criante tyrannie; mais leur conduite ne l'autorisait-elle pas, ou du moins ne lui donnait-elle pas, un prétexte plausible d'en agir ainsi. Elle ajoutait de la force aux assertions des catholiques qui ne cessaient de répéter qu'il n'y avait pas de sûreté à les laisser s'établir dans le voisinage des colonies protestantes anglaises, parce qu'à la moindre difficulté avec le gouvernement, ils se joindraient à elles: le chevalier Claude de la Tour en était un exemple.

LIVRE II

DESCRIPTION DU CANADA

NATIONS INDIGÈNES

Lorsque les Européens visitèrent pour la première fois l'Amérique du Nord, n'ayant aucun nom pour désigner les diverses contrées où ils abordaient, ils leur donnèrent l'appellation générale de terres neuves. Du temps de François I ce nom désignait tout aussi bien la Floride, le Canada, que le Labrador et l'île de Terreneuve qui seule l'a conservé en propre. A mesure que ces pays devinrent mieux connus, ils prirent des dénominations particulières qui servirent à les distinguer les uns des autres, mais qui furent souvent changées. D'ailleurs les limites des contrées qui les portaient, étaient incertaines et presque toujours confondues par les différentes nations: de là naquit la confusion qui, dans la suite, enfanta tant de difficultés entre la France, l'Angleterre et l'Espagne au sujet des frontières de leurs colonies.

Vers le commencement du dix-septième siècle le nom de Nouvelle-France fut donné à l'immense contrée qui embrassait le Canada, la baie d'Hudson, le Labrador, le Nouveau-Brunswick, la Nouvelle-Ecosse et une portion des États-Unis. A cette époque la péninsule de la Nouvelle-Ecosse commença à porter le nom de Cadie ou Acadie; et celui du Canada fut conservé au pays que nous habitons, mais avec des bornes beaucoup plus étendues dans toutes les directions.

La Nouvelle-France, avant la découverte du Mississipi, à la vallée duquel ce nom s'étendit ensuite, embrassait donc tout le bassin du St.-Laurent et tout celui de la baie d'Hudson. Ce dernier fleuve qui a plus de sept cents lieues de cours, et qui se jette dans l'Océan par un golfe qui est lui-même une mer, prend sa source sous le nom de rivière St.-Louis, par le 48e°. 30' de latitude nord, et le 93e°. de longitude ouest, sur le grand plateau central, où naissent aussi le Mississipi qui coule vers le sud, et les rivières qui versent leurs eaux vers le nord dans la baie d'Hudson. Le bassin, ou la vallée que le St.-Laurent parcourt, faisant un coude au midi pour embrasser le lac

Érié, s'élève par gradin de la mer au plateau dont on vient de parler, et qui, comme le reste des régions septentrionales de ce continent, a peu d'élévation. Le lac Supérieur, presque de niveau avec ce plateau, n'est qu'à six cent vingt-sept pieds au-dessus de l'Océan. L'inclinaison longitudinale du bassin plus considérable vers le haut, diminue graduellement jusqu'à la mer.

Il est borné vers le nord par la chaîne des Laurentides, montagnes qui séparent les eaux qui se versent dans le St. Laurent de celles qui tombent dans la baie d'Hudson. Cette chaîne, qui sort du Labrador, se prolonge jusqu'au dessus du lac Supérieur; et ses rameaux couvrent et rendent stérile une grande étendue de pays, quoique cependant les vallées qui en séparent les nombreux mamelons, sont pour la plupart plus ou moins cultivables. Elle baigne ses pieds dans les eaux du St.-Laurent au Cap-Tourmente, où elle a de 1500 à 2000 pieds de hauteur, traverse la rivière des Outaouais au-dessus du lac des Chats et forme la rive septentrionale du lac Huron. Les Alléghanys dont l'on voit très-bien la cime des hauteurs de Québec, limitent ce bassin au sud jusqu'au lac Champlain. Cette chaîne de montagnes, dont le versant oriental jette ses eaux dans l'océan Atlantique, part du golfe St.-Laurent, longe le sud du lac Champlain, traverse la rivière Hudson et se prolonge jusque dans la Virginie. Depuis le lac Champlain, cette limite est formée par les hautes terres dont les eaux coulent au sud dans le Mississipi.

Tout le Canada paraît être assis sur un vaste banc de granit qui forme la charpente des plus hautes montagnes, et se montre à nu sur le lac Supérieur et le lac Huron, à Kingston et dans plusieurs autres endroits du Haut-Canada; sur la rivière St.-Maurice, à Beauport, à Tadoussac, à Kamouraska, au Labrador, &c. Ces granits portent des couches de différentes espèces de roches, dont les plus abondantes sont les schistes, les calcaires, les grès, comme la grauwacke, etc, etc.

Le Canada est riche en minerais de fer. Deux mines sont exploitées, celles des Trois-Rivières, dont le fer est supérieur à celui de la Suède, et celle de Marmora, dans le Haut-Canada. Le cuivre, le zinc, le plomb, le titane et le mercure s'y montrent quelque fois, mais en petites quantités; mais des explorations et des études plus rigoureuses que celles qu'on a faites jusqu'à présent, augmenteront beaucoup sans aucun doute nos richesses métalliques. Le gouvernement français a donné plus d'attention à ce sujet que le gouvernement actuel; mais les rapports de ses explorateurs ne sont pas venus jusqu'à nous. Cependant il n'y a aucun doute qu'ils avaient découvert la plus grande partie des mines mentionnées aujourd'hui par nos géologues. La plupart de ces mines n'attendent que la main de l'industrie pour être utilisées.

Le sol de ce pays est généralement fertile, surtout dans la partie supérieure où le climat est tempéré et où l'on trouve d'immenses plaines à céréales. Dans la partie inférieure la température est beaucoup plus froide, et les Alléghanys et les Laurentides avec leurs nombreux rameaux occupent, particulièrement les dernières, un vaste territoire qui diminue considérablement la surface cultivable. Ainsi la grande et pittoresque contrée du Saguenay est traversée du nord au sud à peu près par un rameau de cette dernière chaîne de montagnes, qui descend jusqu'au fleuve. Dans quelque révolution physique, ce rameau s'est fendu en deux dans sa longueur, pour donner passage à une rivière très profonde, et bordée de chaque côté par des parois verticales d'une grande hauteur formées par cette brisure. Rien n'est à la fois plus grandiose et plus sauvage que ces rives hardies et tourmentées; mais elles n'acquièrent ce caractère qu'aux dépens de leur vertu fertilisante. C'est encore à un des rameaux de cette chaîne, qui court en remontant le long du fleuve depuis Prescott jusqu'à la baie de Quinté sur le lac Ontario, sans jamais s'élever beaucoup au-dessus du sol, que l'on doit attribuer le peu de fertilité de cette partie de la province supérieure. En revanche, dans les contrées montagneuses les vallées sont arrosées par de nombreux cours d'eau qui les fertilisent, et qui contribuent puissamment à cette croissance rapide de la végétation canadienne, si remarquable sur le bas St.-Laurent.

Le bassin du St.-Laurent ayant, comme on l'a dit, la forme d'un angle dont le sommet est tourné vers le midi, ses deux extrémités qui se terminent à peu près dans la même latitude, possèdent aussi le même climat. Le maximum du froid est à Québec de 30 degrés sous zéro et quelquefois plus, et du chaud de 97 à 103 au-dessus, thermomètre de Fahrenheit. La température de l'hiver s'adoucit jusqu'à l'extrémité supérieure du lac Erié. Sous le 42°. de latitude, l'extrême du froid est de 20 degrés sous la glace, mais cela est rare; et de la chaleur de 103 au-dessus. L'on voit que quant à la chaleur il n'y a pas de différence sensible; mais elle ne dure pas si longtemps dans le Bas-Canada que vers le centre du Haut. Au reste, la différence du climat entre ces deux parties du pays se comprendra encore mieux en comparant leurs productions et la longueur de leurs hivers.

Les parties habitées des deux Canadas, dit Bouchette, sont situées entre le 42e et le 48e degré de latitude nord; et si d'autres causes que celle de leur distance de l'équateur et du pôle, n'exerçaient pas d'influence sur leur température, elles devraient jouir d'un climat analogue à celui de l'Europe centrale et méridionale, tandis qu'au contraire le froid et la chaleur y sont beaucoup plus considérables. A Québec, (latitude 46e. 48' 49") les pommes viennent en abondance; mais les pêches et le raisin ne réussissent pas; à Montréal, (latitude 45e°. 30') ces fruits parviennent à leur maturité. Mais à Toronto et plus au sud, les pêches, le raisin et l'abricot atteignent toute leur perfection. On peut ajouter que l'Acacia qui ne peut résister au climat de Québec en pleine terre, commence à se montrer à Montréal et devient plus commun à mesure que l'on approche du Détroit.

Dans le Bas-Canada, l'hiver commence vers le 25 novembre à Québec et dure jusque vers le 25 avril, que l'on reprend les travaux des champs; et la neige qui demeure sur la terre de 5 mois à 5 mois et demi, et quelquefois plus, atteint une hauteur de trois à quatre pieds dans les bois. A Montréal l'hiver dure 3 à quatre semaines de moins, et il y tombe aussi moins de neige. Enfin dans la partie méridionale du Haut-Canada l'hiver est beaucoup plus court; les traîneaux n'y servent que deux mois, et souvent moins, pendant que l'usage en est général dans le Bas cinq mois et plus.

Mais partout dans cette vaste contrée, sous le ciel rigoureux du Bas-Canada, ou sur les bords plus favorisés du Haut, l'air est salubre et agréable en été. L'excès du froid sur le bas St.-Laurent paraît dû, moins à la hauteur de sa latitude, qu'à l'absence de montagnes très-élevées du côté du nord, et au voisinage de la baie d'Hudson dans laquelle les vents du pôle s'engagent pour venir déborder dans les régions de ce fleuve, en même temps qu'ils y arrivent saturés d'humidité et de froid des mers du Labrador. Cela paraît d'autant plus vraisemblable qu'à l'ouest des Alléghanys, le nord-est est plutôt sec qu'humide, parceque, dit Volney, ce courant d'air là comme en

Norvège, n'arrive qu'après avoir franchi un rempart de montagnes, où il se dépouille dans une région élevée des vapeurs dont il était gorgé.

Ces contrées si variées, si étendues, si riches en beautés naturelles, et qui portent, pour nous servir des termes d'un auteur célèbre, l'empreinte du grand et du sublime, étaient habitées par de nombreuses tribus nomades qui vivaient de chasse et de pêche, et formaient partie de trois des huit grandes familles indiennes qui se partageaient le territoire situé entre le Mississipi, l'Océan et la terre des Esquimaux.

Ces grandes familles sont les Algonquins, les Hurons, les Sioux, les Chérokis, les Catawbas, les Uchées, les Natchés et les Mobiles. Elles sont ainsi divisées d'après les langues qu'elles parlent, et que l'on a appelées mères, par ce qu'elles n'ont aucune analogie entre elles, et qu'elles ont un grand nombre de mot imitatifs qui peignent les choses par le son. Tous les idiomes des diverses tribus sauvages dans les limites de ce territoire, dérivent de ces huit langues; et généralement tous ceux qui parlaient des idiomes de la même langue-mère, s'entendaient entre eux, quelqu'éloignées les unes des autres que fussent d'ailleurs leurs patries respectives.

Cette grande agrégation d'hommes était ainsi disposée sur le sol de l'Amérique.

Les Mobiles possédaient toute l'extrémité sud de l'Amérique septentrionale, depuis la baie du Mexique jusqu'à la rivière Tenessée et le cap Fear. Les Uchées et les Natchés, peu nombreux, étaient enclavés dans cette nation; les Natchés avaient un petit territoire borné par le Mississipi; les Uchées étaient plus vers l'est, et joignaient les Chérokis. Le pays des Chérokis était également éloigné de la baie du Mexique que du lac Erié, de l'Océan que du Mississipi. Cette nation avait pour voisins les Mobiles et les Uchées au nord, et les Catawbas à l'est. Les Catawbas possédaient une contrée peu étendue au sud des Mobiles et à l'ouest des Chérokis. La grande famille Algonquine occupait près de la moitié de l'Amérique du nord, au levant du Mississipi. Son territoire joignant les Mobiles au sud, s'étendait dans le nord, jusqu'à celui des Esquimaux, sur la largeur qu'il y a du Mississipi à l'Océan. La superficie en était de 60 degrés de longitude et de 20 de latitude.

Les Hurons, dont le véritable nom est Yendats, mais auxquels les Français donnèrent celui de Hurons, du mot *hure*, à cause de leur manière particulière de s'arranger les cheveux, se trouvaient au milieu d'elle sur les bords du lac Ontario, du lac Erié et du lac qui porte leur nom. Les Sioux dont la vaste contrée était à l'ouest du Mississipi, possédaient un petit territoire sur le lac Michigan au couchant. Ainsi comme la Nouvelle-France embrassait le St.-Laurent et tous les lacs, elle renfermait une partie des peuples qui parlaient des dialectes des trois langues mères, la Siouse, l'Algonquine et la Huronne. A partir du lac Champlain et du sud de la rivière des Outaouais en gagnant le nord, le dialecte Algonquin était parlé dans l'origine; mais dans la suite des migrations en sens contraire de peuples des deux autres dialectes, portèrent ces langues en diverses parties du Canada.

Les principales tribus de la langue Algonquine qui habitaient la Nouvelle-France, étaient au sud du St.-Laurent:

Les Micmacs, ou Souriquois, qui occupaient la Nouvelle-Ecosse, Gaspé et les Iles adjacentes. Ils étaient peu nombreux; leur nombre n'a jamais dépassé 4000.

Les Etchemins: ils habitaient les contrées que baignent la rivière St.-Jean, la rivière Ste.-Croix, et qui s'étendent au sud jusqu'à la mer.

Les Abénaquis étaient entre les Micmacs et les Etchemins, le St.-Laurent, la Nouvelle-Angleterre, et les Iroquois.

Les Sokokis vinrent des colonies Anglaises se mettre sous la protection des Français en Canada; ils étaient alliés aux Agniers.

Au nord du fleuve:

Les Montagnais habitaient les bords du Saguenay et du lac St.-Jean, ainsi que les Papinachois, les Bersiamites, la nation du Porc-Epic, et plusieurs autres tribus.

Les Algonquins, ou Lenni-Jenappes proprement dits, étaient répandus depuis un peu plus bas que Québec jusqu'à la rivière St.-Maurice. Une de leurs tribus était en possession de l'île de Montréal et de ses environs.

Les Outaouais erraient d'abord dans la contrée qu'arrose la rivière qui porte leur nom, au-dessus de Montréal, et s'étendirent ensuite jusqu'au lac Supérieur.

Les tribus de la langue Huronne étaient:

Les Hurons ou Yendats, qui résidaient sur les bords septentrionaux du lac Huron, du lac Erié et du lac Ontario, dont ils furent chassés bientôt après l'arrivée des Européens par les Iroquois. Ne pouvant leur résister, ils furent repoussés d'un côté vers le bas St.-Laurent, de l'autre au-delà du lac Supérieur dans les landes arides qui séparaient les Chippaouais de leurs ennemis occidentaux. Ramenés ensuite par les armes puissantes des Sioux, on les vit au Sault-Ste.-Marie, à Michilimackinac et enfin près du Détroit.

La bourgade des Hurons de Lorette à 6 milles de Québec, est un des débris de cette nation jadis si puissante, et à laquelle les Iroquois ses vainqueurs, et plusieurs autres tribus devaient leur origine. Cette bourgade ne renferme à cette heure qu'un Huron pur sang; il est le fils d'un des chefs, et est conséquemment chef lui-même. Il était né pour avoir le malheur de survivre à sa nation.

Au sud du lac Erié, du lac Ontario et du fleuve St.-Laurent jusqu'à la rivière Richelieu, dans le voisinage des Abénaquis, dominait la fameuse confédération Iroquoise. Le nom propre des Iroquois était *Agonnonsionni*: faiseurs de cabanes, parce qu'ils les faisaient plus solides que les autres. Le premier nom leur a été donné par les Français, et est formé du mot *Hiro*, avec lequel ils finissaient leurs discours, et qui équivaut, à: *J'ai dit*, et de celui de Koué, cri de joie ou de tristesse, selon qu'il était prononcé long ou court. Cette confédération était composée des Agniers ou Mohawks, des Onnontagués, des Goyogouins, des Onneyouths et des Tsonnonthouans.

Les Eriés et les Andastes dominaient autrefois entre le lac Erié et les Iroquois; mais il n'existait plus que quelques restes de ces deux nations infortunées au temps de la découverte du Canada, lesquels ne pouvant résister à leurs puissans voisins, furent bientôt après impitoyablement détruits.

Les contrées que baignent le lac Supérieur, le lac Michigan et le lac Huron étaient encore habitées ou fréquentées par les Nipissings, les

Outaouais, les Miâmis que refoulèrent vers le nord les Pouteouatamis venant du sud; par les Illinois, les Chippaouais, les Outagamis ou Renards, peuple pillard et cruel, les Kikapous, les Mascontins, les Sakis, les Malhomines, les Osages, les Missouris, les Menomonis, toutes tribus de la langue Algonquine, et enfin par les Kristinots ou Kilestinots de la langue siouse.

Une foule d'autres tribus appartenant soit à la famille des Sioux, soit à celle des Hurons, soit à celle des Algonquins, habitaient des contrées plus ou moins reculées, et venaient quelquefois se montrer aux missionnaires et aux trafiquans européens sur les bords des lacs pour se renfoncer ensuite dans les forêts et ne plus reparaître; tandis que d'autres également inconnues venaient à main armée prendre la place de plus anciennes, qui étaient forcées de reculer et d'abandonner leur territoire.

Il serait impossible de pouvoir établir aujourd'hui quelle était la population indienne de la Nouvelle-France à l'époque de l'apparition de Cartier. Si l'on en jugeait d'après la variété des tribus, on serait porté à croire qu'elle était considérable; mais des calculs sur lesquels on peut se reposer avec confiance, la réduisent à un chiffre peu élevé. Les tribus sauvages ne sont jamais nombreuses. Quelques voyageurs s'en laissèrent d'abord imposer à cet égard par le langage métaphorique de ces peuples, qui étaient d'ailleurs accoutumés à regarder une bourgade de 1000 âmes, comme une ville considérable, et qui ne pouvaient encore indiquer ce nombre que par une expression figurée. C'est ainsi que longtemps encore après, en 1753, ils rapportèrent au colonel Washington, que les Français venaient l'attaquer avec une armée aussi nombreuse que les feuilles des forêts; et cette armée était composée de quelques centaines d'hommes.

Des évaluations de population ont été faites avec le plus grand soin pour les contrées situées entre le St.-Laurent et le Mississipi. Ces calculs indiquent le chiffre de la population il y a deux cents ans, et ils sont plutôt au-dessus qu'au-dessous de la réalité. Ils portent la famille Algonquine, qui est de beaucoup la plus considérable, à 90,000 âmes; celle des Sioux orientaux à moins de 3000; celle des Hurons, y compris les Iroquois, à environ 17,000; celle des Catawbas à 3000; celle des Chérokis à 12,000; celle des Mobiles à 50,000; celle des Uchées à 1000, et celle des Natchés à 4000. Ce qui donne seulement 180,000 âmes pour toute la population, preuve qu'elle était extrêmement dispersée. En effet, les peuples chasseurs ont besoin d'immenses domaines; et malgré la vaste étendue des forêts de l'Amérique, les tribus sauvages y manquaient souvent de subsistance, faute de trouver assez de gibier. D'ailleurs si la population eût été dense, comment les Iroquois, qui ne comptaient que 2200 guerriers en 1660, auraient-ils pu se promener en conquérants depuis la Caroline jusqu'au fond de la baie d'Hudson, et faire trembler au seul bruit de leur nom tous les peuples de ces contrées?

Cartier ne vit dans tout le Canada que quelques rares bourgades, dont la plus considérable renfermait seulement cinquante cabanes; et le plus grand rassemblement d'hommes qui eut lieu à Stadaconé dans l'hiver qu'il passa sur la rivière St.-Charles, resta bien au-dessous de 1000. Il aperçut dans les autres parties du pays à peine çà et là quelques traces d'habitation. Joliet et le P. Marquette, Jésuite, parcoururent une grande partie du Mississipi sans rencontrer la présence d'un seul homme.

Nous avons dit que la comparaison des différens dialectes parlés dans l'Amérique septentrionale, à l'est de ce dernier fleuve, avait fait découvrir huit langues-mères, et que l'on y avait divisé la population en autant de grandes familles. D'après ces huit divisions radicales d'une partie des hommes de la race rouge, qui sembleraient militer contre l'hypothèse d'une seule voie d'immigration asiatique par le nord-ouest de l'Amérique, ou peut-être même contre l'hypothèse de toute immigration quelconque, on s'attendrait à trouver aussi des différences entre eux tant sous le rapport physique que sous le rapport moral. Cependant il n'en est rien; et la plus grande similitude régnait à cet égard. La différence entre les Sauvages du Canada et ceux de la Floride était à peine sensible. Leurs personnes, leurs moeurs, leurs institutions avaient le même caractère et la même physionomie. En traçant le portrait des uns l'on fait celui des autres.

Ils étaient tous en général d'une belle stature. Elevés et sveltes, indices de l'agilité plutôt que de la force, ils avaient cet air farouche que donnent l'habitude de la chasse et les périls de la guerre.

Les traits des Sauvages ne présentaient pas la même beauté. La figure plus ronde qu'ovale, le teint cuivré, ils avaient les pommettes des joues élevées et saillantes; leurs yeux noirs ou châtains, petits et enfoncés, brillaient dans leurs orbites. Le front étroit, ils avaient le nez plat, les lèvres épaisses, les cheveux gros et longs. Les hommes avaient peu de barbe et ils se l'arrachaient soigneusement à mesure qu'elle paraissait, tant ils en avaient horreur. C'était un usage universel en Amérique. Les hommes difformes étaient extrêmement rares parmi eux. Ils avaient la vue, l'ouïe, l'odorat et tous les sens d'une sensibilité exquise.

La même ressemblance existait dans leurs vêtemens, avec la différence que pouvait apporter celle des climats. L'été, ils allaient presque nus. L'hiver, ils ceignaient une peau d'élan ou d'autre bête sauvage, autour de leurs reins; et une autre tombait de leurs épaules. Les griffes d'un ours formaient des agraffes dignes d'un chef de guerre à ces manteaux peints de diverses couleurs, et sur lesquels ils représentaient souvent l'histoire de leurs exploits. Des espèces de boyaux ou guêtres de peaux repassées, et ornées d'une broderie en poils de porc-épic, couvraient leurs jambes, tandis qu'une belle chaussure de peau de chevreuil, garantissait leurs pieds de la rigueur du froid. Cependant beaucoup d'entr'eux en Canada se couvraient à peine le corps, même l'hiver, comme l'atteste Jacques Cartier.

Les femmes, couvertes jusqu'aux genoux, avaient un costume qui différait peu de celui des hommes, excepté qu'elles avaient la tête et les bras nus. Elles portaient des colliers de coquillages, dont elles distribuaient aussi des branches sur le devant de leurs vêtemens resplendissant de couleurs brillantes, où le rouge prédominait.

C'est dans la manière de se parer que se distinguaient les Sauvages des diverses tribus. Ils se peignaient «le visage et le corps, soit pour se reconnaître de loin, soit pour se rendre plus agréables dans l'amour ou plus terribles dans la guerre. A ce vernis, ils joignaient des frictions de graisse de quadrupède ou d'huile de poisson, usage familier et nécessaire pour se garantir de la piqûre insoutenable des moucherons et des insectes qui couvrent tous les pays en friche. » Ils se couvraient le corps de figures d'animaux, de poissons, de serpens, etc., avec des couleurs très vives et variées, selon leurs caprices. Ils aimaient beaucoup le vermillon. Les uns se peignaient le nez en bleu; les sourcils, le tour des yeux et les joues en noir, et le reste de la figure en rouge; les autres se traçaient des bandes rouges, noires et bleues d'une oreille à l'autre, et de plus petites sur les joues. Les hommes s'arrangeaient les cheveux diversement, tantôt relevés ou applatis sur la tête, tantôt pendans par tresses. Ils y ajoutaient des plumes d'oiseaux de toutes sortes de couleurs, et des touffes de poils d'animaux, le tout placé de la manière la plus étrange. Ils portaient des pendans aux narines et aux oreilles, des brasselets de peaux de serpent aux bras; des coquilles leur servaient de décorations.

Les Indiens n'avaient pour armes offensives que la flèche, espèce de javelot hérissé d'une pointe d'os ou de pierre, et un casse-tête de bois extrêmement dur, ayant un côté tranchant. Leurs armes défensives consistaient en une espèce de cuirasse de bois léger, dont l'usage fut abandonné lors de l'introduction des armes à feu, et quelquefois en un long bouclier de bois de cèdre qui couvrait tout le corps. Elles parurent peu dangereuses aux Européens qui ignoraient leur manière de combattre. Mais l'art de ces barbares consistait à surprendre leurs ennemis et non à les attaquer de pied ferme; le casse-tête devenait une arme terrible dans une attaque subite où le guerrier assommait d'un seul coup son antagoniste endormi ou désarmé.

Le mot seul de guerre excitait chez les jeunes Sauvages une espèce de frémissement plein de délices, fruit d'un profond enthousiasme. Le bruit du combat, la vue d'ennemis palpitans dans le sang, les enivraient de joie; ils jouissaient d'avance de ce spectacle, le seul qui fût capable d'impressionner leur âme placide. Et comment en pouvait-il être autrement? C'était la seule de leurs fibres qu'on eût excitée depuis qu'ils étaient capables de sentir. Toute leur âme était là. L'imagination excitée par le récit des exploits de leurs ancêtres, ils brûlaient de se distinguer comme eux.

Les causes de guerre étaient peu nombreuses, mais fréquentes entre les nations sauvages. Le droit de chasser ou de passer dans certaines limites, la défense de leur propre territoire, ou la vengeance d'un compatriote aimé, voilà ce qui donnait naissance ordinairement aux luttes destructives de ces barbares. Mais chaque individu étant parfaitement indépendant, il pouvait à tout moment, soit par amour des combats ou du pillage, soit par haine ou vengeance, compromettre la paix entre deux tribus et les entraîner dans une guerre mortelle: c'était probablement là la cause de la plupart de celles qui se faisaient en Amérique, et qui finissaient souvent par la destruction ou l'expulsion de la tribu vaincue. Ainsi, la paix était sans cesse compromise, et depuis le Mexique jusqu'à la baie d'Hudson, les peuples étaient dans un état continuel d'hostilité.

Tous ceux qui étaient capables de porter les armes, étaient guerriers, et avaient droit d'assister aux assemblées publiques et d'exprimer leur opinion sur les matières en délibération. La guerre ne se décidait que par la nation réunie: toutes les raisons étaient pesées avec maturité. Si elle était décidée, les anciens s'adressaient à leurs guerriers pour les exciter à combattre. «Les os de nos frères blanchissent encore la terre, disaient-ils, ils crient contre nous; il faut les satisfaire. Peignez vous de couleurs lugubres, saisissez vos armes qui portent la terreur, et que nos chants de guerre et nos cris de vengeance réjouissent les ombres de nos morts, et fassent trembler les ennemis dont le sang va bientôt inonder la terre. Allons faire des prisonniers et combattre tant que l'eau coulera dans les rivières, que l'herbe croîtra dans nos champs, que le soleil et la lune resteront fixés au firmament.»

Aussitôt le chant de guerre était entonné par tous les combattans, qui demandaient qu'on les menât à l'ennemi. Ils se choisissaient un chef; et leur choix tombait toujours sur celui que distinguaient d'anciens exploits, une taille imposante, ou une voix forte et qui pût se faire entendre dans le tumulte des combats et exciter l'ardeur des guerriers. Le chef élu tâchait de se rendre favorable le Grand-Esprit, et le dieu du mal par de longs jeûnes; il étudiait ses rêves qui étaient pour lui des oracles. Enfin après avoir répété tous ensemble une prière, ils commençaient la danse de guerre, l'image la plus énergique et la plus effrayante de ces luttes mortelles. Tout se terminait par un festin solennel où l'on ne servait que de la chair de chien. Le chef y racontait ses exploits et ceux de ses ancêtres.

Dans leurs campagnes, les Indiens, tant qu'ils sont sur leur territoire, marchent sans précaution, et dispersés pour la commodité de la chasse, et se réunissent pour camper le soir; mais dès qu'ils mettent le pied dans le pays ennemi, ils ne se séparent plus, et n'avancent qu'avec la plus grande circonspection pour éviter les embuscades. Ils ne chassent plus, n'allument plus de feu et se parlent par signes. Ils étudient le pays qu'ils traversent; et ils déployent en cela une sagacité inconcevable. Ils devinent une habitation de très loin par l'odeur de la fumée. Ils découvrent la trace d'un pas sur l'herbe la plus tendre comme sur la substance la plus dure, et ils lisent dans cette trace, la nation, le sexe et la stature de la personne qui l'a faite, et le temps qui s'est écoulé depuis qu'elle a été formée. Ils s'appliquent à dissimuler la route qu'ils suivent, et à découvrir celle de leur ennemi. Et ils emploient pour cela divers stratagèmes. Ils marchent sur une seule file l'un devant l'autre, mettant les pieds dans les mêmes traces, que le dernier de la file recouvre de feuilles. S'ils rencontrent une rivière, ils cheminent dedans. Cette tactique est facile pour les Sauvages, parcequ'ils sont peu nombreux dans leurs expéditions Ce sont généralement des partis de trente, quarante, cinquante hommes; rarement excèdent-ils deux ou trois cents.

Lorsqu'ils atteignent leurs ennemis sans être découverts, le conseil s'assemble et forme le plan d'attaque. Au point du jour, et lorsqu'ils les supposent encore plongés dans le sommeil, ils se glissent dans leur camp, font une décharge de flèches en poussant de grands cris, et tombent sur eux le casse-tête à la main. Le carnage commence. Tel est le système de guerre des Indiens; ils ne s'attaquent que par surprise; ils tuent ceux qu'ils ne peuvent emmener, et leur enlèvent la chevelure. La retraite se fait avec précipitation, et ils tâchent de la cacher, s'ils ont lieu d'appréhender une poursuite. S'ils sont pressés de trop près, les prisonniers sont égorgés, et chacun se disperse. Dans le cas contraire, ceux-ci sont gardés avec soin et attachés la nuit à des piquets de manière qu'ils ne puissent remuer sans réveiller leurs vainqueurs. C'est dans ces longues nuits qu'ils entonnent le chant de mort, et que leur voix mâle, mais triste, résonne dans la profondeur des forêts. C'est dans cette situation affreuse que l'Indien déploie son héroïsme, et qu'il brave la cruauté de ses bourreaux. «Je vais mourir, dit-il, mais je ne crains point les tortures que m'infligeront mes ennemis. Je mourrai en guerrier, et j'irai rejoindre dans le pays des ombres les chefs qui ont souffert avant moi.»

La bourgade va au devant des vainqueurs, qui annoncent de loin leur arrivée par des cris. On fait passer les prisonniers entre deux files d'hommes qui les frappent avec des bâtons; Ceux qui sont destinés à la mort sont livrés au chef de guerre, les autres au chef de la tribu. Les premiers sont attachés à des poteaux, et l'on commence leur supplice qui se prolonge quelquefois plusieurs jours. Mais si les bourreaux sont sans pitié, la victime ne montre aussi aucune faiblesse; elle se fait gloire de ses tourmens; elle vante ses victoires, compte les chevelures qu'elle a enlevées, dit comment elle a traité ses prisonniers, et reproche à ses vainqueurs qu'ils ne savent pas torturer. Elle pousse quelquefois le sarcasme si loin, que ceux-ci perdant patience, terminent ses jours d'un coup de casse-tête. Voilà jusqu'où les Indiens portaient le mépris des souffrances, ou plutôt le fanatisme de la mort.

Il n'y avait généralement que les chefs qui étaient torturés ainsi. L'on brûlait les autres; ou quelquefois on les gardait pour en faire des esclaves. Les missionnaires français firent tout ce qu'ils purent pour faire adopter aux Indiens un système plus humain, et c'est dans cette vue qu'ils introduisirent l'usage de vendre les prisonniers, afin de les arracher à la mort.

Ceux qui avaient été livrés au chef de la nation, étaient destinés à remplacer les guerriers tués sur le champ de bataille. Ils étaient adoptés par les familles des défunts, qui leur portaient toute la tendresse et tous les égards qu'elles avaient pour ceux dont ils tenaient la place.

Il est impossible de dire si les prisonniers ainsi adoptés, ou réduits en esclavage, n'étaient pas plus malheureux que ceux qui avaient été sacrifiés à la cruauté de leurs vainqueurs. Ils ne devaient plus songer à revoir leurs parens, leurs amis, leur patrie, enfin tout ce qu'ils avaient de plus cher, leurs femmes et leurs enfans. Ils devaient s'incorporer à leur nouvelle famille et à leur nouvelle tribu, à tel point qu'ils pussent haïr tout ce qu'elles abhorraient, fût-ce même leur propre patrie, fût-ce même leur propre sang.

Mais telle était l'organisation des Indiens, la placidité de leur tempérament, que cet usage était reçu universellement parmi eux. Ils oubliaient tous leurs anciens souvenirs; ceux de la patrie qui sont gravés si profondément dans le coeur des hommes de la race européenne, disparaissaient de leur mémoire comme s'ils ne s'y étaient jamais arrêtés. Ce caractère particulier qui permettait de rompre sans grande secousse les liens du sang les plus rapprochés, contribua sans doute à la conservation d'une coutume à laquelle toutes ces peuplades libres se soumettaient sans même pousser un murmure.

Les animosités nationales étaient héréditaires et difficiles à éteindre; mais enfin on se lassait de verser le sang, et la paix devenait nécessaire. La tribu qui en avait le plus de besoin devait faire les premières démarches; ce qui demandait beaucoup de prudence. Il fallait vaincre dans cette mesure préliminaire la répugnance d'un ennemi vindicatif, et employer toutes les raisons d'équité et d'intérêt qui pouvaient désarmer sa vengeance. Lorsqu'une tribu avait résolu de faire les premiers pas, quelques uns de ses principaux chefs, accompagnés de ceux qui devaient servir de médiateurs, se rendaient chez la nation avec laquelle ils voulaient traiter de la paix. Le calumet était porté devant eux. Ce symbole inviolable est une pipe de quatre pieds de long, dont la tête de marbre rouge, est fixée à un tuyau de bois, orné de plumes et d'hiéroglyphes de diverses, couleurs, le rouge indiquant l'offre d'un secours, le blanc et le gris, de la paix.

Lorsque la députation est rendue dans le camp des ennemis, un des chefs inférieurs remplit le calumet de tabac; et après y avoir mis le feu, il l'élève vers le ciel, puis le baisse vers la terre, et le présente à tous les points de l'horison, en invitant tous les esprits qui sont dans le ciel, sur la terre et dans les airs à être présens au traité. Il l'offre ensuite au chef héréditaire qui en tire quelques bouffées de fumée, et les lance vers le ciel, et autour de lui vers la terre. Le calumet est alors passé à tous les chefs suivant leur rang, qui le touchent des lèvres. Un conseil est immédiatement tenu où le traité est discuté. Si la paix est conclue, l'on enterre une hache rouge, cérémonie qui est le symbole de l'oubli de l'animosité qui a régné jusque-là entre les deux parties contractantes. L'échange des colliers qui étaient chez ces peuples l'expression patente du traité, mettait le dernier cachet à la transaction.

Les deux tribus se faisaient alors réciproquement des présens; c'étaient des calumets, des peaux de daim ornées d'un beau travail, et d'autres objets de prix. La coutume de se faire ainsi des présens est une de celles qui sont répandues chez tous les peuples de la terre.

La guerre terminée, le Sauvage rentrait dans son repos léthargique. Le travail chez les tribus indiennes était une occupation déshonorante qu'ils abandonnaient aux femmes «comme indigne de l'homme indépendant. Leur plus vive imprécation contre un ennemi mortel, c'était qu'il fût réduit à *labourer* un champ; la même que celle que Dieu prononça contre le premier homme.» Mais bientôt la faim venait le troubler dans sa hutte d'écorce, et le faisait de nouveau sortir de son inaction. Alors cet homme qu'on voyait, assis les jambes et les bras croisés, garder une attitude immobile et stupide des journées entières, sortait de sa léthargie, s'animait tout à coup, car la chasse était après la guerre la seule occupation noble à ses yeux, il pouvait y acquérir de la gloire; et à ce nom l'Indien apathique devenait un tout autre homme, il bravait tout pour elle, les fatigues, la faim, et même la mort. La chasse ne se faisait ordinairement que pendant l'hiver, parceque l'été le poisson suffisait à la subsistance, et que d'ailleurs la fourrure des animaux est moins belle alors que dans la saison froide. Toute la nation y allait comme à la guerre; chaque famille, chaque cabane, comme à sa subsistance. Il fallait se préparer à cette expédition par des jeûnes austères, n'y marcher qu'après avoir invoqué les dieux. On ne leur demandait pas la force de terrasser les animaux, mais le bonheur de les rencontrer. Hormis les vieillards arrêtés par la décrépitude tous se mettaient en campagne, les hommes pour tuer le gibier, les femmes pour le porter et le sécher. Au gré d'un tel peuple, l'hiver était la belle saison de l'année: l'ours, le chevreuil, le cerf et l'orignal, ne pouvaient fuir alors avec toute leur vitesse, à travers quatre à cinq pieds de neige. Ces Sauvages que n'arrêtaient ni les buissons, ni les ravins, ni les étangs, ni les rivières, et qui passaient à la course la plupart des animaux légers, disaient rarement une chasse malheureuse. Mais au défaut de gibier, on vivait de gland. Au défaut de gland, on se nourrissait de la sève ou de la pellicule qui naît entre le bois et la grosse écorce du tremble et du bouleau.» (Raynal).

Dans ces expéditions, la tribu se campait dans le voisinage d'un lac ou d'une rivière, où elle se construisait des huttes à la hâte. En un clin d'oeil une bourgade s'élevait au-dessus des neiges qui recouvraient bientôt celle qu'elle avait abandonnée. C'est ainsi que partout dans l'Amérique du nord, la population et les villes changeaient continuellement de place, attirées qu'elles étaient par l'abondance de la chasse ou de la pêche, qui variait tous les jours dans chaque localité.

Un peuple qui n'était point ainsi fixé au sol, devait jouir de la plus grande liberté; et, en effet, chacun vivait avec toute l'indépendance qu'un homme peut posséder dans la société la plus libre.

La coutume et l'opinion, voilà quel était le gouvernement des tribus sauvages. Il n'y avait point de lois écrites. On suivait les usages traditionnels et l'instinct de la raison et de l'équité. D'ailleurs l'autorité publique, le gouvernement, n'était appelé à agir que très rarement, comme lorsqu'il fallait faire la guerre ou la paix, élire un chef, ou enfin traiter avec une autre tribu pour quelque sujet que ce soit; ou bien encore régler la marche d'une cérémonie publique, &c.; mais jamais, ou presque jamais, ne statuait-il sur les matières intérieures, c'est-à-dire, relatives à la conduite des citoyens; son pouvoir n'allait pas jusque-là. La volonté générale, dit l'historien des deux Indes, n'y assujettissait pas la volonté particulière. Les décisions étaient de simples conseils qui n'obligeaient personne, sous la moindre peine. Si dans une de ces singulières républiques, on ordonnait la mort d'un homme, c'était plutôt une espèce de guerre contre un ennemi commun, qu'un acte judiciaire exercé sur un sujet ou un citoyen. Au défaut de pouvoir coercitif, les moeurs, l'exemple, l'éducation, le respect pour les anciens, l'amour des parens, maintenaient en paix ces sociétés sans lois comme sans biens.

On voit que le lien moral faisait toute la force de ces associations. Dans les assemblées, chacun avait droit d'opiner sur les affaires publiques et d'émettre son opinion selon son âge ou ses services. Dans une société où les richesses étaient inconnues, l'intérêt ne pouvait faire dévier les hommes de leurs devoirs; et comme jamais l'Indien ne donnait rien aux anciens, ni à ses chefs électifs ou héréditaires, le désintéressement comme la cupidité n'influaient point sur leur jugement.

L'un des plus forts liens qui tenaient les sociétés indiennes ensemble, c'est le respect que la tribu avait pour chacun de ses membres. Il n'y avait d'exception à cet égard que pour les services rendus à la chose publique et pour le génie; la considération qu'ils attiraient était toute personnelle, et n'entraînait aucune charge ni obligation onéreuse: c'était le fruit moral de la reconnaissance.

Ces égards, les tribus, les nations, les observaient entre elles en temps de paix; les envoyés et les ambassadeurs étaient reçus avec distinction, et placés sous la protection et la sauvegarde de celles chez lesquelles ils venaient pour négocier. Cependant les passions humaines venaient jeter quelquefois la perturbation dans ces sociétés si simples et si patriarcales. Comme elles n'avaient point de code, que «les lois prohibitives n'étaient point sanctionnées par l'usage,» l'homme lésé se faisait généralement justice lui-même. La tribu n'intervenait que quand l'action d'un de ses membres lui portait directement un préjudice grave, alors le coupable livrée à la vindicte publique, périssait sous les coups de la multitude. Mais cela était extrêmement rare. Il résultait de cette indépendance individuelle qui ne voulait point reconnaître d'autorité supérieure pour juger les actes privés, des inconvéniens sérieux.

Il semblerait impossible qu'une société assise sur des bases aussi fragiles, pût se maintenir; mais comme tous ces peuples menaient une vie vagabonde, il n'y avait ni commerce, ni transaction d'aucune espèce, circonstance qui, jointe à l'absence de lois prohibitives, réduisait la liste des offenses à très peu de chose. Aussi ces sociétés ne comptaient point d'officiers civils; il n'y avait ni juges, ni prisons, ni bourreaux.

L'absence de toute espèce de tribunaux judiciaires laissant à chacun le soin de venger ses injures, enfanta l'esprit vindicatif qui caractérisent les Sauvages. Une insulte ne restait pas sans vengeance, et le sang ne pouvait se laver que par le sang. Cependant les querelles particulières étaient excessivement rares, et quoique le corps de l'état n'eût aucun pouvoir sur les individus, il réussissait ordinairement à les apaiser. Car en sacrifiant sa vengeance privée au bien général qui ne se sent pas agrandi? Et le Sauvage est très sensible à l'honneur.

Mais si le sang avait été versé, l'ombre du défunt ne pouvait être apaisée que par des représailles. Un parent se chargeait de ce devoir sacré. Il traversait s'il le fallait des contrées entières, souffrait la faim et la soif, endurait avec plaisir toutes les fatigues pour satisfaire l'ombre sanglante d'un frère ou d'un ami. La vengeance tirée appelait une autre vengeance, et ainsi de famille en famille et de nation en nation se continuait la lutte mortelle.

Cependant la raison des Sauvages leur avait laissé un moyen d'y mettre fin, et de pacifier les cabanes en hostilité. Les présens apaisaient l'ombre de celui qui était tombé sous les coups d'un meurtrier repentant.

Chez les tribus indiennes, les ramifications des familles étaient étendues et se suivaient fort loin. Des liens étroits resserraient ainsi toute la peuplade. L'on avait le plus grand respect pour ses parens; et les noeuds du sang étaient sacrés, tellement que le frère payait la dette du frère décédé, et embrassait sa vengeance comme si elle eût été la sienne propre. Les mendians étaient inconnus. La tribu recueillait les orphelins.

Dans les peuplades où le chef l'était par droit d'hérédité, ce droit s'acquérait par la descendance féminine, c'est à dire par la mère. Cette loi de succession était très généralement répandue.

Chaque tribu, chaque village vivait dans une entière indépendance. Et toutes les tribus présentaient la même uniformité dans leur organisation sociale. Si dans quelques unes le chef était héréditaire, c'était plutôt un privilège nominal que réel, parceque la mesure de son autorité était toujours proportionnée à ses qualités, à son génie. Le chef indien n'avait ni couronne, ni sceptre, ni gardes, et son pouvoir n'était que l'expression populaire. Il n'était en réalité que le premier des hommes libres de la peuplade. Cependant il n'en avait pas moins de fierté. Ne savez-vous pas, disait un d'eux à un missionnaire, que je commande depuis ma jeunesse, que je suis né pour commander, et que sitôt que je parle tout le monde m'écoute.

Dans une société ainsi constituée, la religion devait avoir peu d'influence, ou plutôt son organisation est un indice certain qu'elle n'avait pas de religion régulière ayant ses formes et ses cérémonies. Les premiers Européens qui ont visité les Sauvages s'accordent presque tous à dire qu'ils ne professaient aucun culte. Les Micmacs et leurs voisins n'avaient ni adoration, ni cérémonies religieuses. A l'égard de la connaissance de Dieu, dit Joutel, «il ne nous a pas paru que les Cénis en aient aucune notion certaine; il est vrai que nous avons trouvé des tribus sur notre route, qui, autant que nous le pouvions juger, croyaient qu'il y avait quelque chose de relevé qui est au-dessus de tout; ce qu'ils faisaient en levant les mains et les yeux au ciel, dont néanmoins ils ne se mettaient pas en peine; parcequ'ils croyaient aussi que cet être relevé ne prend aucun soin des choses d'ici bas. Mais d'ailleurs, comme ceux-là, non plus que ceux-ci, n'ont ni temples, ni cérémonies, ni prières, qui marquent un culte divin, on peut dire de tous qu'ils n'ont aucune religion.»

On pouvait déjà anticiper ces témoignages, par l'absence de toutes lois prohibitives ou obligatoires chez ces peuples, qui ne faisaient que ce qui était juste à leurs propres yeux. L'existence d'un culte régulier eût entraîné à sa suite certaines règles de morale qui auraient influé sur la société civile. Mais l'indépendance du Sauvage rejetait les restrictions imposées par une religion, comme il repoussait celles du pouvoir civil: il voulait être lui-même son grand prêtre comme il était son roi, son législateur et son juge.

Quoique les Sauvages de l'Amérique du nord ne pratiquassent point de religion, ils reconnaissaient néanmoins l'existence d'êtres supérieurs et invisibles, auxquels ils adressaient leurs prières spontanément lorsqu'ils voulaient éviter un mal ou acquérir un bien. Ceux du Canada disaient à Champlain, que chacun priait son dieu en son coeur comme il l'entendait. Leurs prières n'avaient pas pour objet la possession du bonheur dans une autre vie, parcequ'ils n'avaient aucune idée de la moralité. Le succès, les grandes actions, indépendamment du droit et de la justice, étaient les seuls titres qui leur ouvraient, après leur mort, ce paradis dans lequel le guerrier qui s'était distingué par des exploits, trouvait tout ce qui pouvait flatter ses sens, allumer son imagination avide de jouissances. Une terre sans animaux ni ombrage, frappée de stérilité, de maladies et de désolation, était la triste patrie de l'homme vieilli dans l'indolence et mort sans gloire.

Etonné de la majesté de la nature qui se déploie à ses yeux avec tant de richesses, de la marche invariable et régulière des astres qui ornent la voûte des cieux, l'homme demeure comme anéanti dans sa faiblesse. Sa raison consternée a besoin de croire à l'existence d'une cause première qui règle et maintient l'ordre de l'univers dans l'immensité duquel il est comme perdu. Le Sauvage, qui n'a encore que des idées matérielles, se plaît à se créer des liens avec les divinités qu'il voit dans tous les êtres dont il ne peut comprendre la nature. C'est ainsi que son intelligence trop bornée pour concevoir un être infini, éternel et unique, qui gouverne le monde, voit cet être dans le soleil, dans les fleuves, dans les montagnes, et même dans les animaux, mais sans liaison ni rapport ensemble, comme se le représente le panthéisme; chacun de ces êtres est l'émanation d'une divinité. Le bruissement des flots, c'est le dieu de l'onde qui gémit; le murmure du feuillage, c'est la divinité des bois qui soupire; le souffle du vent, c'est l'haleine de l'esprit céleste qui passe. Il personnifie tout: un dieu habite dans sa cabane; un autre folâtre autour de son front et abaisse sa paupière dans le sommeil (Bancroft). Quoiqu'il n'ait ni culte, ni temple, ni autel, l'on reconnaît facilement dans cette conception la base de la mythologie payenne. Si les Indiens eussent fait un pas de plus, élevé des temples à leurs dieux, la similitude aurait été frappante; mais le culte des Grecs, par exemple, annonçait un peuple avancé dans la civilisation; parceque l'on n'a pas encore trouvé de nation civilisée sans religion.

Le Sauvage croyait que le ciel et la terre avaient été créés par un être tout-puissant; l'on peut inférer de là qu'il devait avoir une idée d'une divinité suprême, à laquelle toutes les autres étaient soumises, et cette croyance vague était devenue plus définie, après que les missionnaires lui eurent enseigné l'existence d'un seul Dieu, sous le nom de Grand-Esprit. Il embrassa ce dogme sans peine, parcequ'il ne faisait que préciser une idée dont il était imbu déjà, il se répandit parmi toutes les nations indiennes avec rapidité; ce qui l'a fait prendre par quelques voyageurs comme une partie intégrante de leur foi primitive.

Tous les êtres créés ayant ainsi leurs divinités, l'Indien a dû les révérer ou les craindre selon le bien ou le mal qu'il croyait en recevoir. Le chrétien aime et adore Dieu, parcequ'il est son créateur. Le Sauvage n'a point établi cette relation entre lui et la divinité. Il aime une divinité si elle lui fait du bien, pour le bien qu'elle lui fait; il la craint si elle lui fait du mal, et tâche de se la rendre favorable par des prières et des sacrifices, que quelques auteurs ont voulu transformer en culte, mais qui n'en étaient que des germes très-éloignés. Il n'y avait que l'actualité d'un bien ou d'un mal qui excitât le Sauvage à tourner sa pensée vers le *Manitou*. Si la moisson, ou la chasse, était abondante, il l'attribuait au manitou. Si un malheur lui arrivait, il l'attribuait de même au courroux de ce dieu. «O Manitou! s'écriait un père, entouré de sa famille, et déplorant la perte d'un fils, tu es courroucé contre moi; détourne ta colère de ma tête et épargne le reste de mes enfans.»

Lorsque les Indiens partaient pour quelque expédition, ils tâchaient de se rendre les esprits favorables par des prières et des jeûnes. S'ils allaient à la chasse, ils jeûnaient pour se rendre propices les esprits tutélaires des animaux qu'ils voulaient poursuivre, et ensuite ils donnaient un festin dans lequel ils prenaient garde de profaner les os de cette même espèce d'animaux; en donner aux chiens, c'eût été s'exposer à de grands malheurs. S'ils allaient à la guerre, ils recherchaient, comme on l'a vu déjà, la faveur d'Areskoui, si c'étaient les Hurons, dieu des combats, par des sacrifices et des mortifications. Lorsqu'ils étaient en marche, la grandeur ou la beauté d'un fleuve, la hauteur ou la forme d'une montagne, la profondeur d'une crevasse dans le sol, le bruit d'une chute ou d'un rapide, frappaient-ils leur imagination, ils offraient des sacrifices aux esprits de ces fleuves et de ces montagnes. Ils jetaient du tabac ou des oiseaux dont ils avaient coupé la tête dans leurs eaux, ou vers leurs cimes. Les Cénis et les Ayennis offraient les prémisses de leurs champs en sacrifice.

Le dieu du mal et celui de la guerre ne voulaient que des sacrifices sanglans. Les Hurons offraient des chiens en holocauste. Les victimes humaines n'ensanglantaient les fêtes des Sauvages qu'après une victoire. Jogues rapporte que lorsqu'il était chez les Iroquois, ils sacrifièrent une femme algonquine en honneur d'Agreskoué, leur dieu de la guerre. «Agreskoué s'écrièrent-ils, nous brûlons cette victime en ton honneur; repais-toi de sa chair, et accorde nous de nouvelles victoires.»

Le Sauvage qui avait mis la nature animée et inanimée sous l'influence de nombreuses divinités, qui réglaient dans leur domaine invisible, le destin de toutes choses, devait désirer avoir, lui aussi, un ange tutélaire qui l'accompagnât partout et veillât sur lui. Le jeune Chipaouais se peignait le visage de noir, et renfermé dans une hutte de branches de cèdre bâtie sur la cime d'une montagne, il jeûnait des semaines entières, jusqu'à ce qu'étant affaibli par les veilles et la faim, et l'esprit en proie à une excitation fébrile, il vît un dieu en songe. Ce dieu qui se manifestait à lui quelquefois sous la forme d'une tête d'oiseau, d'un pied d'animal, etc., était son ange gardien pour le reste de sa vie.

Un peuple qui n'avait pas de culte, n'avait pas besoin de prêtres. Si quelqu'un appelait une divinité à son aide, et voulait se la rendre propice, il offrait lui-même son sacrifice. Lorsque c'était la tribu, le chef accomplissait cette oeuvre de propitiation.

Plus les hommes sont ignorans, et plus ils sont superstitieux. Les Sauvages ajoutaient foi aux songes; ils croyaient que les êtres supérieurs profitaient de leur sommeil pour leur communiquer des avertissemens, ou des ordres. Ils s'empressaient de se rendre aux voeux des esprits invisibles, et comme ils étaient persuadés que les plus grands malheurs seraient la suite d'une désobéissance, nul sacrifice ne leur coûtait pour se conformer à la voix venue d'en haut. Cependant chacun restait libre d'interpréter ses visions à son gré, et s'il ne voulait pas convenir que son génie avait raison, l'Indien rejetait ses augures, ou même prenait un autre génie tutélaire plus favorable à ses désirs; jamais il n'était persécuté pour avoir méprisé des croyances regardées comme sacrées. C'est cette liberté qui empêcha de naître parmi eux le scepticisme et l'incrédulité, ces deux anges de ténèbres enfantés par la persécution et la haine. On a remarqué que les nations qui jouissaient d'une grande liberté religieuse, étaient celles-là même qui avaient le plus de religion. En effet, la religion doit être fondée sur l'opinion; et il n'y a plus d'opinion dès qu'il n'y a plus de liberté. Jamais la France n'a été plus irréligieuse qu'après la révocation de l'édit de Nantes jusqu'au commencement de ce siècle. Il en a été de même en Angleterre sous Charles II, alors que le peuple sceptique était généralement indifférent sur la religion que le gouvernement lui ordonnerait d'embrasser (Lingard).

Les Indiens qui avaient peuplé l'univers de divinités, et qui ne portaient qu'avec une crainte superstitieuse leur pensée sur ce monde invisible qui les environnait de toutes parts, devaient croire que la nature avait doué quelques hommes du don d'en sonder les profonds mystères. Ces hommes privilégiés étaient connus dans les forêts sous le nom de devins, vulgairement jongleurs, et sous celui de médecins. Ils prétendaient avoir une communication plus intime avec les esprits que les autres hommes. Leur empire s'étendait sur toute la nature; ils pouvaient faire tomber l'eau du ciel qui en refusait à la terre altérée, détourner la foudre et prédire l'avenir. Ils avaient aussi le pouvoir de favoriser les chasseurs en faisant tomber sous leurs flèches heureuses un gibier abondant, ou d'attendrir le coeur d'une femme insensible aux soupirs d'un amant désespéré. Ces grands avantages les rendaient un objet de respect pour la multitude.

Ils ne soignaient qu'avec des simples, et accompagnaient l'administration de leurs remèdes de cérémonies ridicules qui en imposaient à la superstition du malade. Ils interrogeaient leurs dieux, afin de savoir s'il guérirait ou non.

Le diable était toujours à leur service pour faire des prophéties. Ils n'avaient qu'à s'enfermer dans une cabane, faire des contorsions, pousser des cris, l'esprit des ténèbres soudain leur apparaissait; alors le jongleur lui attachait une corde au cou, et le forçait, ainsi enchaîné, à lui dévoiler l'avenir. Cet emploi que la crédulité vulgaire rendait profitable, passait de père en fils chez les peuplades de l'Acadie (Lescarbot).

Nous avons vu plus haut quelle est la croyance des Sauvages touchant une autre vie. Le grand dogme de l'immortalité de l'âme était répandu chez tous les peuples de l'Amérique. La nature de l'homme se refuse à croire que chez lui tout doit périr; et en effet s'il en devait être ainsi, comment aurait-il jamais pu concevoir une immortalité qui aurait été si étrangère au but de sa création. L'Indien, l'homme sauvage, trouvait toute naturelle une vie qui ne finissait point; mais il ne pouvait comprendre comment un esprit pouvait mourir. Sa foi était bien contraire à celle du matérialiste civilisé, qui ne peut comprendre, lui, comment il peut toujours exister.

Mais si les Sauvages croyaient à l'immortalité de l'âme, ils ne pouvaient la concevoir séparée d'un corps; tout dans leur esprit prenait des formes sensibles; c'est pourquoi ils allaient déposer religieusement des vivres sur la tombe d'un parent ou d'un ami décédé; ils croyaient qu'il fallait plusieurs mois pour se rendre dans le pays des âmes, qui était vers l'Occident, et dont le chemin était rempli d'obstacles et de dangers.

Ils avaient le plus grand respect pour leurs morts, et les funérailles étaient accompagnées de beaucoup de cérémonies. Dès qu'un Indien était expiré, les parens faisaient entendre des cris et des gémissemens qui duraient des mois entiers. Le défunt était revêtu de ses plus beaux habits; on lui peignait le visage, et on l'exposait à la porte de sa hutte ses armes à côté de lui. Quelqu'un de sa famille célébrait ses exploits à la chasse et à la guerre. Dans quelques tribus les femmes pleuraient, dansaient et chantaient incessamment.

Au bout d'un certain temps, les amis procédaient à l'inhumation du corps, qui était placé assis dans une fosse profonde et tapissée de fourrures. Ils lui mettaient une pipe à la bouche, et l'on disposait devant lui son casse-tête, son manitou ou dieu pénate, et son arc tout bandé. On le recouvrait de manière à ne pas le toucher. On plantait ensuite une petite colonne sur sa tombe, à laquelle on suspendait toutes sortes d'objets pour manifester l'estime que l'on avait pour le défunt. Quelquefois on y mettait son portrait taillé en bois, avec des signes indicatifs de ses hauts faits. Cette figure s'appelait *Tipaiatik*, ou ressemblance du mort.

Ceux qui mouraient en hiver ou à la chasse, étaient exposés sur un grand échafaud dressé dans la forêt, en attendant le printemps, ou qu'on les rapportât dans leur village pour les y enterrer. Ceux qui mouraient à la guerre étaient brûlés, et leurs cendres ramassées soigneusement pour être déposées avec celles de leurs ancêtres. D'autres fois le corps était séché, et gardé dans un cercueil jusqu'à la fête des morts, qui avait lieu tous les 8 ou 10 ans. C'était la cérémonie la plus célèbre chez les Indiens.

Lorsque l'époque de cette fête lugubre était arrivée, ils se réunissaient pour nommer un chef. Ce chef faisait inviter les villages voisins. Au jour fixé, tout le monde plongé dans la plus grande tristesse, se rendait en procession au cimetière, où l'on découvrait tous les tombeaux qui étaient livrés de nouveau à la lumière du jour et aux regards des vivans. La foule contemplait longtemps dans un morne silence ce spectacle, si bien fait pour inspirer les réflexions les plus sérieuses, tandis qu'une femme poussait des cris plaintifs. Ensuite l'on ramassait les os des morts, après en avoir enlevé avec de l'eau, les chairs non encore réduites en cendres. Ces ossemens étaient recouverts avec soin de peaux de castor; et l'on chargeait sur ses épaules les précieux restes de ses parens, et la procession regagnait le village aux accords des instrumens et des voix les plus belles. Chacun déposait en arrivant dans sa hutte ce fardeau sacré avec tous les signes de la douleur, et donnait un festin en mémoire des défunts de la famille. Les jours suivans étaient remplis par des fêtes, des danses funèbres, et des combats, espèces de tournois où se donnaient des prix. De temps en temps l'on entendait des cris, que l'on appelait le cri des morts.

Pour assister à cette grande solennité, les Sauvages venaient d'une très grande distance, quelquefois de 150 lieues. Ils étaient reçus avec toute l'hospitalité qui distinguait les Indiens; on leur faisait des présens; ils en donnaient à leur tour.

Après avoir accompli tous les devoirs imposés dans cette occasion, l'on reprenait les ossemens, et on allait les porter dans la salle du Grand-Conseil, où ils étaient suspendus aux parois. Un chef entonnait alors le beau chant des funérailles: «Os de mes ancêtres, qui êtes suspendus au-dessus des vivans, apprenez-nous à mourir et à vivre! Vous avez été braves, vous n'avez pas craint de piquer vos veines; le maître de la vie vous a ouvert ses bras, et vous a donné une heureuse chasse dans l'autre monde.

«La vie est cette couleur brillante du serpent, qui paraît et disparaît plus vite que la flèche ne vole; elle est cet arc-en-ciel que l'on voit à midi sur les flots du torrent; elle est l'ombre d'un nuage qui passe.

«Os de mes ancêtres, apprenez au guerrier à ouvrir ses veines, et à boire le sang de la vengeance.»

Dans bien des contrées on les portait en procession de village en village. Enfin la solennité finie, on allait les déposer dans une grande tombe tapissée des pelleteries les plus belles et les plus rares, où ils étaient placés en rang à la suite les uns des autres. Les Sauvages y déposaient tout ce qu'ils possédaient de plus précieux. Tandis qu'ils descendaient ainsi, dans leur demeure commune, les restes de leurs parens, les femmes se répandaient en gémissemens et en lamentations. Chacun prenait ensuite un peu de terre dans la fosse, et la gardait soigneusement prétendant qu'elle lui porterait chance au jeu.

Dans cette cérémonie, tout se passait avec ordre, modestie et décence. Aucune nation n'a de solennité plus imposante, et qui soit faite pour inspirer autant de respect pour la mémoire de ses ayeux, que la fête des morts des Indiens. Cette pompe lugubre, ces chants graves et tristes, ces dépouilles de tant de tombeaux, cette douleur universelle enfin, devaient laisser dans l'âme l'impression la plus profonde! Seule la sombre majesté des forêts est en harmonie avec un spectacle aussi éloquent, et dont la grandeur semble être si au-dessus de nos moeurs artificielles et de convention.

Les Sauvages avaient plusieurs sortes de fêtes; des danses, des jeux. La fête des songes n'était autre chose que des saturnales, dans lesquelles ils s'abandonnaient à tous les écarts d'hommes ivres ou insensés. Ils allaient, dans leurs accès d'étrange folie, jusqu'à brûler leurs villages. Heureusement qu'un village indien était reconstruit presqu'avec autant de rapidité qu'il était détruit.

Ces peuples avaient une passion singulière pour les jeux de hasard. Le plus célèbre était celui des osselets, qui se joue à deux, avec de petits os à six facettes inégales, dont une noire, et une jaune-blanche. Ces joueurs les faisaient sauter dans un bassin; et celui qui d'un coup amenait tous les osselets la même facette en haut, gagnait la partie. Le perdant était remplacé par un autre joueur. Ainsi tout le village y passait. Quelquefois la lutte s'engageait entre deux villages. Dans tous ces combats, les Sauvages montraient une ardeur effrénée. Ils invoquaient les dieux, leur promettaient des sacrifices, leur demandaient de bons rêves, indices certains, suivant eux, du succès. Ils se portaient des défis en jouant, se querellaient, se battaient. Les grandes parties duraient plusieurs jours, au milieu du bruit, des applaudissemens, ou des imprécations. Tantôt la foulé immobile suivait la partie avec une attention intense, tantôt, comme une mer troublée jusqu'en ses fondemens, elle se débattait, se heurtait avec une épouvantable confusion. Il semblait que les âmes de ces barbares fussent agitées par mille passions diverses.

Ces hommes si passionnés pour le jeu, l'étaient faiblement pour les femmes. Plusieurs auteurs ont voulu fonder sur cette singularité qui s'explique facilement, des hypothèses plus ou moins vraisemblables, et sont parvenus seulement à pervertir la vérité. L'amour devient une passion chez les Européens à mesure qu'il rencontre des obstacles. Chez les Sauvages, «les plaisirs de l'amour y étaient trop faciles pour y exciter puissamment les désirs.»

Dès que l'âge le permettait, les deux sexes pouvaient satisfaire leurs désirs sans blesser les usages reçus. «Ils ne pensaient pas mal faire» (Lescarbot). C'est dans cette liberté que l'on doit chercher les raisons du manque de fécondité des femmes indiennes, et aussi dans l'usage où elles étaient d'allaiter leurs enfans plusieurs années, pendant lesquelles elles n'approchaient pas du lit de leurs maris; peut-être encore dans la difficulté de nourrir une grande famille. Au reste, le mariage était une institution reconnue. Celui qui voulait prendre une épouse, s'adressait à son père et lui offrait un présent. Si le présent était accepté, la fille devenait sa femme. Cependant il tâchait quelque fois aussi de se la rendre agréable, et lui faisait la cour six mois ou un an avant de la prendre dans sa maison.

La polygamie était permise; mais ceux qui avaient plusieurs femmes étaient assez rares, à cause probablement des dépenses que causait un ménage nombreux. Le divorce était aussi reçu, et le mari avait le droit de répudier ou de tuer sa femme adultère. Les enfans resserraient généralement les liens du mariage, et rarement le divorce avait lieu entre le mari et la femme lorsqu'il leur en était né.

Les Sauvages étaient très attachés à leurs enfans; ceux qui n'étaient pas en âge de marcher, ne laissaient point leurs mères qui ne les perdaient jamais de vue. Elles ignoraient l'usage de les nourrir du lait d'une étrangère, abus si généralement répandu chez les nations civilisées. Elles les allaitaient elles-mêmes jusqu'à trois ou quatre ans, et quelquefois plus, et elles les portaient dans des espèces de maillots fortifiés d'un côté par une petite planche, et que l'amour maternel se plaisait à orner des ouvrages les plus délicats. Dans leur marche, elles les suspendaient sur leurs dos; pendant l'ouvrage, à une branche d'arbre près d'elles où ils étaient bercés par la brise. «S'ils venaient à mourir, les parens les pleuraient amèrement. On voyait quelquefois deux époux aller, après six mois, verser des larmes sur le tombeau d'un enfant, et la mère y faire couler du lait de ses mamelles».

Dès que les enfans pouvaient marcher, on les affranchissait de toute gêne; on les abandonnait à leur jeune et capricieuse volonté . Ils contractaient ainsi dès l'âge le plus tendre cet amour de la liberté et de l'indépendance que la civilisation n'a jamais pu dompter. Si quelquefois les missionnaires en réunissaient quelques uns pour les enseigner, tout à coup ils les voyaient s'enfuir, bondissant de joie en brisant un joug qu'ils trouvaient insupportable. Le P. Daniel avait établi pour eux une classe dans le collége de Québec, lors de sa fondation; il crut un moment avoir triomphé des répugnances des Hurons chrétiens à y envoyer leurs enfans; mais cette tentative n'eut aucun succès. L'air des forêts fut toujours fatal à celui de l'école. Dès qu'un jeune Sauvage est capable de manier l'arc, il s'accoutume à l'usage des armes, et se forme en grandissant sur l'exemple de ses pères, dont l'histoire des hauts faits déjà fait battre son jeune coeur. La passion des combats étouffe en lui souvent celle de l'amour; il ne rêve qu'à se distinguer, afin de pouvoir, à l'instar des guerriers les plus renommés de la tribu, célébrer ses exploits dans les fêtes publiques.

Dans les intervalles des expéditions de guerre ou de chasse, les Sauvages s'élevaient des huttes ou se confectionnaient des armes, se creusaient des pirogues ou se modelaient des canots d'écorce de bouleau. Ils aidaient aussi quelquefois aux femmes à cultiver les champs; mais cela était rare, parceque le travail était déshonorant pour un guerrier.

Les Sauvages aimaient beaucoup à entendre raconter. Rangés en cercle autour de leur feu, ou accroupis au pied d'un arbre qui les couvrait de son ombrage, ils prêtaient une oreille attentive à des histoires d'autrefois, dans lesquelles le narrateur, inspiré par l'intérêt de son sujet et l'amour du merveilleux, mêlait les peintures poétiques, les prodiges, les événemens extraordinaires, enfin tout ce qui pouvait faire une vive impression sur l'esprit superstitieux de son auditoire. Souvent des cris de surprise, d'enthousiasme ou d'admiration, venaient l'interrompre. C'est ainsi que, dans la forêt, l'on oubliait les longues journées qui ne se passaient pas à la chasse ou à la guerre.

Le don de l'éloquence est d'un immense avantage chez un peuple ignorant ou barbare, où la parole est le seule véhicule pour la communication des pensées. Si celui qui le possédait chez les Indiens réunissait avec cela le courage, il pouvait espérer de devenir un des chefs de la tribu. Le simple narrateur finissait souvent par devenir un orateur influent. La langue indienne, pleine de figures, se prêtait admirablement à l'éloquence.

L'histoire de la civilisation et des moeurs d'un peuple peut donner d'avance une idée de la perfection de son langage; ce que nous avons déjà dit dans ce livre, peut aider à faire juger de l'état dans lequel se trouvaient les dialectes parlés en Amérique lors de sa découverte. Nous ne devons pas nous attendre à trouver des idiomes perfectionnés et enrichis par les découvertes qui sont le fruit des progrès de la civilisation; mais en même temps nous les verrons en possession d'une organisation complète et soumis à des règles exactes. Nulle horde n'a été trouvée avec une langue informe, composée de sons incohérens et comme sortant des mains du chaos. Aucune langue sauvage ne porte les marques d'une agrégation arbitraire, produit pénible et lent du travail et de l'invention humaine. Le langage est né tout fait avec l'homme. Les dialectes des tribus sauvages portent bien l'empreinte, si l'on veut, de l'état dans lequel elles vivaient; mais ils sont clairs, uniformes, et peuvent sans avoir été régularisés par le grammairien, servir de véhicule à la précision de la logique, et à l'expression de toutes les passions. «Tous ceux qui ont été analysés, abondent en formules comme en combinaisons, en dérivés comme en composés. De même que toutes les plantes qui tirent leur sève de la terre, ont des racines et des vaisseaux capillaires, de l'écorce et des feuilles, de même chaque langue possède une organisation complète, embrassant les mêmes parties du discours. La raison et la parole existent partout liées ensemble d'une manière indissoluble. L'on n'a pas plus trouvé de peuple sans langue formée, que sans perception et sans mémoire». (Bancroft).

Tous les hommes ont les organes de la voix formés de la même manière; de là vient qu'ils sont susceptibles d'apprendre toutes les langues, les sons primitifs étant essentiellement semblables. Cela est si vrai que l'alphabet de notre langue peut servir à exprimer presque tous les sons de celles des Sauvages avec quelques légères variations comme celles-ci. Les Onneyouths changent l'*r* en *l*. Ils disent Lobert au lieu de Robert. Le reste des Iroquois rejette la lettre *l*, et tous, ils ne se servent point de l'*m*, et n'ont aucune labiale. Des idiomes de cette confédération, celui des Onneyouths est le plus doux, étant le seul qui admette la lettre *l*, et celui des Tsonnonthouans le plus dur et le plus énergique. Les dialectes Algonquins sont remplis de consonnes, et par conséquent sans douceur; néanmoins il y a des exceptions, comme l'Abénaquis abondant en voyelles, et qui pour cette raison est plus harmonieux.

Les Indiens ne connaissaient point les lettres, ni conséquemment l'écriture, ni les livres. Toutes leurs communications se faisaient par le moyen de la parole, ou de figures hiéroglyphiques grossièrement tracées. Nous pourrions conclure que les signes alphabétiques dérivent de figures semblables, modifiées, abrégées dans l'origine d'une manière infinie par le génie des peuples. La figure d'un animal gravée sur une feuille d'écorce de bouleau, indiquait à un Indien le symbole de sa tribu, et les autres marques tracées autour renfermaient un message de ses amis. Tels étaient les signes qui constituaient l'écriture des peuples de l'Amérique. Ce système était bon pour communiquer laconiquement quelques sentences; mais il était insuffisant pour exprimer une suite de raisonnemens, ou même les faits de l'histoire; du moins ils ne savaient pas en faire usage pour un objet aussi important.

Le Sauvage qui peignait sa pensée sur l'écorce d'un arbre par une image, employait aussi un style figuré dans la parole. Son intelligence n'était point formée à l'analyse, il avait peu d'idées complexes et de conceptions purement mentales. Il pouvait exprimer par des mots les choses qui tombent sous les sens; mais il en manquait pour exprimer les opérations de l'esprit. Il n'avait pas de nom pour désigner la justice, la continence ou la gratitude. Cependant les élémens de son idiome n'attendaient que l'appel de l'esprit, pour lui fournir les expressions dont il pourrait avoir besoin.

Mais si sa langue n'était point surchargée de termes métaphysiques, d'expressions complexes, elle possédait en revanche un coloris frais et pittoresque avec ces grâces simples et naïves que donne la nature. C'était le pinceau de Rubens, dont les couleurs brillantes et habilement ménagées font oublier les défauts qui peuvent se trouver d'ailleurs dans le tableau. Ses expressions hardies et figurées, et son allure libre et toujours logique, la rendaient très propre à l'éloquence, et aux réparties nobles et incisives à la fois.

Le geste, l'attitude, et l'inflexion de la voix, si naturels chez les Sauvages, donnaient aussi beaucoup de force à l'expression de leurs pensées. Ils employaient les métaphores les plus belles ou les plus énergiques. Chaque mot qu'ils disaient allait au but; ils avaient le secret de la véritable éloquence.

S'il est quelque chose qui distingue les langues américaines, c'est le mode synthétique. L'Indien ne sépare pas les parties constituantes de la proposition qu'il énonce; il n'analyse jamais; ses pensées sont exprimées par groupes et font de suite un tableau parfait. L'absence de toute raison réfléchie, de toute analyse logique d'idées, forme le grand trait caractéristique des idiomes sauvages . Toutes les expressions doivent être définies, et les Algonquins ni les Iroquois, ne peuvent dire *père*, sans ajouter le pronom, *mon, notre, votre père,* etc,. Ils ont très peu de termes génériques. Chaque chose est désignée par un nom propre; ils n'ont pas de mots pour indiquer l'espèce, mais l'individu. Ils disent bien un *chêne blanc, rouge*; mais ils n'ont pas de terme pour exprimer simplement un *chêne*. Ils en ont une foule pour exprimer la même action modifiée par le changement d'objet. De là une précision étonnante dans leur langage.

La nature des langues indiennes permet de ne faire qu'un seul mot du nom, du pronom et de l'adjectif, et «ce composé peut ensuite prendre les formes du verbe, et subir tous les changemens et comprendre en lui-même toutes les relations que ces formes peuvent exprimer. Cette propriété a l'effet de varier à l'infini les expressions.

 «Les terminaisons des verbes ne changent jamais, les variations s'expriment par des mots ajoutés. Il y a souvent des transpositions singulières de syllabes de différens mots; en voici un exemple. *Ogila* signifie feu, et *Cawaunna*, grand; au lieu d'ajouter au premier mot, le dernier, pour dire un grand feu, on mêle les deux ensemble pour n'en faire qu'un seul, et l'on dit *Co-gila-waunna*. Il existe entre toutes les langues indiennes depuis la baie d'Hudson jusqu'au détroit de Magellan une analogie qui mérite d'être observée; c'est une disparité totale dans les mots à côté d'une grande ressemblance dans la structure. Ce sont comme des matières différentes revêtues de formes analogues. Si l'on se rappelle que ce phénomène embrasse presque de pôle à pôle tout un côté de notre planète, si l'on considère les nuances qui existent dans les combinaisons grammaticales (dans les genres appliqués aux trois personnes du verbe, les réduplications, les fréquentatifs, les duels), on ne saurait être surpris de trouver chez une portion si considérable de l'espèce humaine une tendance uniforme dans le développement de l'intelligence et du langage.» (*Voyage de Humboldt et Bonpland*).

Gallatin va encore plus loin; il est d'opinion que l'uniformité de caractère dans les formes grammaticales et la structure de toutes les langues indiennes, indique une origine commune à une époque très reculée.

De tout cela, l'on peut conclure avec Duponceau que les formes grammaticales qui constituent l'ordre, l'ensemble d'une langue, ne sont pas l'ouvrage de la civilisation, mais de la nature; et qu'elles sont une conséquence de notre organisation. Le caractère synthétique des langues sauvages nous permet, selon les uns, de tirer une autre conclusion encore plus certaine, c'est que les ancêtres des Indiens ne descendent pas de nations plus civilisées qu'eux. Leurs langues porteraient en elles-mêmes la preuve qu'elles n'ont jamais été parlées que par des peuples plongés dans des ténèbres, où n'avait jamais lui la lumière de la civilisation.

D'autres, parmi lesquels il faut compter Alexandre de Humboldt, disent qu'aucune des langues de l'Amérique n'est dans cet état d'abrutissement, que longtemps et à tort on a cru caractériser l'enfance des peuples; et que plus on pénètre dans la structure d'un grand nombre d'idiomes, et plus on se défie de ces grandes divisions de langues, en langues synthétiques et langues analytiques, qui n'offrent qu'une trompeuse simplicité.

On s'est demandé quelquefois si les hommes de la race rouge étaient doués de facultés intellectuelles aussi puissantes que ceux de la race européenne. Si la même question avait été faite aux Romains, sur les barbares qui envahissaient leur empire, ils auraient probablement répondu comme nous le faisons aujourd'hui à l'égard des Sauvages. En vain veut-on tirer des déductions, pour expliquer les efforts infructueux qu'on a faits pour les civiliser, de la conformation physique de leur crâne et de leur figure, même de leur teint, elles seront toujours entachées de l'esprit de système, répudié avec raison de nos jours dans la solution de questions de cette nature. Combien n'a-t-il pas fallu de générations pour civiliser les barbares qui inondèrent l'Europe dans les premiers siècles de l'ère chrétienne? Et ils étaient venus s'asseoir au sein de populations policées et très nombreuses; ils étaient entourés des monumens que les arts et les sciences avaient élevés dans la Grèce, en Italie, dans les Gaules et en Espagne. Si, au lieu d'avoir tous les jours sous les yeux une civilisation aussi avancée, et vers laquelle ils étaient entraînés comme malgré eux, puisqu'ils vivaient sous son influence immédiate, ils n'avaient trouvé que des forêts et des bêtes sauvages, pourrait-on calculer le temps qu'il leur aurait fallu pour sortir de la barbarie.

Rien n'autorise donc à croire que les facultés intellectuelles des Indiens fussent inférieures à celles des barbares qui ont renversé l'empire Romain. S'ils ont succombé devant la civilisation, c'est que cette civilisation leur est apparue tout à coup, sans transition, avec toute la hauteur qu'elle avait acquise dans quinze siècles. On a voulu leur enseigner en quelques années, ce qu'on avait mis soi-même tant de temps à apprendre. Il aurait fallu les former graduellement, et non pas faire briller tout à coup sur leur intelligence encore si faible, tout l'éclat des feux étincellans du génie moderne.

Si les Indiens n'ont jamais été civilisés, s'ils étaient avec cela susceptibles de le devenir, il est impossible non plus de croire qu'ils soient venus même en contact avec aucune autre nation plus avancée qu'eux, car ils en auraient conservé quelque chose. Ils ne connaissaient point la vie pastorale; ils n'avaient ni vaches, ni moutons, et ils ignoraient l'usage du lait pour la nourriture. La cire leur était également inconnue de même que le fer. Ils n'auraient jamais perdu l'usage de ce métal, qui eût été d'un si grand avantage pour eux, s'ils en eussent une fois acquis la connaissance. Doit-on inférer de là que leurs ancêtres n'ont pas émigré de l'Asie, où toutes ces choses sont connues et utilisées? D'où viennent donc les hommes de la race rouge? Sont-ils les propres enfans du sol américain? Mais, d'un côté, l'Amérique centrale aurait été jadis civilisée; les ruines de

Palenque et de Mitla sur le plateau du Mexique indiquent l'existence d'une nation très avancée dans les arts; et de l'autre, la race rouge offre une ressemblance frappante avec la race mogole. M. Ledyard, voyageur américain, écrivait de la Sibérie, que les Mogols ressemblaient sous tous les rapports aux Aborigènes de l'Amérique. Ces diverses circonstances réunies et comparées semblent appuyer et détruire à la fois les diverses hypothèses de l'ingénuité humaine. L'on a découvert dans l'Amérique les traces d'un courant d'émigration venant du nord-ouest et allant vers l'est et le sud. Les Tschukchi du nord-est de l'Asie et les Esquimaux de l'Amérique paraissent avoir la même origine, comme semble le prouver l'affinité de leurs langues. On a remarqué que, quoique les Tschukchi et les Tungousses n'entendent rien à la langue des Esquimaux, ceux-ci les regardaient néanmoins comme des peuples de la même race qu'eux . Les Tungousses de la Sibérie sont l'image de nos Indiens; et si nous parcourons l'Amérique en partant du nord, nous trouvons plus de langues primitives vers le golfe du Mexique que partout ailleurs, comme si les nations, arrêtées par le rétrécissement soudain du continent en cet endroit, s'étaient précipitées les unes sur les autres. Néanmoins aucune de ces langues n'a d'analogie avec celles de l'Asie ou de l'Europe. Si l'on adopte l'hypothèse de l'émigration asiatique, il faut supposer que les Esquimaux et les Tschukchi formaient la queue de cet immense torrent de population, qui s'est arrêté au moment où ces deux peuples étaient, l'un sur la rive de l'Amérique, et l'autre sur celle de l'Asie, séparés au détroit de Behring par un bras de mer de quarante quatre milles géographiques de largeur seulement. Les Californiens et les Aztèques prétendent, d'après leurs traditions, venir du nord. On a inventé bien des systèmes pour expliquer l'origine des Indiens; les uns les font descendre des tribus perdues d'Israël, les autres des peuples de l'Atlas, ceux-ci des Chinois, ceux-là des nations polynésiennes; et en effet nous ignorons combien le globe a subi de révolutions physiques dans les mers du sud et dans l'océan Pacifique et Atlantique ; des continens peuvent y avoir été submergés, et qui sait si les nombreuses îles qu'on y rencontre, n'en sont pas des débris? Suivant la tradition des Indous, il existait autrefois une région nommée Atala, laquelle s'est abîmée dans la mer . Mais, à l'aide de ces suppositions, on peut enfanter ainsi bien des hypothèses, sans que les unes jettent plus de lumière sur la question qui nous occupe que les autres. Jusqu'à ce que l'on ait des données plus certaines; que l'étude comparée des races et des langues américaines et asiatiques soit plus approfondie; que l'archéologie nous ait mieux fait connaître, par ses découvertes, tous les secrets que peut renfermer ce continent sur son ancienne histoire, il est donc plus sage de se ranger à l'opinion qui paraît la plus vraisemblable, d'après toutes les connaissances qui ont été recueillies jusqu'à ce jour, savoir; que les Sauvages de l'Amérique septentrionale ont eu leur berceau dans les déserts de la Tartarie.

LIVRE III

CHAPITRE I

DISPERSION DES HURONS

1632-1663.

Le Huguenot, Louis Kirtk, garda Québec environ trois ans pour l'Angleterre, et rendit cette ville à M. de Caen, conformément au traité de St.-Germain-en-Laye, en 1632. La compagnie des cent associés ne s'en mit en possession cependant que l'année suivante. Champlain, nommé de nouveau gouverneur, arriva avec une escadre richement chargée, et débarqua en Canada, où il trouva tout comme il l'avait laissé; il reprit l'administration comme après une absence ordinaire. Une garde de soldats armés de piques et de mousquets, entra tambour battant dans le fort St.-Louis, qui fut remis à M. du Plessis Bochard.

Voyant le peu d'efforts que la France avait faits pour défendre ce pays, il chercha suivant son ancien système, à s'attacher plus étroitement que jamais les populations indiennes, surtout les Hurons. Il leur envoya des missionnaires pour leur porter l'Evangile. Ces missionnaires étaient les Jésuites, qui avaient remplacé les Récollets, exclus sous prétexte que, dans une nouvelle colonie, ces moines mendians sont plus à charge qu'utiles.

En même temps que la cour donnait des ordres très stricts pour défendre l'exercice de tout autre culte que du culte catholique, elle n'envoyait que des colons industrieux et de bonnes moeurs. De cette manière l'émigration se composa ou d'ouvriers utiles, ou de personnes de bonne famille, qui s'y transportaient dans la vue d'y jouir plus tranquillement de leur religion, qu'elles ne pouvaient le faire dans les provinces du royaume où les protestans étaient en majorité. Elle fut plus abondante que de coutume. Le pays sembla enfin prendre une nouvelle vigueur.

C'est vers cette époque, à la fin de 1635, que l'on commença la bâtisse du collège de Québec. Cet édifice fut fondé par le Jésuite,

René de Rohaut, fils du marquis de Gamache, et placé sous l'administration de son ordre, spécialement pour l'éducation. Le gouvernement y ajouta ensuite de grands biens, et l'ordre lui-même en acheta d'autres.

Lors de l'extinction complète de cette communauté, en 1801, par décret du gouvernement britannique, l'administration militaire s'empara du collège; et le reste des biens fut abandonné à la régie d'une commission, en violation des traités et du droit de propriété privée . Cependant, sur les remontrances de la chambre d'assemblée du Bas-Canada, Guillaume IV reconnut la destination de cette fondation, et ordonna que les revenus en fussent laissés à la disposition des chambres; mais l'on ne voulut restituer le collège, dont on avait fait une caserne, qu'à la condition que la province ferait bâtir un autre local pour loger les troupes.

A peine venait-on de jeter les fondemens de ce premier temple élevé à la science dans ce pays, que la joie publique fut troublée par la mort de Champlain, arrivée le 25 décembre, (1635.)

Natif de Brouage en Saintonge, (Charente-Inférieure,) il embrassa, comme beaucoup de ses concitoyens, le métier de la mer, et se distingua au service d'Henri IV. Sa conduite ayant attiré sur lui l'attention du commandeur de Chaste, celui-ci lui fournit l'occasion d'entrer dans une carrière qui devait le mener à l'immortalité.

Champlain avait toutes les qualités nécessaires pour remplir la mission dont il fut chargé. A un jugement droit et perspicace, à un grand courage et une persévérance dont près de 30 ans d'efforts pour fonder cette vaste province, sont la preuve, il joignait le don précieux, pour un homme dans sa situation, d'une grande décision de caractère, personne mieux que lui ne sachant prendre un parti dans une occasion difficile et qui ne souffrait point de délai. Son génie pratique pouvait concevoir et suivre sans jamais s'en écarter un plan compliqué. Il assura ainsi à son pays la possession des immenses contrées de la N.-France, sans le secours presque d'un seul soldat, et par le seul moyen des missionnaires et d'alliances contractées à propos. Il a été blâmé de s'être déclaré contre les Iroquois; mais l'on ne doit pas oublier que la guerre existait entre les Indigènes lorsqu'il arriva dans le pays, et qu'il ne cessa jamais de faire des efforts pour les maintenir en paix. Sa mort fut un grand malheur pour les Hurons, qui avaient beaucoup de confiance en lui, et qu'il aurait peut-être arrachés à la destruction qui vint fondre sur eux peu de temps après.

On lui a reproché aussi de ne pas s'être imposé de suite comme médiateur entre les parties belligérantes. Mais on oublie qu'il était impossible alors de forcer les Indigènes à reconnaître une suprématie; il fut obligé de subir les conséquences des événemens qu'il ne pouvait maîtriser, dans l'intérêt de la conservation de son établissement.

Comme écrivain, il ne peut être jugé avec sévérité. Ce n'est pas dans un marin du 17e siècle, que l'on doit chercher un littérateur élégant. Mais on trouve en lui un auteur fidèle et un observateur judicieux et attentif, rempli de détails sur les moeurs des Sauvages et la géographie du pays. Il était bon géomêtre. L'esprit naturellement religieux, et touché de l'humilité de l'école contemplative, il choisit de préférence pour sa colonie, des moines de l'ordre de St.-François, parcequ'ils étaient, disait-il, sans ambition. Les Jésuites firent tant à la cour, qu'ils obtinrent ensuite de les remplacer; et, quelque soit le motif qui les fit agir, il n'est pas douteux que leur influence fut d'un grand service à Champlain. Plus d'une fois les rois de France, sur le point d'abandonner la colonie, en furent empêchés principalement par des motifs de religion; et dans ces momens-là, les Jésuites, intéressés au Canada, en secondèrent puissamment le fondateur.

Champlain avait une belle figure et un port noble. Une constitution vigoureuse le mit en état de résister à toutes les fatigues de corps et d'esprit qu'il éprouva dans sa rude carrière. Il traversa l'Atlantique plus de vingt fois, pour aller défendre les intérêts de Québec à Paris. En perdant Henri IV, deux ans après la fondation de cette colonie, il perdit un ami et un bon maître, qu'il avait fidèlement servi, et qui lui aurait été d'un grand secours.

On lui donna pour successeur M. de Montmagny, chevalier de Malte, qui résolut de marcher sur les traces de son prédécesseur.

L'établissement de la compagnie des cent associés avait fait tant de bruit, que les Hurons en avaient conçu les plus vastes espérances. Loin de suivre les avis prudens que Champlain leur avait si souvent donnés, relativement à la conduite qu'ils devaient tenir avec la confédération iroquoise, ils s'abandonnèrent, dans l'attente de secours imaginaires, à une présomption fatale qui fut cause de leur perte.

Leur ennemi usa d'abord de stratagème, et les divisa pour les détruire plus facilement. Il fit une paix simulée avec le gros de la nation, et, sous divers prétextes, attaqua les bourgades éloignées . L'on ne découvrit la perfidie que lorsque le cri de guerre retentit pour ainsi dire au coeur de la nation. Elle n'était pas préparée à repousser les attaques d'un ennemi implacable, qui marchait précédé de la terreur. Les Hurons perdirent la tête, et toutes leurs mesures se ressentirent du trouble de leur esprit: ils marchaient de faute en faute. Rien n'humilie davantage aujourd'hui, dit Charlevoix, les foibles restes de cette nation, que le souvenir d'un si prodigieux aveuglement.

Cependant, cette guerre entre les Sauvages suffit pour désabuser ceux qui croyaient que la colonie pouvait faire la loi à toutes les nations de l'Amérique depuis l'existence de la nouvelle compagnie; elle fit voir que ce grand corps, qui en imposait tant de loin, n'était que néant, et que rien n'était plus fallacieux que ses promesses.

C'est en 1636, que les Iroquois tentèrent une irruption dans le coeur du pays des Hurons. Quatre ans plus tard, la guerre recommença avec plus de vigueur que jamais; mais ceux-ci, instruits par leurs malheurs et devenus plus circonspects, tenaient tête à leur ennemi, sur lequel ils remportaient quelquefois des avantages signalés, car ils ne lui en cédaient point en courage. Leurs désastres provenaient de leur indiscipline et de leur trop grande présomption. Voyant cette opposition inattendue, les Iroquois, toujours plus habiles, voulurent unir la politique aux armes, et feignirent de menacer les Trois-Rivières, où commandait M. de Champflour, et lorsqu'on s'y attendait le moins, ils demandèrent la paix au gouverneur-général, et rendirent les prisonniers français. Mais ce dernier ne tarda pas à reconnaître leur mauvaise foi, et rompit la négociation.

Cependant sa situation était des plus pénibles, se trouvant pour ainsi dire réduit à être témoin de la lutte des Sauvages, et exposé à leurs insultes, sans pouvoir à peine, faute de troupes, faire respecter son pavillon qu'ils venaient braver jusque sous le canon des forts, et encore moins tenir la balance entre les deux partis. L'état de faiblesse dans lequel on le laissait languir était un sujet d'étonnement pour tout le monde; et l'on ne savait que penser de la conduite de la fameuse compagnie des cent associés, qui donnait à peine signe d'existence. Le progrès que faisait alors le Canada était dû entièrement à des efforts individuels. L'établissement de Sillery et celui de Montréal furent commencés par des particuliers.

Le commandeur de Sillery qui voulait, à la suggestion des Jésuites, fonder une colonie composée exclusivement de Sauvages chrétiens, chargea, en 1637, le P. Le Jeune de cette entreprise; lequel choisit un emplacement à 4 milles de la ville sur le bord du fleuve pour les y établir. Ce lieu conserve encore le nom du commandeur; mais le village indien a été transféré à St.-Ambroise de Lorette, en arrière, vers le pied des Laurentides.

L'établissement de l'île de Montréal fut commencé quatre ans après (1641). Les premiers missionnaires avaient voulu engager la compagnie du Canada à occuper cette île, dont la situation était avantageuse et pour contenir les Iroquois et pour l'oeuvre des missions; mais elle n'avait point goûté leur plan. Enfin, ce projet avait été repris par M. de la Dauversière, receveur-général de la Flèche en Anjou, et il s'était formé, sous ses auspices, une association de 35 personnes puissantes et pieuses, pour faire en grand à Montréal ce qui avait été fait en petit à Sillery. Elle obtint en 1640 la concession de cette île, et l'année suivante Paul de Chomedey, sieur de Maisonneuve, gentilhomme de Champagne, et l'un des associés, arriva à Québec avec plusieurs familles; il fut déclaré gouverneur de Montréal le 15 octobre 1642. Il y éleva une bourgade palissadée et à l'abri des attaques des Indiens, qu'il nomma Ville-Marie, pour les Français. Les Sauvages chrétiens, ou voulant le devenir, devaient occuper le reste de l'île, où l'on travaillerait à les civiliser graduellement et à leur enseigner l'art de cultiver la terre. Ainsi Montréal devint à la fois une école de civilisation, de morale et d'industrie, destination noble qui fut inaugurée avec toute la pompe et la splendeur de l'église. Peu de temps après, il y arriva un renfort sous la conduite de M. d'Aillebout de Musseau, qui fut suivi d'un second l'année suivante.

La même entreprise se continuait alors à Québec. Une petite colline boisée séparait le collège des Jésuites de l'Hôtel-Dieu. L'on avait bâti des maisons à l'européenne de chaque côté sous les murs de ces monastères, pour loger les Sauvages et les accoutumer à vivre à la manière des Français. Les Montagnais et les Algonquins aidèrent à ceux-ci à défricher une partie du plateau sur lequel est assise la ville haute; mais cette tentative n'eut pas plus de succès que les autres de ce genre qu'on faisait ailleurs.

M. de Maisonneuve voulant visiter la montagne de Montréal, fut conduit sur la cime par deux vieux Indiens qui lui dirent, «qu'ils étaient de la nation qui avait autrefois habité ce pays. Nous étions, ajoutèrent-ils, en très grand nombre, et toutes les collines que tu vois au midi et à l'orient, étaient peuplées. Les Hurons en ont chassé nos ancêtres, dont une partie s'est réfugiée chez les Abénaquis, d'autres se sont retirés dans les cantons iroquois, quelques-uns sont demeurés avec nos vainqueurs.» Ce gouverneur touché du malheur qui avait frappé cette nation, leur dit de tâcher d'en rassembler les débris; qu'il les recevrait avec plaisir dans le pays de leurs pères, où ils seraient protégés et ne manqueraient de rien; mais tous leurs efforts ne purent réunir les restes d'un peuple dont le nom même était oublié. Ce peuple était-il le même que celui que Cartier avait visité à Hochelaga plus de cent ans auparavant? Les annales des Sauvages remontent peu loin sans se perdre; les premiers voyageurs ne pouvaient faire un pas dans les forêts de l'Amérique sans entendre parler de tribus qui avaient existé dans des temps peu reculés, selon nos idées, mais déjà bien loin dans celles de ces peuples, dont chaque siècle révolu couvre l'histoire d'un profond oubli. Il est au moins certain que la description de cette bourgade par Cartier correspond à celle des villages iroquois.

La sollicitude individuelle se portait non seulement sur les Aborigènes, les Français en étaient aussi l'objet. On a dit comment le collége des Jésuites avait été fondé. Un couvent pour l'éducation des filles et un hôpital furent encore établis de la même manière. Presque tous les établissemens de ce genre que possède le Bas-Canada, sont dus à cette inépuisable générosité. En 1639 l'Hôtel-Dieu de Québec fut fondé par la duchesse d'Aiguillon, et le couvent des Ursulines par une jeune veuve de distinction, madame de la Peltrie. Elle y employa sa fortune et vint elle-même s'y renfermer pour le reste de ses jours, qu'elle passa dans l'exercice de toutes les vertus. Quel titre plus digne de respect peut présenter leurs noms à la vénération de la postérité!

Cependant le chevalier de Montmagny luttait de toutes ses forces contre les difficultés et les embarras de sa situation. Les colons ne ramassaient pas encore assez sur leurs terres pour subsister toute l'année, et toute tranquillité avait disparu du pays. Il fallait qu'il protégeât les tribus amies contre les tribus hostiles, qu'il prévît les attaques dirigées contre les habitations, enfin, qu'il eût l'oeil partout à la fois; tout le monde était armé, et le laboureur ne s'aventurait plus dans son champ sans emporter son fusil avec lui. (Le P. Vimont, 1642-3.)

Voyant croître l'audace des Iroquois dont les bandes se glissaient ainsi furtivement jusque dans le voisinage de Québec, et semaient l'alarme sur les deux rives du St.-Laurent, il prit la résolution de mettre un frein à leurs courses, et de bâtir un fort à l'embouchure de la rivière Richelieu, par laquelle ils s'introduisaient dans la colonie. Les barbares apprenant cela, réunirent leurs efforts pour empêcher la construction de cet ouvrage, et ayant formé un corps de 700 guerriers, ils fondirent sur les travailleurs. Mais quoiqu'attaqués à l'improviste, ceux-ci les repoussèrent avec perte.

Cependant, ils prenaient tous les jours sur les Hurons une supériorité décidée, que l'usage des armes à feu vint encore accroître. Les Hollandais, les premiers fondateurs de l'Etat de la Nouvelle-York, alors Nouvelle-Belgique, avaient commencé à en vendre aux Iroquois . Le chevalier de Montmagny fit des représentations à cet égard au gouverneur de cette province, qui se contenta de répondre en termes vagues, mais polis, sans changer de conduite. On le soupçonna même d'exciter secrètement les Iroquois à la guerre, quoique les deux gouvernemens fussent en paix. L'usage des nouvelles armes rendait ces barbares encore plus redoutables. Les Hurons, qui ne paraissaient plus que l'ombre d'eux-mêmes, s'aveuglaient sur l'orage qui les menaçait. Le fer et la flamme désolaient leurs frontières, dont le cercle se rapetissait chaque jour, et ils n'osaient remuer de peur de réveiller la colère de leur ennemi, qui «voulait, disait-il, après avoir abattu la plupart de leurs guerriers, ne faire avec eux qu'un seul peuple et qu'une seule terre.» Le gouverneur français n'ayant point de troupes pour aller les défendre dans leur pays, crut n'avoir rien de mieux à faire qu'à tâcher de leur obtenir la paix, en employant pour cela l'influence que lui donnait la supériorité du génie européen, à laquelle l'Iroquois même ne pouvait entièrement se soustraire. Il s'aperçut que les deux partis avaient besoin de repos. Il renvoya un des prisonniers iroquois, et le chargea d'informer les cantons que s'ils voulaient sauver la vie aux autres, il fallait qu'ils envoyassent sans délai des chargés de pleins pouvoirs pour traiter de la paix. Cette menace eut son effet. Des ambassadeurs vinrent la signer aux Trois-Rivières dans une assemblée solennelle et nombreuse tenue sur la place d'armes du tort, en présence du gouverneur-général. Un d'entre eux portant la parole, se leva, regarda le soleil, puis ayant promené ses regards sur l'assemblée, «Ononthio, dit-il, prête l'oreille, je suis la voix de mon pays. J'ai passé près du lieu où les Algonquins nous ont massacrés ce printemps; j'ai passé vite, et j'ai détourné les yeux pour ne point voir le sang de mes compatriotes, pour ne point voir leurs corps étendus dans la poussière. Ce spectacle aurait excité ma colère. J'ai frappé la terre, puis prêté l'oreille; et j'ai entendu la voix de mes ancêtres, qui m'a dit avec tendresse: calme ta fureur; ne pense plus à nous, car on ne peut plus nous retirer des bras de la mort; pense aux vivans, arrache au glaive et au feu ceux qui sont prisonniers; un homme vivant vaut mieux que plusieurs qui ne sont plus. Ayant entendu cette voix, je suis venu pour délivrer ceux que tu tiens dans les fers.» Il s'étendit ensuite sur le sujet de son ambassade, et parla longtemps avec une grande éloquence.

Ce chef sauvage était bien fait de sa personne et de haute stature; il avait de grands talens oratoires, était brave, hardi; mais fourbe et railleur. Il revint plusieurs fois en Canada dans la suite chargé de missions publiques.

Les Algonquins, les Montagnais, les Hurons, les Attikamègues furent parties au traité. Parmi les Iroquois, il n'y eut que le canton des Agniers qui le ratifia, parceque c'était aussi le seul avec lequel la colonie fut en guerre ouverte.

Jusqu'à la fin de 1646, régna la paix la plus profonde. Toutes les tribus faisaient la chasse et la traite ensemble, sans que la meilleure intelligence cessât d'exister entre elles. Les missionnaires qui avaient pénétré chez les Iroquois après la guerre, contribuaient beaucoup au maintien de cet heureux état de chose, et paraissaient même avoir changé les dispositions malveillantes des Agniers. Mais la paix avait déjà trop duré au gré de ces peuples; et dans le temps où les hostilités recommençaient entre les Hurons et les quatre cantons de la confédération qui n'avaient pas signé le traité, une épidémie éclatait qui fit de grands ravages dans le cinquième, tandis que les vers y détruisaient aussi les moissons. La multitude crut que le P. Jogues, l'un des missionnaires, était la cause de ces malheurs, et qu'il avait jeté un sort sur la tribu. Un Iroquois superstitieux et fanatique le tua d'un coup de casse-tête. Un jeune Français qui l'accompagnait subit le même sort; on leur coupa à tous deux la tête et on les exposa sur une palissade. Leurs corps furent jetés à la rivière.

Après une violation aussi flagrante du droit des gens, les Agniers, certains qu'il n'y avait plus de paix possible, prévinrent leurs ennemis et se mirent de toutes parts en campagne, égorgeant tout ce qui se rencontrait sur leur passage. Des femmes algonquines, échappées comme par miracle de leurs mains, apportèrent aux Français la nouvelle de ce qui se passait. C'était à l'époque où le chevalier de Montmagny était rappelé et remplacé par M. d'Aillebout. Ce rappel inattendu avait causé de la surprise. Voici ce qui y donna lieu. Le commandeur de Poinci, gouverneur-général des îles françaises de l'Amérique, avait refusé de rendre les rênes du gouvernement à son successeur, et s'était maintenu dans sa charge contre l'ordre du roi. Cette espèce de rebellion avait eu des imitateurs. Pour couper court au mal, le conseil de sa Majesté avait décidé, que désormais les gouverneurs seraient changés tous les trois ans; et c'est en conséquence de cette résolution que le chevalier de Montmagny était mis à la retraite.

Plusieurs événemens importans ont signalé l'administration de ce gouverneur, parmi lesquels l'on doit compter l'établissement de l'île de Montréal, et le commencement de la destruction des Hurons, qui sera consommée sous celle de son successeur. Les Jésuites étendirent aussi de son temps fort loin le cercle des découvertes dans le nord et dans l'ouest du continent. Tel était leur zèle, que le P. Raimbaut avait même formé le dessein de pénétrer jusqu'à la Chine en évangélisant les nations, et de compléter ainsi le cercle des courses des missionnaires autour du monde. Quoique les conquêtes de ces intrépides apôtres se soient faites en dehors de l'action de son gouvernement, elles n'en jettent pas moins de l'éclat sur lui.

Ce gouverneur chercha à imiter la politique de Champlain; et comme lui il travailla constamment à tenir les Sauvages en paix. S'il n'a pas toujours réussi, il faut en attribuer la cause à l'insuffisance de ses moyens pour en imposer à ces barbares et mettre un frein à leur ambition. Néanmoins il sut, par un heureux mélange de conciliation et de dignité, se faire respecter d'eux, et suspendre longtemps la marche envahissante des Iroquois contre les malheureux Hurons.

D'Aillebout, son successeur, était venu en Canada avec des colons pour l'île de Montréal qu'il avait gouvernée en l'absence de Maisonneuve. Il avait été ensuite promu au commandement des Trois-Rivières, poste alors plus important que cette île, de sorte qu'il devait connaître le pays et ses besoins; mais il prenait les rênes du gouvernement à une époque critique. Et ne recevant point de secours, il ne put conjurer l'orage qui allait éclater sur ses alliés avec une furie dont on n'avait pas encore en d'exemple.

En 1648, les Iroquois portèrent toutes leurs forces contre les Hurons, qui perdaient un temps précieux en négociations avec les Onnontagués qui les amusaient à dessein. Ce peuple infortuné avait même refusé l'alliance des Andastes, qui lui aurait assuré la supériorité sur ses ennemis; et il était retombé dans sa première sécurité. Les Agniers n'attendaient que cela pour fondre sur lui à l'improviste. La bourgade de St.-Joseph, ainsi nommée par les missionnaires, et située sur les rives du lac Huron, fut surprise et brûlée, et sept cents personnes, la plupart vieillards, femmes et enfans, les guerriers étant absens, furent impitoyablement égorgées. Le P. Daniel qui y était depuis 14 ans, mourut héroïquement au milieu de ses ouailles: il refusa de les abandonner, et resta au milieu du carnage administrant le baptême et l'absolution. Après avoir engagé ceux de ses néophytes qui étaient près de lui à se sauver dans le bois, il s'avança tranquillement au devant des ennemis comme pour attirer sur lui toute leur attention, et reçut la mort en proclamant la parole de Dieu.

Dans le mois de mars suivant une autre bourgade, celle de St.-Ignace, fut surprise et 400 personnes furent taillées en pièces; il ne se sauva que trois hommes qui donnèrent l'alarme à la bourgade de

St.-Louis, dont les femmes et les enfans eurent seulement le temps de prendre la fuite; quatre-vingts guerriers restèrent pour la défendre; ils repoussèrent deux attaques successives; mais l'ennemi ayant pénétré dans le village à la troisième, ils furent tués ou pris, après avoir combattu avec la plus grande valeur. C'est au sac de ce village que les PP. Bréboeuf et Lallemant furent faits prisonniers. On sait avec quel courage ces deux missionnaires moururent, après avoir enduré les tourments les plus affreux que peut inventer la cruauté raffinée des barbares.

Ces massacres furent suivis de plusieurs combats où le succès fut d'abord partagé; mais à la fin l'avantage resta aux Iroquois, qui gagnèrent une bataille où les principaux guerriers hurons succombèrent accablés sous le nombre. Après d'aussi grands désastres, les débris de la nation, saisis d'une terreur panique, abandonnèrent leur pays. En moins de huit jours toutes les bourgades furent désertes, excepté celle de Ste.-Marie, la plus considérable de toutes, et que la famine fit bientôt également évacuer. Les habitants se retirèrent dans la profondeur des forêts, ou chez les peuples voisins. Les généreux missionnaires ne quittèrent point ces restes infortunés d'une grande nation, et partagèrent avec eux leur exil. Ils proposèrent l'île de Manitoualin (Ekaentouton) dans le lac Huron, pour retraite. C'est une île de 40 lieues de longueur, mais étroite, qui était inoccupée, et où la pêche et la chasse étaient abondantes. Les Hurons ne purent se résoudre à s'expatrier si loin; ils ne voulurent pas même quitter entièrement leur patrie, et se réfugièrent dans l'île de St.-Joseph, peu éloignée de la terre ferme, le 25 mai 1649. Ils formèrent une bourgade de 100 cabanes, les unes de 8 les autres de 10 feux, sans compter un grand nombre de familles qui se répandirent dans les environs et le long de la côte pour la commodité de la chasse. Mais le malheur les poursuivait partout.

Comptant sur la chasse et la pêche, ils semèrent peu de maïs; mais la chasse fut bientôt épuisée et la pêche ne produisit rien; de sorte qu'avant la fin de l'automne les vivres commençaient à manquer. Quelle perspective pour un long hiver! L'on fut bientôt réduit à la dernière extrémité, à toutes les horreurs de la famine. L'on déterrait les morts pour se nourrir de leurs chairs corrompues; les mères mangeaient leurs propres enfans expirés sur leur sein faute de nourriture. Les liens du sang et de l'amitié furent oubliés; et pour conserver des jours presqu'éteints le fils se repaissait avec une effrayante énergie du cadavre de l'auteur de ses jours. Les suites ordinaires de ce fléau ne se firent pas attendre. Les maladies contagieuses éclatèrent et emportèrent une partie de ceux que la faim avait épargnés. Les missionnaires, comme toujours, se comportèrent en véritables hommes de Dieu au milieu de ces scènes de désolation. Leur noble et généreuse conduite repose la vue dans ce lugubre tableau.

Dans leur désespoir, plusieurs des malheureux Hurons attribuaient leur situation à ces apôtres dévoués. Les Iroquois nos ennemis mortels, s'écriaient-ils avec douleur, ne croient point en Dieu, ils n'aiment point les prières, leurs méchancetés sont sans bornes, et néanmoins ils prospèrent. Nous, depuis que nous abandonnons les coutumes de nos ancêtres, ils nous tuent, ils nous massacrent, ils nous brûlent, ils renversent nos bourgades de fond en comble. Que nous sert de prêter l'oreille à l'Évangile, puisque la foi et la mort marchent ensemble. Depuis que quelques uns de nous ont reçu la prière, on ne voit plus de *têtes-blanches*, ajoutaient-ils dans leur expressif langage, nous mourrons tous avant le temps. (*Relation des Jésuites* 1643-4).

En effet, des tribus qui comptaient huit cents guerriers étaient réduites à trente; il ne restait que des femmes et quelques vieillards.

Tandis que la faim et la maladie décimaient ainsi la population de l'île St.-Joseph, les Iroquois, au nombre de trois cents, s'étaient mis en campagne, et l'on ignorait de quel côté ils porteraient leurs coups. La bourgade de St.-Jean était la plus voisine depuis l'évacuation de celle de Ste.-Marie, et on y comptait 600 familles. L'irruption des Iroquois y fut regardée comme une bravade, et l'on marcha au-devant d'eux pour leur donner la chasse. Ceux-ci les évitèrent par un détour, et se présentèrent tout à coup au point du jour à la vue de St.-Jean. Ils firent leur cri et tombèrent sur la population éperdue le casse-tête à la main. Tout fut massacré ou traîné en esclavage. Le P. Garnier périt, comme le P. Daniel, au milieu de ses néophytes. Mais rien n'ébranlait le courage de ces religieux dévoués. Cependant les Hurons de l'île de St.-Joseph étaient réduits à 300. Qu'étaient devenus les autres? La famine et l'épidémie avaient chassé ceux qu'elles n'avaient pas tués, et qui ne quittèrent ce lieu que pour aller mourir plus loin. Une partie s'enfonça et périt dans les glaces en voulant gagner la terre ferme; les autres, divisés par troupes, s'étaient réfugiés dans des lieux écartés et dans les montagnes inaccessibles du Nord; mais les Iroquois comme des loups altérés de sang les poursuivirent dans leur retraite, et firent un affreux carnage de ces misérables épuisés par les souffrances inouïes qu'ils avaient endurées. Ceux qui survivaient à St-Joseph ne s'y croyant plus en sûreté, et s'attendant à être attaqués d'un moment à l'autre, supplièrent le P. Ragueneau et les autres missionnaires de se mettre à leur tête, de rassembler leurs compatriotes dispersés, et d'aller solliciter du gouverneur français une retraite où ils pussent cultiver tranquillement la terre, sous sa protection. Ils prirent la route du lac Nipissing et de la rivière des Outaouais afin d'éviter les Iroquois, route écartée dans laquelle cependant ils trouvèrent encore de terribles marques du passage de ces barbares; et après avoir été deux jours à Montréal, où ils ne se croyaient pas en sûreté tant leur terreur était profonde, ils arrivèrent à Québec en juillet 1650, où le gouverneur les reçut avec beaucoup de bienveillance.

De ceux qui ne les avaient pas suivis, les uns se mêlèrent avec des nations voisines sur lesquelles ils attirèrent la haine des Iroquois; d'autres allèrent s'établir jusque dans la Pensylvanie; ceux-ci remontèrent au-dessus du lac Supérieur, et ceux-là enfin se présentèrent à leurs vainqueurs, qui les reçurent et les incorporèrent avec eux. De sorte que non seulement leur pays, mais encore tout le cours de la rivière des Outaouais naguère très-peuplé, ne présentèrent plus que des déserts et des forêts inhabitées. Les Iroquois avaient mis douze ans pour renverser les frontières des Hurons, et ensuite moins de deux ans pour disperser cette nation aux extrémités de l'Amérique.

A l'époque où d'Aillebout prenait les rênes du gouvernement, un envoyé diplomatique de la Nouvelle-Angleterre arrivait à Québec pour proposer au Canada un traité de commerce et d'alliance perpétuelle entre les deux colonies, subsistant indépendamment des guerres qui pourraient survenir entre les deux couronnes, et à peu près semblable à celui qui venait d'être conclu avec l'Acadie. Cette proposition occupa quelque temps les deux gouvernemens coloniaux. Le Jésuite Druillettes fut même délégué à Boston pour cet objet en 1650 et 1651; mais les Français, dont le commerce était gêné par les courses des Iroquois, voulaient engager la Nouvelle-Angleterre dans une ligue offensive et défensive contre cette confédération indienne. Cette condition fit manquer la négociation. Les Anglais n'avaient point d'intérêt à se mêler de cette guerre, et ils ne voulaient pas courir le risque d'attirer sur eux les armes de ces Sauvages. (*Voyez* dans l'Append. (B.) la réponse du gouvernement fédératif de la Nouvelle-Angleterre).

Cette année si funeste par la destruction de presque toute la nation huronne, finit par la retraite de M. d'Aillebout, qui s'était vu avec douleur réduit à être le témoin inutile de cette grande catastrophe. Il s'établit et mourut dans le pays. M. de Lauson lui succéda. C'était un des principaux membres de la compagnie des cent associés, et il avait toujours pris une grande part à ses affaires. Il se montra aussi incapable dans son administration que cette compagnie s'était montrée peu zélée pour le bien de la colonie, qu'il trouva dans un état déplorable. Les Iroquois, enhardis par leurs succès inouïs dans les contrées de l'ouest du Canada, se rabattirent sur celles de l'est, et leurs bandes se glissaient à la faveur des bois jusque dans le voisinage de Québec. Ils tuèrent M. Duplessis Bochart, gouverneur des Trois-Rivières et brave officier, dans une sortie qu'il faisait contre eux. Mais ils s'aperçurent bientôt cependant qu'ils n'auraient rien à gagner contre les Français. Ils prirent en conséquence le parti de demander la paix, qui fut signée et ratifiée en 1653 et 1654. Elle répandit une joie universelle parmi les Indiens, et ouvrit de nouveau les cinq cantons au zèle des missionnaires .

Cette paix en rendant libres toutes les communications, dévoila de nouveaux intérêts et fit naître de nouvelles jalousies. Les quatre cantons supérieurs, en faisant le commerce des pelleteries avec les Français, excitèrent l'envie des Agniers, voisins d'Orange, qui dès lors désirèrent la guerre, pour mettre fin à un négoce qu'ils regardaient comme leur étant préjudiciable. Pour des raisons contraires ceux-là ne voulaient pas rompre avec le Canada avec lequel ils pouvaient communiquer plus facilement qu'avec la Nouvelle-Belgique. Dans cet état de choses, la paix ne pouvait durer longtemps; et les Agniers qui l'avaient signée malgré eux, n'attendaient qu'un prétexte pour se mettre en campagne; ils le trouvèrent bientôt.

Vers 1655, la confédération acheva de détruire les Eriés, qui habitaient les bords méridionaux du lac qui porte leur nom. Le canton des Onnontagués vit dans cet événement une nouvelle raison de resserrer d'avantage son alliance avec les Français; et inspiré par les missionnaires, il pria M. de Lauson de former un établissement dans le pays, chose que l'on désirait depuis longtemps. L'année suivante, le capitaine Dupuis partit pour s'y rendre avec 50 colons. Les habitans de Québec, répandus sur le rivage, les regardèrent s'éloigner comme des victimes livrées à la perfidie indienne, et qu'ils ne comptaient plus revoir. Cette petite colonie s'arrêta sur le lac Gannentaha (Salt Lake), dans l'endroit où est aujourd'hui le village de Saline (Nouvelle-York). Elle ne fut pas plutôt au milieu des Onnontagués qu'ils en devinrent jaloux. Les Agniers avaient, à la première nouvelle du départ de Dupuis, envoyé 400 hommes pour la surprendre en route et la détruire toute entière s'il était possible; mais ils n'avaient pu l'atteindre. Ce guet-apens fit reprendre les armes; et la guerre recommencée mit fin à tous les avantages que les quatre cantons attendaient de leur traité avec le Canada; les Onnontagués se refroidirent d'abord, et ensuite conspirèrent contre leurs hôtes.

Les Hurons descendus avec le P. Ragueneau avaient été établis dans l'île d'Orléans, où ils cultivaient la terre. Un jour une bande d'Agniers en surprit 90 de tout âge et de tout sexe, en tua une partie et fit le reste prisonnier. Ces malheureux ne se croyant plus en sûreté dans l'île, revinrent à Québec, et de dépit de ce que les Français, à leur gré, ne leur accordaient pas assez de protection, une partie d'entre eux se donna tout à coup et sans réfléchir aux Agniers, puis ensuite regretta sa précipitation. Ce peuple semblait avoir perdu la capacité de se gouverner. Ils finirent les uns par passer aux Onnontagués, les autres aux Agniers, et le reste par demeurer au milieu des Français. C'est à cette occasion que les Agniers envoyèrent une députation de 30 délégués à Québec, pour réclamer les Hurons qui s'étaient donnés à eux. Elle eut l'audace de demander au gouverneur d'être entendu dans une assemblée générale des blancs et des Indiens, et celui-ci eut la faiblesse de l'accorder. Elle parla avec insolence à cet homme incapable qui ne savait pas même se faire respecter, et qui sembla dans cette circonstance recevoir humblement la loi d'une simple peuplade iroquoise.

Ce gouverneur, dénué de toute énergie, eut pour successeur le vicomte d'Argenson, qui débarqua à Québec en 1658. C'était au moment où la guerre devenait la plus vive. Dupuis arrivait du lac Gannentaha. Il avait été informé dans l'hiver par un Sauvage mourant, de ce que des mouvemens de guerriers dans les cantons lui avaient déjà fait pressentir, que la destruction de sa colonie avait été résolue. N'étant pas assez fort pour résister, il dut songer au moyen de s'échapper. A cet effet dès que le petit printemps fut venu, il donna un grand festin aux Iroquois; et pendant qu'ils étaient encore plongés dans le sommeil et dans l'ivresse, il partit par la rivière Oswego, avec tout son monde dans des canots qu'il avait fait construire secrètement.

Le vicomte d'Argenson trouva le Canada en proie aux courses et aux déprédations des Sauvages. On ne marchait plus qu'escorté et armé dans la campagne. Les annales de cette époque contiennent des relations de nombreux faits d'armes et d'actes de courage individuel extraordinaires: tout le monde était devenu soldat.

En 1660, 17 colons, commandés par Daulac, furent attaqués par 500 ou 600 Iroquois dans un mauvais fort de pieux au pied du Long-Sault; ils repoussèrent, aidés d'une cinquantaine de Hurons ou Algonquins, tous leurs assauts pendant dix jours. Abandonnés à la fin par la plupart de leurs alliés, le fort fut emporté et ils périrent tous. Un des quatre Français qui restaient avec quelques Hurons lorsque l'ennemi pénétra dans l'intérieur de la place, voyant que tout était perdu, acheva à coups de hache ses camarades qui n'étaient que blessés, pour les empêcher de tomber vivans entre les mains du vainqueur.

Le dévouement de Daulac et de ses intrépides compagnons, sauva le pays, ou du moins arrêta les premiers efforts de l'orage qui allait éclater sur lui, et en détourna le cours. En effet, les ennemis, dont la perte avait été très-considérable, furent si effrayés de cette résistance, qu'ils abandonnèrent une grande attaque qu'ils s'en allaient faire sur Québec, où la nouvelle de leur approche avait jeté la consternation. Leur projet était, après s'être emparé de cette ville, de mettre tout à feu et à sang dans le pays. Tous les couvens qui étaient de pierre à Québec furent fortifiés, percés de meurtrières, et armés. Une partie des habitans se retira dans les forts; les autres mirent leurs maisons en état de défense. L'on se barricada de tous côtés dans la basse ville, où l'on posa plusieurs corps de garde. Toute la population était sous les armes et veillait nuit et jour, chacun étant déterminé de vendre chèrement sa vie.

Un Huron, le seul des compagnons de Daulac qui s'échappa, informa le premier les habitans de la retraite des Iroquois. On chanta le *Te Deum* dans les églises en action de grâces; mais l'on ne fut complètement rassuré que longtemps après, car l'on craignait encore que ces barbares ne vinssent dans l'automne ravager les campagnes.

Cependant ils se lassèrent encore une fois d'une guerre dans laquelle ils n'avaient de succès que sur des hommes isolés, et qui leur coûtait beaucoup de monde. Ils commencèrent par retirer leurs partis du Canada, et les cantons d'Onnontagué et de Goyogouin envoyèrent des députés à Montréal pour demander la paix. Quoique l'on eût peu de confiance dans la parole de ces Sauvages, le gouverneur pensa qu'une mauvaise paix valait encore mieux qu'une guerre avec des ennemis qu'il ne pouvait atteindre ni aller attaquer dans leur pays, faute de soldats. Ces deux cantons, où il y avait plusieurs chrétiens, demandaient aussi un missionnaire. Le P. Lemoine s'offrit d'y aller; il fut chargé de la réponse du gouverneur et des présens qu'il leur envoyait.

La négociation en était là, lorsque le baron d'Avaugour arriva en 1661, pour relever le vicomte d'Argenson que la maladie, les difficultés et les dégoûts décidèrent à demander sa retraite avant le temps. L'on porta sous son administration les découvertes, d'un côté jusqu'au de là du lac Supérieur chez les Sioux, et de l'autre chez les Esquimaux de la baie d'Hudson.

Le nouveau gouverneur était un homme résolu et d'un caractère inflexible. Il s'était distingué dans les guerres de la Hongrie; et il apporta dans les affaires du Canada la roideur qu'il avait contractée dans les camps.

En arrivant, il visita tous les postes de la colonie, et admira les plaines chargées de blé. Il dit qu'on ne connaissait pas la valeur de ce pays en France; que sans cela on ne le laisserait pas dans le triste état dans lequel il le trouvait. Il écrivit à la cour ce qu'il avait vu, et demanda les secours en troupes et en munitions qu'on lui avait promis. C'est alors qu'on reçut des nouvelles du P. LeMoine.

Dans une assemblée solennelle des députés d'Onnontagué, de Goyogouin et de Tsonnonthouan, il communiqua la réponse qu'il était chargé de faire, et déposa les présens pour les cantons. Quelques jours après, ils l'informèrent qu'ils allaient envoyer une ambassade à Québec, dont Garakonthié serait le chef. Ce Sauvage avait beaucoup d'estime pour les Français. C'était un homme doué d'un grand talent naturel, et qui avait acquis beaucoup de crédit dans sa nation par son intrépidité à la guerre, sa sagesse et son éloquence dans les conseils; ce choix était d'un bon augure. Garakonthié fut très bien reçu à Montréal par le gouverneur, dont il agréa toutes les propositions. Le traité fut ratifié vers 1662.

Cependant M. d'Avaugour, d'après les avis qu'il recevait de la confédération, dont deux cantons avaient refusé de prendre part à la paix, ne croyait pas à sa durée. Il fit les remontrances les plus énergiques au roi sur l'état du Canada, et le pria très instamment de prendre cette colonie sous sa protection. Toutes les personnes en place écrivirent dans le même sens à la cour. Le gouverneur des Trois-Rivières, M. Boucher, fut chargé d'aller y porter ces représentations. Le roi lui fit un très bon accueil, et envoya immédiatement 400 hommes de troupes à Québec. Il nomma en même temps M. de Monts pour aller examiner l'état de la colonie par ses yeux et lui en faire rapport. Une pareille commission annonce ordinairement un changement de politique; l'arrivée de M. de Monts, qui avait pris possession du fort de Plaisance au nom de la couronne, en passant à Terreneuve, causa une grande joie aux habitans, qui commencèrent enfin à croire que le roi allait s'intéresser tout de bon à leur sort.

C'est dans cette même année qu'éclatèrent les dissensions entre le gouverneur et l'évêque de Pétrée, M. de Laval, dissensions qui troublèrent toute la colonie. Mais il est nécessaire de reprendre à ce sujet les choses d'un peu plus haut.

Depuis l'établissement du pays, faute de juges et d'autres fonctionnaires publics, le gouvernement ne subvenant point aux dépenses d'une administration civile régulière, les missionnaires s'étaient trouvés insensiblement et par consentement tacite, chargés d'une partie des devoirs de ces officiers dans les paroisses. Jetés ainsi hors du sanctuaire, ces ecclésiastiques acquirent, par leur éducation et par leur bonne conduite, une autorité dont ils finirent par se croire les légitimes possesseurs, mais dont la jouissance excita bientôt la jalousie des gouverneurs et du peuple, surtout depuis l'arrivée de M. de Pétrée, dont l'esprit dominateur avait excité d'avance les préventions de M. d'Avaugour, le dernier homme au monde qui eût voulu laisser gêner sa marche par un corps qui lui semblait sortir de ses attributions.

Lors de son arrivée, l'on avait remarqué qu'il avait visité les Jésuites sans faire la même faveur à l'évêque, et que bientôt après il avait nommé leur supérieur à son conseil, quoique depuis l'érection du vicariat général, il y eût été remplacé par ce même évêque . On usa d'abord de part et d'autre de certains ménagemens; mais un éclat devint inévitable, et la traite de l'eau de vie en fut le prétexte. Ainsi commencèrent ces longues querelles entre l'autorité civile et l'autorité ecclésiastique qui se répétèrent si souvent dans ce pays sous la domination française.

De tout temps la vente des boissons aux Sauvages y avait été, sur les représentations des missionnaires, défendue par des ordonnances très-sévères et souvent renouvelées, ainsi qu'en font foi les actes publics. Le gouvernement, tout entier à son zèle religieux, avait oublié qu'en se mettant ainsi à la discrétion du clergé, il ouvrait la porte à mille difficultés, en ce qu'il assujétissait l'un à l'autre deux pouvoirs qui doivent être indépendans .

D'abord les inconvéniens se firent peu sentir; mais lorsque le pays commença à prendre de l'accroissement, qu'il fut gouverné par des hommes jaloux de leur autorité, et que les Indiens purent se procurer des spiritueux dans la Nouvelle-York et la Nouvelle-Angleterre, où ce négoce, malgré les défenses, n'éprouvait aucune entrave réelle, l'on découvrit la position anormale dans laquelle on s'était placé. L'obligation qu'on avait pour ainsi dire contractée envers le sanctuaire, se trouva mettre obstacle, dans l'opinion de quelques uns des administrateurs, au commerce de la colonie et au système d'alliance avec les Indigènes adopté par la France.

Quelques gouverneurs pour sortir d'embarras voulurent *composer* avec l'évêque, offrant de faire des réglemens pour arrêter les désordres; mais le clergé catholique, dont le chef siégeant à Rome, et jaloux avec raison de l'indépendance de la religion, transige rarement avec la raison d'état des divers peuples soumis à son pouvoir spirituel, exigea sans réserve l'accomplissement de cette obligation, et parut ainsi intervenir dans l'action de l'autorité politique. Les gouverneurs pieux ne virent dans cette intervention que la réclamation d'un droit; ceux qui pensaient que l'action du gouvernement doit être absolument indépendante du sacerdoce, la regardèrent comme une prétention dangereuse. M. d'Avaugour était du nombre de ces derniers.

Ainsi la question se présentait sous deux aspects, selon qu'on la regardait sous le point de vue religieux, ou sous le point de vue politique. Mais il était facile de la simplifier. Dès que le Canada cessa d'être une mission et devint une société de colons européens, le gouvernement civil devait reprendre tous ses droits et toute son autorité. Cette politique, la seule logique, eût mis fin aux réclamations du clergé qui n'aurait plus eu de prétexte pour empiéter dans une sphère qui lui était étrangère. Nul doute, du reste, que la conduite du gouvernement dans cette question n'aurait pas été différente de ce qu'elle a été; c'est-à-dire, que la traite des liqueurs fortes n'aurait jamais été rendue libre chez les Indiens, car l'intérêt politique et commercial commandait impérieusement la plus grande circonspection à cet égard. Aussi les colonies anglaises avaient-elles des lois préventives, tout comme le Canada, quoique pour des motifs différens; mais elles les observaient plus ou moins strictement selon l'urgence des circonstances.

Quoi qu'il en soit, les difficultés commencèrent entre le baron d'Avaugour et M. de Pétrée à l'occasion d'une veuve qui vendait de l'eau de vie aux Sauvages en contravention aux lois. Cette femme fut jetée en prison. Un Jésuite voulut intercéder pour elle et la justifier. Le gouverneur qui venait de faire fusiller trois hommes pour la même offense (*Journal des Jésuites*), et troublé peut-être par le remords d'avoir laissé infliger une peine qui était hors de toute proportion avec le crime, s'écria avec colère, que puisque la traite de l'eau de vie n'était pas une faute pour elle, elle ne le serait à l'avenir pour personne, et *qu'il ne voulait plus être le jouet de ces contradictions*.

L'évêque de son côté croyant l'honneur de sa mitre offensé par cette boutade, prit la chose avec hauteur. Le débat s'envenima. D'un côté, les prédicateurs tonnèrent dans les chaires, les confesseurs refusèrent l'absolution; de l'autre, les citoyens embrassant la cause du gouverneur, se révoltèrent et poussèrent des clameurs contre ces derniers. Les choses en vinrent au point que le prélat se vit obligé de saisir les foudres de l'église, ces foudres qui faisaient tomber autrefois le front des peuples et des rois dans la poussière. La mitre au front, la crosse à la main, environné de son clergé, il monte en chaire; et après un discours pathétique, il fulmine les excommunications contre tous ceux qui refusent de se soumettre aux décrets contre la traite de l'eau-de-vie. Cet anathème solennel qui avait coutume de jeter le trouble dans la conscience publique, qui enveloppait indirectement M. d'Avaugour, ne fit, contre son attente qu'empirer le mal. Les excommunications excitèrent des accusations injurieuses contre le clergé, qui se formulèrent ensuite en remontrances contre l'évêque lui-même au conseil du roi.

Pour se justifier et porter ses propres plaintes, M. de Pétrée passa en France, où, non seulement il gagna sa cause et obtint tous les pouvoirs qu'il désirait relativement au commerce de l'eau de vie, mais fit encore rappeler le baron d'Avaugour, et désigna au roi son successeur.

Dans la chaleur des discussions, l'on exagéra singulièrement les désordres causés par ce commerce, désordres en effet qui étaient si peu de chose, qu'ils avaient entièrement cessé lorsque M. de Pétrée revint en Canada. Personne ne voudra croire aujourd'hui que les établissemens isolés et nécessairement pauvres encore que fondaient alors nos industrieux ancêtres sur le St.-Laurent, présentassent, comme le disaient les partisans de l'évêque, des scènes de débauche et de dissolution qui auraient rappelé les temps les plus corrompus de Rome! Cela n'est pas croyable d'habitans «dans chacun desquels, au rapport d'un vieux et vénérable missionnaire contemporain, l'on voyait un désir ardent de son salut et une étude particulière de la vertu.» (Relation des Jésuites, 1642-3.)

C'est pendant que le pays était encore agité par ces discordes, que le 5 février (1663) une forte secousse de tremblement de terre se fit sentir dans presque tout le Canada, et dans une partie de la

Nouvelle-York et de la Nouvelle-Angleterre , laquelle fut suivie par d'autres plus faibles qui se succédèrent, dans la première province, à des intervalles plus ou moins éloignés jusque vers le mois d'août ou septembre. Le mal qu'elles causèrent fut moins grand que n'aurait pu le faire croire la durée de ces perturbations de la nature si rares dans nos climats; il se borna à la chute de quelques têtes de cheminées, et à des éboulemens de rochers dans le St.-Laurent au-dessous du Cap-Tourmente, dont le savant Suédois, Kalm, a cru reconnaître des traces lorsqu'il visita cette localité en 1749 .

Les Sauvages dans les bois disaient que c'étaient les âmes de leurs ancêtres qui voulaient revenir sur la terre; et ils prenaient leurs fusils et faisaient des décharges en l'air comme pour les effrayer et les faire rentrer dans leur céleste demeure, craignant que leur nombre, s'ils descendaient ici-bas, n'épuisât le gibier et n'affamât le pays. Ces phénomènes, dont la répétition excitait de plus en plus la surprise et l'étonnement des colons, achevèrent aussi de leur faire oublier les différends qui divisaient les grands fonctionnaires, et qui dans le fond n'intéressaient qu'un petit nombre de traitans; outre les menaces des Iroquois qui, en rôdant sans cesse sur la lisière des bois, obligeaient toutes les habitations françaises de se tenir sur leur garde.

Cependant dès l'année précédente, et lorsqu'on était dans le fort des démêlés, le gouverneur avait jugé nécessaire de refaire son conseil, que les troubles désorganisaient. Tous les anciens membres furent mis à la retraite, et il en nomma de nouveaux, dont les opinions étaient plus en harmonie avec les siennes. Il opéra encore d'autres changemens qui firent une grande sensation à cause surtout de leur nouveauté; tout le monde en regardait l'auteur comme un homme fort hardi, et ceux qui en étaient les victimes feignirent de croire que cela était un exemple dangereux à donner dans le système français de gouvernement partout assez peu mobile de sa nature, et qui n'avait pas changé de caractère en Canada .

Mais son rappel vint l'interrompre au milieu de sa carrière de réforme. Il fut remplacé (1663) par M. de Mésy. De retour en France, il passa au service de l'empereur d'Allemagne, et fut tué l'année suivante en défendant glorieusement le fort de Serin, sur les frontières de la Croatie, emporté d'assaut par les Turcs commandés par le grand vizir Kouprouli en personne, peu de temps avant la fameuse bataille de St.-Gothard.

L'administration de ce gouverneur est remarquable par les changemens qu'elle détermina dans la colonie. Le baron d'Avaugour contribua beaucoup par sa droiture et par son énergie, à décider le roi à travailler sérieusement à l'avancement de ce pays, et à y établir un système plus propre à le faire prospérer. N'eût-il fait pour cela que renverser les obstacles qu'opposait la petite oligarchie qui s'était emparée alors de l'influence du gouvernement, il aurait encore bien mérité du pays. Les querelles avec M. de Pétrée firent aussi ouvrir les yeux sur les graves inconvénient de l'absence d'une administration judiciaire, inconvéniens que l'évêque lui-même reconnut le premier, et qu'il contribua efficacement à faire disparaître en appuyant, sinon en suggérant, le projet d'établissement d'un conseil souverain. Désintéressé dans la compagnie des cent associés, le gouverneur n'avait point non plus de motif pour la ménager.

Aussi sa retraite marqua-t-elle le terme de l'existence de cette compagnie qui ne comptait plus que 45 associés. Sur le désir du roi, le 24 février 1663, elle fit acte de démission que le monarque accepta en mars suivant. Cet événement fut accompagné d'un changement radical dans l'administration tant civile que politique du pays, qui avait été témoin peu d'années auparavant d'une pareille révolution dans ses affaires ecclésiastiques.

CHAPITRE II

GUERRE CIVILE EN ACADIE

1632-1667.

Richelieu se fit rendre par le traité de St.-Germain-en-Laye les portions de l'Acadie dont l'Angleterre s'était emparée; mais il n'avait pas encore l'intention sérieuse de coloniser cette contrée, qui fut abandonnée aux traitans. Laissés à leur propre cupidité, sans frein pour réprimer leur ambition dans ces déserts lointains où ils régnaient en chefs indépendants, ceux-ci s'armèrent bientôt les uns contre les autres, et renouvelèrent en quelque sorte les luttes des châtelains du moyen âge. Heureusement ils ne faisaient encore guère de mal qu'à eux-mêmes.

L'Acadie fut divisée en trois provinces, dont le gouvernement et la propriété furent donnés au commandeur de Rasilli, à Charles Étienne de la Tour, fils de Claude, et à M. Denis. Au premier échut Port-Royal et tout ce qui est au sud jusqu'à la Nouvelle-Angleterre; le second eut depuis Port-Royal jusqu'à Canceau; et le troisième, la côte orientale du Canada, depuis Canceau jusqu'à Gaspé. Rasilli fut nommé gouverneur en chef de toutes ces provinces.

La Tour, désirant faire confirmer par le roi de France la concession de terre faite à son père en 1627, sur lu rivière St. Jean, demanda et obtint des lettres patentes à cet effet, et en outre la concession, en 1634, de l'île de Sable, de dix lieues en carré sur le bord de la mer à la Hève, et enfin de dix autres lieues en carré à Port-Royal, avec les îles adjacentes. Mais le commandeur de Rasilli fut si enchanté, en arrivant à la Hève, des beautés naturelles de ce lieu et des avantages que présentait pour le commerce le havre assez grand pour contenir mille vaisseaux, qu'il la demanda à la Tour qui la lui céda. Il fortifia le port et y établit sa résidence.

Ayant reçu ordre de la cour de prendre possession de tout le pays jusqu'à la rivière Kénébec, il y envoya une frégate, qui trouva un petit fort à Pemaquid (Penobscot) que les colons anglais de Plymouth avaient élevé pour y déposer leurs marchandises de traite. La frégate s'en empara et y laissa garnison, emportant les marchandises à la Hève; ce poste avait déjà été pillé en 1632 par un corsaire français. Peu de temps après cette capture Rasilli mourut, et ses frères cédèrent ses possessions d'Acadie à M. d'Aulnay de Charnisé, qui reçut aussi en 1647 les provisions de gouverneur général de cette province.

Son premier acte, en prenant les rènes du gouvernement, fut d'abandonner la Hève l'un des plus beaux ports de la Province et où le commandeur avait fait un établissement florissant et à grands frais, et d'en transporter tous les habitants à Port-Royal. Mais, soit rivalité dans la traite des pelleteries où ils avaient tous deux engagé des sommes considérables, soit mal-entendu au sujet des limites de leurs terres, soit enfin jalousie de voisinage, la mésintelligence se mit bientôt entre Charnisé et la Tour; elle alla si loin qu'ils ne trouvèrent point d'autres moyens de vider leurs différends, qu'un appel aux armes. En vain, Louis XIII écrivit-il une lettre au premier en 1638, pour fixer les limites de son gouvernement à la Nouvelle-Angleterre d'un côté, et à une ligne tirée du centre de la baie de Fundy à Canceau de l'autre, le pays situé à l'ouest de cette ligne restant à son adversaire, excepté la Hève et Port-Royal, qu'il garderait en échange du fort de la rivière St.-Jean retenu par la Tour; cette lettre ne fit point cesser les difficultés. Ils continuèrent à s'accuser mutuellement auprès du roi; et Charnisé, ayant réussi à noircir son antagoniste dans l'esprit du monarque, reçut l'ordre de l'arrêter et de l'envoyer prisonnier en France. Il alla en conséquence mettre le siége devant le fort de St.-Jean.

La Tour attaqué, tourna les yeux vers les colonies anglaises et rechercha l'alliance des habitans de Boston. Comme les deux nations étaient en paix, le gouverneur de cette ville n'osa point le soutenir ouvertement; mais il voyait avec un secret plaisir les colons français de l'Acadie se déchirer entre eux. Tant, écrivait Endecott à ce gouverneur, tant que la Tour et d'Aulnay seront opposés l'un à l'autre, ils s'affaibliront réciproquement. Si la Tour prend le dessus nous aurons un mauvais voisin; je craindrais que l'on eût peu de sujet de se réjouir d'avoir eu affaire avec ces Français idolâtres .

Cependant M. Winthrop permit peu de temps après à la Tour de prendre les volontaires qui voudraient bien le suivre sur leur propre responsabilité. Celui-ci nolisa de suite quatre vaisseaux et engagea 80 hommes dans le Massachusetts, lesquels, réunis aux cent quarante protestans Rochellois qu'il avait déjà, le mirent en état non seulement de faire lever le siége à Charnisé, mais de le poursuivre jusqu'au pied des murailles de son propre fort.

Ce secours indirect ne lui fut pas donné sans susciter dans la Nouvelle-Angleterre de l'opposition. De part et d'autre, en bons puritains, l'on fit un étrange abus de la Bible pour prouver qu'on avait raison et que son adversaire avait tort. Mais l'on réussit à démontrer seulement qu'il est dangereux de laisser l'application de l'écriture sainte à ceux qui sont intéressés à la mal interpréter. Le gouverneur Winthrop, malgré ses beaux préceptes, avait su consulter les intérêts matériels de sa province, et il ne put le dissimuler longtemps. «Le doute pour nous, dit-il à ceux qui blâmaient sa conduite, était de savoir s'il était plus sûr ou plus juste et plus honorable d'arrêter le cours de la divine providence qui nous offrait l'occasion de secourir un voisin infortuné en affaiblissant un ennemi dangereux, que de la laisser marcher vers son but. Nous avons préféré la dernière alternative.» Tout cela était pour se justifier d'avoir donné des soldats, des vaisseaux et des armes au sujet rebelle d'un prince avec lequel on professait d'être en paix!

Les États-Unis doivent une partie de leur grandeur au privilége qu'a eu la Bible de fanatiser, pour ainsi dire, l'esprit de la nation plus encore pour les choses de la terre que pour celles du ciel. Grands lecteurs de l'ancienne loi des Juifs, ils montrent la même ardeur que ceux-ci pour acquérir des richesses. Doit-on attribuer à cette lecture la supériorité que les populations protestantes ont en général sur les populations catholiques en matière de commerce, d'industrie et de progrès matériels? La coïncidence nous paraît assez frappante pour mériter d'être remarquée.

Charnisé se plaignit de l'agression commise par des sujets anglais en pleine paix. Le gouverneur de Boston répondit en lui proposant un traité de paix et de commerce entre l'Acadie et la Nouvelle-Angleterre. Ce traité accepté avec empressement par Charnisé, qui entrevit dès lors l'occasion de tirer vengeance de son ennemi, fut signé à Boston le 8 octobre 1644, et ratifié ensuite par les commissaires des colonies confédérées, le Massachusetts, le Connecticut, le New-Haven et Plymouth.

Bientôt après, le gouverneur de l'Acadie apprenant que la Tour était absent de son fort, y courut pour le surprendre; mais madame la Tour, qui a acquis tant de célébrité dans cette guerre civile par son courage, anima la garnison et fit une défense si vigoureuse que Charnisé, après avoir perdu 33 hommes, dont 20 tués sur la place, eut la mortification d'être obligé de lever le siége et de fuir devant une femme. Les Bostonnais continuaient de fournir des secours à la Tour en secret. Son rival irrité de sa défaite, les accusa de violer leur parole et les menaça; et pour leur faire voir en même temps que ces menaces n'étaient pas vaines, il prit un de leurs vaisseaux. Cette espèce de représailles eut l'effet qu'il en attendait; la Tour ne fut plus secouru et le traité fut de nouveau confirmé.

Quelque temps après Charnisé retourna, pour la troisième fois, mettre le siége devant le fort de la rivière St.-Jean, dans lequel il avait appris que madame la Tour se trouvait encore seule avec une poignée d'hommes. Il se flattait enfin de pouvoir s'en emparer facilement; mais l'héroïne qui le défendait, repoussa ses attaques pendant trois jours de suite; il commençait à désespérer du succès, lorsqu'un traître qu'il y avait dans la place l'y introduisit secrètement le jour de Pâques. Madame la Tour voulait encore se défendre, et il fut obligé de lui accorder les conditions qu'elle demandait. Mais quand il vit le peu de monde qui l'avait repoussé, honteux d'avoir accordé une capitulation si honorable, il prétendit avoir été trompé, et fit pendre sur le champ les braves qui avaient défendu le fort, et obligea madame la Tour d'assister à leur supplice une corde au cou .

Tant d'efforts et de soucis avaient altéré la constitution de cette dame; le sort funeste de ses compagnons et la ruine de sa fortune achevèrent de l'épuiser et conduisirent lentement au tombeau une femme dont les talens et le courage méritaient un meilleur sort.

Depuis ce moment son mari erra en différentes parties de l'Amérique. Il vint à Québec en 1646, où il fut salué à son arrivée par le canon de la ville et logé au château St.-Louis. Il passa une couple d'années en Canada. Aidé de quelques amis de la Nouvelle-Angleterre, il recommença la traite des pelleteries et visita la baie d'Hudson. La nouvelle de la mort de Charnisé l'ayant rappelé en Acadie en 1651, il épousa la veuve de son ennemi et entra en possession de tous ses biens par l'abandon qu'en firent ses héritiers, recueillant ainsi l'héritage d'un homme qui avait passé sa vie à tramer sa perte. Mais ses menées avec les Anglais l'avaient rendu lui-même suspect à Mazarin; et un nommé le Borgne, créancier de Charnisé, ayant obtenu un jugement en France, se fit autoriser à se saisir des héritages délaissés par son débiteur en Acadie, et cela à main armée s'il était nécessaire. Cet homme se crut en droit de s'emparer de toute la province. Il commença par attaquer M. Denis, qu'il surprit et qu'il envoya chargé de fers à Port-Royal, après s'être rendu maître de son établissement du Cap-Breton. Delà, il alla incendier le port de la Hève, où il n'épargna pas même la chapelle. Il faisait ses préparatifs pour attaquer la Tour au fort de St.-Jean, quand un événement inattendu vint l'arrêter dans ses desseins. Cromwell voulant reprendre la Nouvelle-Ecosse, chargea de cette entreprise en 1664, le major Ledgemack, qui surprit d'abord la Tour. Cet officier cingla ensuite vers Port-Royal, qu'il prit aussi sans coup-férir, ainsi que le Borgne, qui finit par une lâcheté une carrière où il ne s'était distingué que par le pillage et l'incendie. Son fils et un nommé Guilbaut, marchand de la Rochelle, ayant peu après élevé un petit fort de pieux à la Hève, y furent attaqués par les soldats du Massachusetts. Guilbaut les repoussa avec perte de leur commandant; mais voyant la supériorité de leurs forces et n'ayant point d'autre intérêt dans la place que ses marchandises, la rendit à condition qu'il emporterait tout ce qui lui appartenait.

Cependant M. Denis, étant retourné à Chedabouctou, où il vivait en bonne intelligence avec les Anglais, ne tarda pas à être attaqué par ses propres compatriotes. Un nommé de la Giraudière obtint, sous de faux prétextes, de la compagnie de la Nouvelle-France la concession de Canceau. Ce nouveau prétendant commença par s'emparer d'un des navires de Denis et de son comptoir du Cap-Breton; puis il vint l'investir dans son fort. Cela fut pour ce dernier la cause d'un procès dont les frais et les pertes occasionnées par la suspension de son commerce, se montèrent à 15,000 écus. Un incendie qui dévora tout son établissement peu après, acheva de le ruiner. Il s'éloigna pour toujours de l'Acadie pour laquelle sa retraite fut une véritable perte. Il y avait formé plusieurs pêcheries, ouvert des chantiers de bois de construction dont il exportait en Europe des quantités considérables, et établi des comptoirs pour la traite des pelleteries.

La Tour, mécontent du gouvernement, se mit sous la protection de l'Angleterre dès qu'elle fut maîtresse du pays, et en obtint de Cromwell la concession conjointement avec le chevalier Thomas Temple et William Crown, en 1656. Temple acheta ensuite la part du premier et dépensa plus de 16,000 livres sterling pour réédifier des forts, &c., dans cette province, qui fut cependant rendue à la France onze ans après, en 1667, par le traité de Bréda.

Malgré les représentations et les prières de ses habitans, l'Acadie avait été négligée, oubliée de tout temps par la mère-patrie. Maîtresse de la plupart des côtes nombreuses qui avoisinaient les lieux où se faisait la pêche, celle-ci s'était persuadée qu'elle ne lui serait pas de sitôt d'une grande nécessité. Aussi froide et moins fertile que le Canada, et beaucoup plus exposée que lui aux attaques de l'ennemi, cette péninsule ne lui paraissait de quelque prix que par sa situation géographique à l'entrée de la vallée du St.-Laurent, et par l'usage qu'elle en pourrait faire dans l'avenir comme station navale pour laquelle elle est en effet admirablement adaptée, afin d'observer les mers du nord-est de l'Amérique. En ayant donc ajourné indéfiniment l'établissement, depuis Henri IV cette métropole avait daigné à peine y jeter les yeux. L'usurpation de son autorité, la guerre civile, la trahison des traitans, elle souffrait tout; tour à tour ces derniers appelaient l'ennemi dans cette contrée sans défense qui devenait toujours la proie du premier envahisseur.

Le commerce des fourrures et la pêche étaient les seuls appâts qui y attirassent les Français. Les traitans, fidèles au système qu'ils ont suivi dans tous les temps et dans tous les lieux où ils ont été, faisaient tous leurs efforts pour entraver les établissemens et décourager les colons. Charnisé, craignant qu'on n'éloignât la chasse et qu'on ne lui fit concurrence dans son négoce, ne fit passer personne en Acadie, et emmena les habitans de la Hève à Port-Royal, où il les tint comme en esclavage, ne leur laissant faire aucun profit, et maltraitant ceux qu'il croyait capables de favoriser l'établissement du pays par leur exemple (*Denis*).

Ainsi cette province déjà dépréciée dans l'opinion publique, et victime de gens qui, dans leur folle et coupable ambition, finirent par se ruiner eux-mêmes et par ruiner le peu de laboureurs qui cultivaient le sol à l'ombre de leurs forts, ne pouvait prendre d'essor ni entrer dans une voie progressive. Lorsque le grand Colbert prit le timon des affaires coloniales, il y arrêta un moment ses regards. Mais les possessions françaises étaient d'une trop grande étendue en Amérique, et l'émigration trop faible pour peupler diverses contrées à la fois; il préféra acheminer les colons sur le Canada seul. L'Acadie se trouva ainsi abandonnée à elle-même, Colbert se contentant de la protéger contre l'agression étrangère.

CHAPITRE III

GOUVERNEMENT CIVIL DU CANADA

1663.

Le chevalier de Mésy, major de la citadelle de Caen en Normandie, fut nommé pour remplacer le baron d'Avaugour; et il fut chargé de l'inauguration du nouveau système de gouvernement auquel on a fait allusion dans le dernier chapitre. Il avait été désigné par M. de Pétrée au choix du roi qui avait poussé la complaisance jusqu'à ce point, afin d'assurer autant qu'il était en lui l'harmonie en Canada, en y envoyant un homme du goût de l'évêque, et dont les principes et les sentimens s'accordassent avec les siens.

Peu de gouverneurs ont dû leur élévation aux motifs qui ont déterminé celle de M. de Mésy. Ayant mené autrefois une vie fort dissipée, rien ne le recommandait à l'attention du prélat qu'une conversion éclatante, et une humilité singulière qui lui faisait rendre aux pauvres les services les plus humbles, jusqu'à les porter sur ses épaules dans les rues d'une grande ville (*Histoire de l'Hôtel-Dieu*). Ces qualités étaient, il faut l'avouer, un titre nouveau pour recommander un candidat au gouvernement d'une province! Comme il était chargé de dettes, le roi lui accorda des gratifications considérables pour le libérer; et il partit avec son protecteur, qui crut emmener dans un homme si humble une créature docile et obéissante.

Le nouveau gouverneur trouva tout tranquille en arrivant à Québec, l'agitation causée par la question de la traite de l'eau de vie s'étant apaisée graduellement. L'une des premières choses dont il eut à s'occuper en prenant les rènes du gouvernement, ce fut de terminer les négociations commencées pour la paix avec les cantons iroquois qui avaient envoyé des ambassadeurs. Il développa dans cette affaire un caractère qu'on ne lui connaissait pas, et qui dut surprendre ceux qui comptaient sur sa faiblesse.

Il reçut avec beaucoup d'égards le chef qui lui présenta des colliers de la part de tous les cantons, excepté de celui d'Onneyouth; mais il lui répondit que l'histoire du passé lui faisait une loi de ne plus compter sur eux; que les Iroquois ne se faisaient aucun scrupule de violer la foi jurée, et il donna à entendre qu'il était décidé à se défaire une bonne foi d'ennemis avec lesquels il n'y avait pas de paix possible. Après une réponse aussi menaçante, l'envoyé indien reprit le chemin de son pays, effrayé des préparatifs que l'on faisait pour la guerre.

En effet, M. de Mésy était arrivé non seulement avec des gens de robe et des familles qui venaient pour s'établir dans le pays; mais il avait emmené avec lui des troupes et quantité d'officiers militaires; et d'autres secours de la même nature l'avaient encore suivi peu de temps après. Tout ce mouvement et les espérances que l'on commençait à concevoir en Canada (où l'on en forme toujours si vite), et que l'on ne cachait pas, remplirent d'étonnement et de crainte ces Sauvages chez lesquels ces nouvelles arrivaient grossies par l'exagération.

L'établissement rapide du pays occupait l'attention du grand Colbert. Il avait résolu d'y faire passer trois cents personnes tous les ans; et d'engager chez les anciens habitans celles d'entre elles qui ne seraient pas au fait de l'agriculture, afin de leur faire servir un apprentissage de trois ans, au bout desquels il leur serait distribué des terres dans les seigneuries.

Dès cette même année, 1663, trois cents colons furent embarqués à la Rochelle; mais 75 ayant été laissés à Terreneuve, et une soixantaine étant morts dans la traversée, il n'en débarqua que 159 à Québec entre lesquels il y avait plusieurs filles. La plupart étaient «des jeunes gens, clercs, écoliers ou de cette classe dont la meilleure partie n'avait jamais travaillé». Il en mourut encore à terre; mais ceux qui survécurent, pleins de coeur et de courage, s'accoutumèrent en assez peu de temps à la vie rude et laborieuse qu'ils avaient embrassée et devinrent des cultivateurs utiles et intelligens.

Les deux lettres adressées au roi et à Colbert par le conseil souverain en 1664, d'où nous tirons ces détails, demandaient néanmoins des hommes habitués au travail comme étant plus solides et plus résistables dans ce climat. L'on voit par ces lettres que le pays produisait alors plus de blé qu'il ne lui en fallait pour sa subsistance, car on y priait le gouvernement d'envoyer de l'argent au lieu de vivres pour au moins la moitié de l'approvisionnement des troupes, afin d'introduire du numéraire dans le pays, dont l'absence se faisait sentir dans toutes les transactions, et nuisait gravement au commerce, surtout depuis la chute du prix du castor causée par l'irruption des laines de Moscovie sur les marchés de France et ailleurs, où elles avaient pris en partie la place de cette pelleterie.

La population du Canada était à cette époque de 2000 à 2500 âmes, dispersée sur différents points, depuis Tadoussac jusqu'à Montréal, dont 800 à Québec. L'on ignorerait de quelle manière s'étendaient les établissement sur les bords du St.-Laurent, si les concessions des seigneuries ne venaient à notre secours, et n'indiquaient comment l'immigration prenait place sur le sol. Quoiqu'elles n'aient pas toutes été établies immédiatement après leur octroi, ou défrichées avec la même rapidité, ces concessions peuvent aider à juger approximativement de l'extension progressive des habitations.

Pendant quelques années les colons restèrent à Québec ou dans le voisinage ; ensuite ils s'éloignèrent et commencèrent à défricher les seigneuries, dont 29 furent concédées par le roi jusqu'en 1663, savoir: 17 dans le district ou département de Québec, 6 dans celui des Trois-Rivières, et 6 dans celui de Montréal. Le premier fief dont les registres de ce pays fassent mention est celui de St.-Joseph, sur la rivière St.-Charles, lequel fut concédé en 1626 à Louis Hébert, sieur de l'Espinay . Le monarque faisait à ses officiers civils ou militaires, et à d'autres de ses sujets qu'il voulait récompenser ou enrichir, des concessions qui avaient depuis deux jusqu'à dix lieues en carré. Ces grands propriétaires hors d'état par la médiocrité de leur fortune, ou par leur peu d'aptitude à la culture, de mettre en valeur de si vastes possessions, furent comme forcés de les distribuer à des soldats vétérans où à d'autres colons pour une redevance perpétuelle.

«Chacun de ces vassaux recevait ordinairement 90 arpens de terre, et s'engageait à donner annuellement à son seigneur un ou deux sols par arpent, et un demi minot de blé pour la concession entière; il s'engageait à moudre à son moulin, et à lui céder pour droit de mouture la 14e. partie de la farine; il s'engageait à lui payer un douzième pour les lods et ventes, et restait soumis au droit de retrait» (Raynal). Quant aux lods et ventes, il est bon d'observer qu'il n'en devait point pour les héritages recueillis par lui en ligne directe.

La loi canadienne n'a considéré d'abord le seigneur que comme un fermier du gouvernement, chargé de distribuer des terres aux colons à des taux fixes. Cela est si vrai que sur son refus, l'intendant pouvait concéder la terre demandée, par un arrêt dont l'expédition était un titre authentique pour le censitaire. Depuis la conquête cependant, nos cours de justice se sont écartées de cette sage jurisprudence; et chose singulière, à mesure que nos institutions sont devenues plus libérales, ces mêmes cours sont devenues plus rigoureuses à l'égard du concessionnaire qu'elles ont livré sans protection à la cupidité des seigneurs.

Dans ce système de tenure emprunté à la féodalité, le roi est le seigneur suzerain de qui relèvent toutes les terres accordées à titre de *franc-aleu*, de *fief* et de seigneurie. Il n'y a que deux fiefs en franc-aleu en Canada, Charlesbourg et les Trois-Rivières. A chaque mutation à laquelle la vente ou la donation donne lieu, le seigneur suzerain a droit au quint, qui est le cinquième de la valeur du fief; mais l'acquéreur jouit d'une remise d'un tiers s'il le paie immédiatement. Lorsque le fief passe aux mains d'un héritier collatéral, il est soumis au droit de *relief*, qui est la valeur d'une année de son revenu. Il ne doit rien s'il descend en ligne directe. Le nouveau seigneur doit aussi à son suzerain la *foi* et *hommage* et *l'aveu* et *dénombrement*; c'est-à-dire, une description de tout ce qui est contenu en son fief. Les droits du seigneur sont ceux que nous avons déjà spécifiés en parlant du censitaire. Il possédait autrefois celui de haute, moyenne et basse justice, mais il a été aboli par la conquête.

Tel est en peu de mots le système de tenure foncière qui a été introduit dans ce pays par les Français, et qui existe encore dans les anciens établissemens. Dans les nouveaux formés par les Anglais, une tenure plus libre a été adoptée, dont nous parlerons en son lieu, remettant à alors à exposer nos observations sur les effets des deux systèmes pour la prospérité publique.

L'on a reproché aux Canadiens d'avoir mal formé leurs établissemens, et d'avoir placé leurs habitations à une telle distance les unes des autres qu'elles n'avaient point de communication; qu'elles étaient hors d'état de se secourir contre les attaques des Sauvages. L'on sait que le premier besoin du cultivateur est une communication facile pour transporter ses denrées au marché. Le St.-Laurent se trouva pour lui une route toute faite, sur les bords de laquelle le sol était en outre d'une extrême fertilité; les établissemens au lieu de s'étendre dans toutes les directions autour d'un centre commun, se disséminèrent naturellement le long de ce fleuve. L'expérience du reste a démontré qu'en général ce système était le meilleur, et que plus on a éparpillé les établissemens dans un vaste cercle, plus leurs progrès ont été rapides, parcequ'une fois les noyaux formés, ils grossissaient ensuite simultanément et en peu de temps: témoin les États-Unis où plusieurs provinces ont été fondées à la fois, et même le Bas-Canada, qui est de toutes les colonies commencées par Louis XIV et ses prédécesseurs, celle où l'on trouve la plus forte population française.

Depuis la fondation de Québec, les gouverneurs réunissaient, dans leurs mains non seulement l'administration politique et militaire, mais encore la judiciaire avec les seigneurs qui avaient droit de justice dans leurs domaines. Ne pouvant tout faire par eux-mêmes, ils employèrent des députés, et, dans les matières civiles, le ministère des prêtres et des Jésuites, comme on l'a dit ailleurs. Mais «si d'un côté la volonté du chef ou de ses lieutenans était un oracle qu'on ne pouvait même interpréter, un décret terrible qu'il fallait subir sans examen, s'il tenait dans ses mains les grâces et les peines, les récompenses et les destitutions, le droit d'emprisonner sans ombre de délit, le droit plus redoutable encore de faire révérer comme des actes de justice, toutes les irrégularités de son caprice»; de l'autre, les contestations furent rares pendant longtemps. Dans la généralité des cas, la justice s'exerçait par la voie d'amiables compositeurs que se choisissaient les parties; et ce n'était que lorsque ce moyen n'avait pas réussi, qu'on avait recours au gouverneur et à son conseil, dont les arrêts paraissent avoir été dictés, très en général, par le bon sens et l'équité naturelle plutôt que par les lois. Le célèbre baron d'Avaugour s'était acquis une grande réputation de sagesse en ce genre, fait qui détruit ce que ses ennemis ont dit de sa violence et de ses préjugés, et qui confirme l'idée favorable que les résultats de son administration nous donnent de ses talents.

Au reste, les colons, quoique de race normande pour la plupart, n'avaient nullement l'esprit processif et aimaient mieux pour l'ordinaire céder quelque chose de leur bon droit que de perdre le temps à plaider. Il semblait même que tous les biens fussent communs dans cette colonie: du moins on fut assez longtemps sans rien fermer sous la clef, et il était inouï qu'on en abusât. Vers 1639, fut nommé, l'on ne sait à quel propos, un grand sénéchal pour la Nouvelle-France, dont ressortissait la juridiction des Trois-Rivières. Cette espèce de magistrat d'épée était subordonné dans ses fonctions aux gouverneurs généraux.

Dans les affaires importantes, politiques ou autres, ceux-ci, d'après les termes de leur commission, étaient tenus de prendre l'avis de «gens prudents et capables». Dans les derniers temps, ce conseil se composait du grand sénéchal, de l'évêque, ou supérieur des Jésuites, et de quelques habitans notables, qui recevaient le titre de conseillers. Mais ce conseil ne durait qu'autant que le gouverneur le voulait bien; il pouvait le dissoudre ou le changer à volonté, et rien ne l'obligeait à en suivre les décisions. Le baron d'Avaugour usa de ce droit plus qu'aucun autre. Mécontent de la manière dont les affaires se conduisaient dans la colonie, il le changea entièrement en 1662. L'on pouvait appeler de ce conseil au parlement de Rouen, qui jugeait en dernier ressort. Cependant l'union qui avait régné entre les premiers habitans ne pouvait pas toujours durer; elle diminuait effectivement peu à peu à mesure que la colonie augmentait et que les affaires se multipliaient et devenaient plus difficiles. Les plaideurs se montraient plus artificieux et moins traitables, les recours au parlement de Rouen jetaient dans des frais immenses et des longueurs infinies (*Mémoires sur M. de Laval*). On saisit l'occasion que le Canada retombait entre les mains du roi, pour guérir un mal qui ne pouvait aller qu'en augmentant, et pour substituer à un système devenu insuffisant, un autre plus conforme aux besoins et aux circonstances du pays, et qui eût du moins pour lui l'avantage d'être appuyé sur un code de lois positives et connues, la plus forte et la plus constante protection des citoyens. Les inconvéniens de l'ancien système, paraissaient d'autant plus graves que le clergé prenait part aux affaires temporelles et à l'administration de la justice. Bien des gens étaient convaincus que les secrets du confessionnal devaient influer sur la conduite des ecclésiastiques vis-à-vis des justiciables qui tombaient dans leur disgrâce, et qu'ils ne pouvaient se soustraire à cette juridiction antique de l'Eglise qui juge et doit juger de l'acte par l'intention, et confond l'absolution avec la réhabilitation politique. Ainsi ces juges, au moyen de leur double tribunal, étaient selon eux, revêtus de deux pouvoirs redoutables qui s'aidaient l'un l'autre, et qui devaient causer un juste effroi aux habitans . Pourrait-on concevoir, en effet, rien de plus exorbitant que la réunion de deux pouvoirs aussi essentiellement absolus que l'étaient alors le gouvernement politique et le gouvernement religieux du Canada, tous deux commandant la soumission la plus illimitée, l'un par la force et l'autre par la foi. Il n'en fallait pas tant pour exciter les soupçons du peuple. Mais heureusement que ce système était vu par la cour elle-même avec suspicion, et qu'elle n'attendait que le développement de la colonie et une occasion favorable pour y mettre fin; ce qui faisait que l'autorité de ceux qui étaient ainsi préposés pour rendre la justice n'étant pas avouée universellement, les jugemens qui intervenaient, demeuraient le plus souvent sans exécution.

Colbert avait envoyé avec M. de Mésy un commissaire royal, M. Gaudais, pour examiner l'état du pays touchant sa situation géographique, son climat, sa fertilité, sa population, ses moyens de défense contre les Iroquois, son commerce, &c, et lui eu faire rapport, ainsi que de la manière dont serait reçu par les habitans l'établissement de la haute cour dont on va parler tout à l'heure. Ce grand ministre faisait chercher dans toutes les parties du monde des renseignemens qui pussent être avantageux pour la France et ses colonies sous le rapport du commerce.

Après avoir repris le Canada entre ses mains, Louis XIV commença par y établir un gouvernement royal, et ensuite une cour supérieure , sous le nom de «Conseil souverain de Québec,» pour y tenir à peu près la place que tenait le Parlement à Paris, et auquel fut déféré le règlement suprême de toutes les affaires de la colonie tant administratives que judiciaires. Ce conseil qui jouissait des mêmes droits que les cours souveraines en France, et qui devait enregistrer, sur l'ordre du roi seulement, tous les édits, ordonnances, déclarations, lettres patentes &c., pour leur donner force de loi, ou un caractère d'authenticité, fut d'abord composé du gouverneur, de l'évêque, de cinq conseillers *nommés par eux conjointement* et annuellement, et d'un procureur du roi; et revêtu du droit de connaître de toutes les causes civiles et criminelles et d'y juger souverainement et en dernier ressort selon les lois et ordonnances du royaume de France, et les formes suivies dans les cours de parlement. L'intendant n'est pas nommé dans cette première liste, parceque M. Robert, conseiller d'état, qui avait été pourvu de cette nouvelle charge, ne vint point en Canada. Ce n'est que deux ans après que Talon, l'un des plus habiles administrateurs qu'ait eus ce pays, débarqua à Québec revêtu du même emploi et prit place au conseil. Ce fonctionnaire avait des pouvoirs très-étendus; ils embrassaient l'administration civile, la police, la voierie, grande et petite, les finances et la marine. Il n'est pas étonnant qu'il ait exercé une influence si considérable sur le sort de la colonie, en bien ou en mal, selon les qualités et les talens dont il était doué.

Dans la suite, le nombre des conseillers fut porté jusqu'à douze; et en 1675 l'intendant en devint président par droit d'office. Il y fut ajouté aussi un conseiller-clerc, et des conseillers-assesseurs qui avaient voix délibérative dans les procès dont ils étaient nommés rapporteurs, et consultative seulement dans les autres affaires.

Le conseil siégeait tous les lundis au palais de l'intendant. Le gouverneur, placé à la tête de la table, avait l'évêque à sa droite et l'intendant à sa gauche tous trois sur une même ligne. Le procureur général donnait ses conclusions assis. Les conseillers se plaçaient selon leur ordre de réception. Il n'y avait pas d'avocats; les procureurs et les parties plaidaient leurs causes debout derrière les chaises des juges. La justice s'y rendait gratuitement. Les officiers n'avaient point d'habits particuliers, mais siégeaient avec l'épée. Il fallait au moins cinq juges dans les causes civiles. Ce tribunal ne jugeait qu'en appel.

La disposition des deniers publics lui fut aussi laissée, ainsi que le règlement du commerce intérieur; mais ce droit fut presqu'anéanti l'année suivante par l'établissement de la compagnie des Indes occidentales, pour reprendre sa force néanmoins après l'extinction de cette compagnie.

Il eut encore le droit d'établir à Montréal, aux Trois-Rivières et dans tous les autres lieux où cela serait nécessaire, des justices particulières et subalternes, pour juger en première instance et d'une manière sommaire.

Deux autres institutions que le pays dut peut-être au génie de Colbert, mais dont le principe ne lui profita pas, furent celle des commissaires pour juger les petites causes; et celle des *syndics des habitations*. Ces commissaires étaient les cinq conseillers dont il est parlé plus haut; et un de leurs devoirs consistait à tenir la main à l'exécution des choses jugées au conseil souverain, et de prendre une connaissance plus particulière des affaires qui devaient y être proposées en y *rapportant celles dont ils étaient chargés de la part des syndics des habitations*.

Les syndics des habitations étaient une espèce d'officiers municipaux élus pour la conservation des droits «de la communauté et intérêts publics». Ces officiers avaient déjà existé; mais le gouverneur les avait supprimés de sa propre autorité vers 1661. Sur la réquisition du procureur général, le conseil convoqua deux ans après les citoyens pour procéder à l'élection d'un maire et de deux échevins. Les habitans les plus considérables de Québec et de la banlieue s'étant assemblés, choisirent Jean Baptiste Legardeur, écuyer, sieur de Repentigny pour remplir la première charge, et Jean Madry et Claude Charron les deux secondes. Le conseil accepta néanmoins dans la même année la résignation de ces officiers, et statua que, vu la *petitesse de l'étendue du pays en déserts et nombre de peuple*, il serait plus à propos de se contenter d'un seul syndic, dont il ordonna sur le champ la nomination.

Une assemblée publique eut lieu dans le mois d'août 1664, et Claude Charron fut élu à la pluralité des voix . Cependant cette élection fut encore mise à néant par le conseil sous prétexte que la nomination avait mal satisfait le peuple, et le syndic élu ayant été prié de résigner, remit sa charge. Une nouvelle assemblée publique fut convoquée; mais le parti de l'évêque, que le registre du conseil appelle une cabale, intimida le peuple au point qu'elle fut peu nombreuse et n'adopta aucune résolution. Le gouverneur en convoqua une autre par des billets adressés aux personnes *non suspectes*. L'élection se fit en sa présence. M. de Charny, prêtre de la Ferté son beau-frère, et d'Auteuil, s'y opposèrent vainement et protestèrent.

A cette opposition d'une partie de son conseil, le gouverneur proposa à M. de Pétrée d'en changer les membres; mais le prélat s'y refusa constamment, comme on devait s'y attendre. A partir de ce moment l'on n'entend plus parler de municipalités en Canada; mais la charge de syndic continua de subsister encore. Nous nous sommes étendus sur cette importante institution, parceque c'est la seule élective qui fut établie dans ce pays. Le germe de liberté qu'elle renfermait lui suscita toutes sortes d'obstacles, et l'on est fâché de voir que M. de Pétrée était du nombre de ses ennemis; du moins c'est de la part de son parti qu'elle rencontra toutes les entraves dont nous venons de parler.

Il est digne de remarque que l'ordonnance ne parle point de l'impôt. La métropole fut-elle arrêtée par le principe, consacré en France comme en Angleterre, que la taxe doit être consentie par le peuple, ou par le souverain lorsqu'il est le seul dépositaire de la puissance publique? Nul doute ne peut exister à cet égard. Louis XIV en disant, l'Etat c'est moi, n'avait pas prononcé un vain mot; et il en exerça tous les pouvoirs sous ce rapport en Canada, au conseil duquel il ne délégua jamais le droit de taxer. Lorsqu'il fut question de fortifier Montréal vers 1716, il imposa lui-même une contribution de 6000 livres sur les habitans de cette ville, dont personne ne fut exempt, pas même les nobles. Deux milles livres furent payées par le séminaire de St.-Sulpice, comme seigneur du lieu, et le reste par les autres communautés religieuses et par les habitans. Ce précédent servit de règle dans la suite pour subvenir à des dépenses spéciales; car le Canada ne fut jamais imposé d'une manière générale et permanente sous le gouvernement français.

Ce grand principe fut toujours maintenu par les rois de France, et ils ne voulurent point s'en départir pour aucune considération que ce fût. «Les gouverneurs et intendans n'ont pas le pouvoir, dit l'ordre de Louis XV de 1742, de faire des impositions; c'est un droit de souveraineté que sa Majesté ne communique à personne; il n'est pas même permis aux habitans des colonies de s'imposer eux-mêmes, sans y être autorisés». D'un autre côté les rois de France ont dans tous les temps déclaré et fait abandonner, pour l'entretien des colonies, les revenus de leurs domaines situés dans ces mêmes possessions.

L'ordonnance garde aussi le silence sur les justices seigneuriales; mais en 1679, Louis XIV rendit un édit, par lequel il ordonna que les appellations des justices seigneuriales ressortiraient des cours royales ou du conseil souverain. Toutes les seigneuries à peu d'exceptions près possédaient le droit redoutable de haute, moyenne et basse justice, qui s'acquérait par une concession expresse du roi, (Cugnet) et qui en rendait pour ainsi dire les propriétaires maîtres de la vie et de la fortune de leurs censitaires, quoique les juges seigneuriaux et les officiers de leurs cours eussent besoin d'être approuvés par la justice royale, qui leur faisait prêter serment de remplir fidèlement leur devoir. La plupart des seigneurs qui avaient ce droit ne l'exerçaient pas cependant, parcequ'ils ne voulaient pas, ou ne pouvaient pas, subvenir aux frais d'un établissement judiciaire, comme d'une maison de justice, d'une prison, d'un juge, &c.; car, pour mettre un frein aux dangers de ce système, un arrêt du conseil souverain de 1664 avait défendu aux juges subalternes et procureurs fiscaux de prendre aucun salaire ni émolumens sur peine d'être traités comme concussionnaires, sauf à eux à se faire donner des appointemens par ceux qui les avaient pourvus de leurs charges. A. ces cours seigneuriales appartenait la connaissance de toute espèce d'offenses, excepté le crime de lèse-majesté divine et humaine, fausse monnaie, port d'armes, assemblées illicites et assassinats: exception qui laissait certes encore une autorité dangereuse, exorbitante à des sujets; néanmoins la vérité historique oblige de dire, que ce système, qui n'a été mis en pratique que partiellement, ne paraît avoir excité aucune plainte ni fait naître aucun abus sérieux; surveillées d'un oeil jaloux par l'autorité royale, ces cours n'ont laissé dans l'esprit des habitans ni dans la tradition aucun de ces souvenirs haineux qui rappellent une ancienne tyrannie.

En 1664, la même ordonnance qui établit la compagnie des Indes occidentales, érigea Québec en prévôté, et introduisit la coutume de Paris, avec défense d'en invoquer d'autre pour éviter la diversité. La tentative que la compagnie des cent associés avait faite d'établir celle du Vexin-le-Français fit probablement motiver cette déclaration. Lors de la suppression de la compagnie, le siége de la prévôté fut éteint; mais il fut rétabli par l'édit royal rendu en 1677. Ce tribunal, qui exista jusqu'à la conquête, connaissait en première instance de toutes matières tant civiles que criminelles, et en appel relevait du conseil souverain. Il se composait d'un lieutenant général civil et criminel, d'un lieutenant particulier, d'un procureur du roi et d'un greffier.

C'est en 1717 que fut établi la première cour d'amirauté dont le juge portait aussi le nom de lieutenant général, selon l'usage militaire français.

Les justices particulières et subalternes de Montréal et des Trois-Rivières, distinguées par le nom de juridictions royales, étaient des cours civiles et criminelles, organisées de la même manière que celle de la prévôté, excepté qu'il n'y avait point de lieutenant particulier aux Trois-Rivières. Toutes ces cours tenaient audience deux fois par semaine, outre les audiences extraordinaires.

L'intendant, comme chef de la justice et de la police, tenait aussi une cour pour les affaires civiles, criminelles et de police; il prenait connaissance de toutes les matières qui concernaient le roi, ou des difficultés qui s'élevaient entre le seigneur et le censitaire. Il nommait des subdélégués qui décidaient sommairement les petites affaires, depuis vingt sous jusqu'à cent francs; et l'on pouvait appeler de leurs décisions à lui-même. Il n'y avait point de frais de procédures dans la cour de ce grand fonctionnaire, qui jugeait aussi les affaires de commerce, et faisait en Canada les fonctions de juge-consul. Il y avait appel de ses arrêts, comme de ceux du conseil souverain, au conseil d'état à Paris.

Tel est le système judiciaire qui a existé en ce pays jusqu'en 1760. La justice y était administrée en général d'une manière impartiale et éclairée, et surtout à bon marché. La jurisprudence, appuyée sur les bases solides introduites par la célèbre ordonnance de 1667, n'était point soumise à ces variations, à ces contradictions, qui ont fait tomber depuis l'administration de la justice dans l'incertitude et le discrédit. L'on n'y voyait point, comme aujourd'hui, deux codes en lutte partager les tribunaux et les plaideurs, selon que l'un ou l'autre se montre plus favorable à leurs avis ou à leurs prétentions, deux codes d'autant plus différens d'ailleurs que l'un est formel, stable, positif, et l'autre facultatif, vague et mobile comme les passions des temps et les lumières des juges sur les décisions desquels il est fondé .

L'administration de la justice ayant été ainsi confiée à des tribunaux réguliers, obligés de suivre un code de lois écrites, le pays n'eut plus rien à désirer raisonnablement sous ce rapport; il se trouva aussi bien pourvu que la plupart des provinces de France.

La partie administrative du gouvernement fut abandonnée à l'intendant dont nous avons énuméré plus haut les diverses fonctions, qui embrassaient même l'administration militaire. Cette nouvelle distribution de l'autorité, dont avaient joui sans partage jusqu'alors les gouverneurs, leur aurait laissé réellement peu de pouvoir si le pays eût été dans d'autres circonstances, et si les élémens de la population ne leur eussent permis d'exercer une influence toute-puissante sur elle. Elle était encore trop faible et trop pauvre pour faire, lorsque l'occasion s'en présentait, de l'opposition à aucun des pouvoirs publics quelqu'inférieurs qu'ils fussent avec aucune chance de succès; car la puissance de la métropole, toujours prête à les soutenir, était constamment en face d'elle dans la personne du gouverneur, comme dans celle du dernier huissier d'un tribunal subalterne, j'ajouterai même comme dans celle de ses partisans.

En effet, les gouverneurs ne conservaient qu'une espèce de droit de *veto* sur certaines mesures civiles, le commandement militaire et la gestion des affaires extérieures, comme l'entretien des relations avec les autres gouvernemens coloniaux, soit qu'ils relevassent de celui de Québec ou non, avec les nations indiennes, et enfin avec la métropole; encore l'intendant partageait-il cette dernière partie de ses fonctions; et le gouverneur avait-il quelquefois le désagrément de voir adopter les recommandations de cet officier secondaire et rejeter les siennes.

Dans ce partage des pouvoirs publics le peuple n'eut rien. L'on crut faire une grande faveur aux habitans de Québec en leur permettant d'élire un syndic pour représenter et soutenir leurs intérêts auprès du conseil souverain; c'était tout ce qu'on avait pu introduire dans le pays des institutions municipales de France; et ce fragile scion ne tarda pas à périr.

L'on peut dire en résumé que le gouvernement résidait dans le gouverneur, l'intendant et le conseil souverain, tous à la nomination directe du roi; et que les habitans du Canada n'avaient, pour garantie de sa bonne conduite, que l'honnêteté et les talens de ceux qui le composaient; il n'y avait pas l'ombre de responsabilité à ceux pour lesquels il était institué, c'est-à-dire, au peuple. Le gouvernement politique était simple comme tous les gouvernemens absolus; aucun rouage compliqué n'en embarrassait la marche, ni n'opposait d'obstacles bien sérieux aux hommes chargés de le faire fonctionner, soit qu'ils voulussent abuser de leur position pour satisfaire leurs passions ou leurs intérêts, soit qu'ils désirassent en profiter pour travailler à l'avancement du pays.

L'on ne devait pas attendre non plus de Louis XIV, du monarque le plus absolu qui ait régné sur la France, des institutions qui portassent en elles-mêmes seulement le germe d'une liberté fort éloignée. Tandis qu'il arrachait à la mère-patrie les derniers privilèges qu'elle avait conservés jusque-là, il n'était pas probable qu'il suivît une conduite contraire pour des possessions dont il craignait l'esprit de liberté, tellement qu'à la fin de son règne, lorsqu'il ne gouvernait plus que du fond du cabinet de madame de Maintenon, il voulut que le nom du conseil souverain fût changé en celui de conseil supérieur, afin d'ôter toute idée d'indépendance, en écartant jusqu'au terme de souveraineté dans un pays éloigné, où les révoltes auraient été si faciles à former, et si difficiles à détruire. Ce sont dans les mêmes vues qu'on n'a choisi pendant longtemps pour les premières places que des gens nés en France, et dont les familles fussent une espèce d'otage de leur fidélité. On ne mettait aussi dans les secondes, non plus que dans le clergé, que peu de Canadiens. On devint néanmoins plus facile dans la suite, et l'on ne se fit plus scrupule de leur donner les premières charges comme on le verra dans le cours de cette histoire, lorsqu'ils en avaient l'aptitude.

Le conseil souverain formé de cinq, puis de douze membres, nommés tous les ans par le gouverneur et l'évêque en vertu des pouvoirs à eux délégués par le roi, ne pouvait être composé naturellement que de leurs créatures.

Tant que M. de Pétrée balança l'autorité et le pouvoir des gouverneurs, il y eut une opposition dans le conseil, qui se trouva partagé en deux partis; mais aucun de ces partis n'était réellement un parti populaire, quoique l'un ou l'autre s'appuyât alternativement de l'opinion publique. Lorsque le prélat eut perdu son influence à la cour, le conseil devint entièrement la créature du représentant du roi, qui ne rencontra plus d'obstacle sérieux dans l'exécution de ses volontés et des ordres de la métropole. Si, dans quelques rares occasions, ce corps osa différer d'opinion d'avec son chef sur quelque point important, l'on peut dire presqu'avec certitude que ce dernier attaquait l'intérêt de l'oligarchie, espèce de caste privilégiée qui s'implante dans toutes les colonies qu'elle exploite et gouverne, et à laquelle ce pays doit principalement le résultat de la guerre de 1755, et les troubles qui ont de nos jours ensanglanté ses rives paisibles, sur lesquelles ne s'était encore jamais élevé un murmure désaffectionné ou révolutionnaire, quoiqu'il comptât deux siècles et demi d'existence coloniale. Alors le gouverneur circonvenu, paralysé par l'insurrection générale des hommes qui remplissaient tous les emplois, occupaient toutes les avenues, et dont les ramifications et l'influence s'étendaient jusqu'à Versailles, le gouverneur, dis-je, ainsi enveloppé devait céder nécessairement à l'orage. Mais, comme on l'a dit, cette opposition était un événement insolite, extraordinaire. Le corps d'où elle partait, trop éclairé sur ses intérêts pour abuser de sa force, ne l'exerçait que pour sa défense. Hors ce cas il se montrait constamment soumis et dévoué à la volonté des chefs envoyés par la métropole. Ainsi l'on peut donc dire que ceux-ci régnaient sans apposition et d'une manière absolue en Canada.

CHAPITRE IV

GOUVERNEMENT ECCLÉSIASTIQUE DU CANADA

1663.

Le Canada fut dans l'origine un pays de missions, desservi d'abord par les Franciscains (Récollets) qui y vinrent vers 1615, ensuite par les Jésuites, enfin par un clergé séculier ayant pour chef un évêque. Ce pays, ayant été mis, pour le civil, par les lettres patentes du roi de 1629 sous la juridiction du parlement de Rouen, l'archevêque de cette ville le regarda comme une dépendance de son diocèse, et y exerça les pouvoirs épiscopaux; pouvoirs cependant qui lui furent contestés plus tard comme on le verra tout à l'heure. Les Jésuites vinrent en Canada en 1633, en qualité de vicaires de l'archevêque, et y furent les seuls missionnaires jusqu'à l'arrivée de M. de Pétrée en 1659. Les Récollets et les Jésuites recevaient les ordres de leurs supérieurs respectifs revêtus à cet effet de l'autorité nécessaire; et les arrondissemens qu'ils desservaient se nommaient missions; mais à mesure que la population y augmenta, et qu'il s'y éleva des églises, elles prirent par le fait le nom de paroisses et de cures, et ce nom fut ensuite consacré par l'usage et par les actes publics.

Le Canada fut érigé par le pape en vicariat apostolique en 1657, et en évêché sous le nom de Québec quelques années après; et, afin d'en mettre les titulaires en état de se maintenir suivant leur rang, eux et le chapitre institué pour leur servir de conseil, le roi les dota d'abord des deux menses abbatiales de Maubec; et ensuite, à la sollicitation de M. de St.-Vallier, second évêque de Québec, du revenu de l'abbaye de Bénévent. Ces dotations sont depuis longtemps éteintes.

Le premier évêque du Canada fut François de Laval, abbé de Montigny, appartenant à l'une des plus illustres maisons de France, celle des Montmorenci. Il faut attribuer principalement à la hauteur de son sang, l'influence considérable que ce prélat exerça dans les affaires de la province, faisant et défaisant les gouverneurs à son gré, et selon ce qu'il concevait être l'intérêt de son siége, quoique ce ne fût pas toujours celui de la colonie. Il était doué de beaucoup de talens et d'une grande activité; mais son esprit était absolu et dominateur; il voulait faire plier tout à ses volontés. Le zèle religieux confirma encore chez lui ce penchant, qui sur un petit théâtre dégénéra souvent en querelles avec les hommes publics, les communautés religieuses, et même avec les particuliers. Il s'était persuadé qu'il ne pouvait errer dans ses jugemens, s'il agissait dans l'intérêt de l'Eglise. Cette idée lui fit entreprendre les choses qui auraient paru les plus exorbitantes en Europe. En montant sur son siége épiscopal, il travailla à faire de tout son clergé une milice passive, obéissant à son chef comme les Jésuites à leur général. Il voulut même rendre le pouvoir civil l'instrument de ses desseins, ou le désarmer, en lui faisant décréter l'amovibilité des cures et le payement des dîmes à son séminaire. Mais cette entreprise était trop vaste pour ses forces, et il échoua; il trouva des ennemis invincibles dans les gouverneurs, tous plus ou moins jaloux de l'influence qu'il possédait déjà. Du reste, M. de Pétrée menait une vie austère et veillait avec une sollicitude vigilante au soin de son diocèse.

Il fut sacré évêque par le nonce du pape sous le nom titulaire de Pétrée in *partibus infidelium*; et muni d'un bref de vicaire apostolique avant son départ pour la colonie. Lors de la création du diocèse de Québec, en 1670, il en fut nommé évêque suffragant de Rome par une bulle de Clément X; mais cette bulle ne fut expédiée de la chancellerie de sa Sainteté qu'en 1674.

Sa nomination fit naître une foule de difficultés. Le choix des vicaires apostoliques chez les idolâtres appartenant au pape, la cour de Rome ne voulut pas assujettir l'évêque de Québec à la nomination du roi, ni le soumettre à la prestation du serment, quoique le Canada fût une colonie française, qu'une partie de ses habitans fussent des Français, et que la plupart des peuples indigènes, d'après le droit public du temps, dussent être considérés comme des sujets de la couronne de France. Après bien des pourparlers, le St.-Siége consentit à abandonner une partie de ses prétentions, en admettant le serment; mais il persista obstinément dans la résolution de faire dépendre l'Eglise de la colonie immédiatement de Rome, et il y réussit malgré les arrêts des Parlemens de Paris et de Rouen et les voeux du roi! Il est singulier de voir le St.-Siége soutenir le principe que le roi n'a pas les mêmes pouvoirs, quant à ce qui concerne le religieux, dans ses possessions d'outre-mer que dans le reste de ses Etats, et que les libertés de l'église de la mère-patrie ne s'étendent point jusqu'à ses colonies. En cherchant à se soustraire ainsi au contrôle des monarques français, Rome devait affaiblir l'autorité royale sur les colons, et montrait du moins qu'en tout ces colons n'avaient point des droits identiques à ceux de leurs compatriotes de la mère-patrie relativement à leur commun souverain; l'on pouvait dire même que c'était un petit pas de fait vers la liberté; et que l'histoire de l'Europe fournit de nombreux exemples de ce genre. Cependant cela n'influa en rien dans le pays sous ce rapport. La cour de Rome, de tout temps trop habile pour laisser prêcher des doctrines qui pourraient être retournées contre elle, pouvait facilement justifier aux yeux des peuples une mesure qu'elle considérait comme utile à l'Eglise. A cet égard l'Angleterre monarchique, toute protestante qu'elle est, n'a que des avantages à retirer du catholicisme dans les colonies qui lui restent sur ce continent républicain. Tant que le pape sera prince temporel, et surtout prince absolu, elle ne devra avoir rien à craindre, quoique d'ailleurs les doctrines dogmatiques de l'Eglise soient peut-être plus républicaines que monarchiques. La politique du pape en insistant pour que l'Eglise canadienne relevât de Rome, doit paraître aujourd'hui moins blâmable vu les révolutions et les changemens de maîtres auxquels sont exposées ces possessions lointaines. Le passage du Canada dans les mains des Anglais n'a entraîné aucune confusion dans ses affaires ecclésiastiques; le résultat aurait pu être différent si le diocèse de Québec eût relevé d'une église métropolitaine de France.

Le nouvel évêque éprouva encore de l'opposition de la part du métropolitain de Rouen, qui regardait l'établissement du vicariat comme un démembrement de son diocèse.

D'après l'usage, les missionnaires, partant pour des pays lointains, prenaient leurs pouvoirs de l'évêque du lieu de l'embarquement; et comme la plupart des partances pour le Canada étaient de Normandie, ceux qui s'en allaient évangéliser dans cette contrée s'adressaient à l'archevêque de Rouen, qui s'accoutuma à regarder insensiblement le Canada comme une partie de son diocèse. Les mêmes motifs avaient engagé le roi à mettre la jeune colonie sous la juridiction du parlement de Rouen, par lequel il fit même enregistrer en 1626 les lettres d'établissement de la compagnie des cent associés. Les pouvoirs qu'assumait ainsi l'archevêque n'avaient pas néanmoins toujours été reconnus; et l'on avait quelques années auparavant refusé de recevoir en Canada M. de Queylus comme son vicaire général. Il paraît que les évêques de Nantes et de la Rochelle avaient les mêmes prétentions que lui. Mais malgré l'appui qu'il reçut du Parlement de Rouen, qui de son côté commençait à craindre pour sa juridiction temporelle, et leur réunion au parlement de Paris dans leurs motifs d'opposition, le nouveau vicaire apostolique partit pour le Canada et commença à y exercer ses fonctions.

Le grand vicaire, M. de Queylus, qui avait brigué vainement la mitre de M. de Pétrée, plein de dépit ne voulut point le reconnaître . Il croyait avoir d'autant plus de droit au nouvel évêché qu'il venait de fonder le séminaire de St.-Sulpice de Montréal, en connexion avec le séminaire principal créé à Paris par M. Olier quelques années auparavant, et dont il relevait.

Persistant dans sa rébellion, une lettre de cachet fut obtenue pour le faire repasser en France; mais inutilement. Il fallut l'interdire en 1661, et toute résistance cessa dès-lors. Le gouvernement de l'Eglise passa après cela tranquillement des mains des Jésuites dans celles du clergé séculier (1659). L'évêque se mit aussitôt en frais d'organiser son clergé et de pourvoir à la desserte des cures et des missions qui manquaient de pasteurs.

Les cures étaient encore trop petites et trop pauvres pour subvenir à leurs dépenses; il fallut chercher ailleurs de quoi fournir à la subsistance des ministres; le roi voulut bien y contribuer lui-même. Lorsque M. de Pétrée passa en France à l'occasion de ses difficultés avec le baron d'Avaugour, il obtint de sa Majesté, afin de faire face aux demandes croissantes de la jeune Eglise, la permission d'ériger un séminaire à Québec pour y former des ecclésiastiques, et d'y affecter pour toujours toutes les dîmes de quelque nature qu'elles fussent, *tant de ce qui naît par le travail des hommes que de ce que la terre produit d'elle-même*, dans toutes les circonscriptions paroissiales du pays, à condition qu'il pourvoirait à la subvention des prêtres nommés pour les desservir, lesquels seraient toujours amovibles et révocables au gré des évêques et du séminaire.

Ces dîmes furent fixées au treizième, proportion exorbitante qui souleva une opposition générale dans la colonie. Cette taxe n'exista que quatre ans. Le conseil souverain prit sur lui, en 1667, de réduire les dîmes au vingt-sixième, et d'en affranchir les terres nouvellement défrichées pendant cinq années; mais alors elles devaient se payer en grain et non en gerbes. Cet arrêt, confirmé par l'édit de 1679, a toujours depuis fait partie de notre droit, malgré l'opposition de ceux qui soutiennent cette prétention, qui doit sonner si mal aux oreilles d'un peuple libre, que l'imposition de la dîme est une matière purement spirituelle dont les lois civiles ne peuvent connaître.

M. de Pétrée n'avait eu que des motifs louables pour demander une pareille contribution, car l'on savait qu'il sacrifiait tout ce qu'il avait pour supporter son clergé; mais il s'était mépris sur les ressources des habitans, et sur l'effet désastreux qu'aurait pour eux une taxe qui absorberait d'un coup le treizième de tous les produits de la terre, ou 8 pour cent sur le revenu net du cultivateur.

Les Récollets profitant de cette espèce d'insurrection, offrirent pour se mettre plus en faveur auprès du peuple, de desservir les cures gratuitement; cet excès de zèle imprudent ne fit qu'augmenter l'éloignement que le clergé séculier avait déjà pour ces religieux, qui dans toutes les difficultés penchaient pour les laïques.

En vertu de l'approbation donnée par le roi à l'établissement du séminaire de Québec, l'évêque continua de déléguer, pour remplir les fonctions curiales dans les différentes paroisses du pays, des prêtres qu'il changeait ou révoquait à son gré. Son but en tenant ainsi le clergé sous sa main était, comme on l'a déjà dit, d'en faire une milice parfaitement soumise. Il voulait que sa maison fût la maison commune de tous les ecclésiastiques et le centre du temporel comme du spirituel de l'Eglise. En établissant cette espèce de gouvernement absolu, il espérait entretenir entre eux l'union et la dépendance, et maintenir les particuliers par les liens de la subordination. (Mémoires sur M. de Laval). Ce système qu'il voulait étendre jusque sur les laïques, qui se seraient trouvés ainsi enveloppés dans une vaste réseau invisible, se fermant ou s'ouvrant au mot d'ordre sorti du palais épiscopal, ce système, dis-je, qui devait embrasser aussi les communautés religieuses, ne put se réaliser à cause même de sa trop grande étendue; il suscita les jalousies de l'autorité politique et des habitans; et d'ailleurs il était contraire au droit commun de la France en cette matière. Les habitans et les curés, sujets français, avaient dû transporter en Canada les droits et les immunités dont ils jouissaient dans leur ancienne patrie: c'est là un principe reconnu de toutes les nations . Ils pouvaient donc exiger qu'on les fît jouir des avantages que leur qualité de Français leur aurait assuré dans leur pays natal, quoique le St.-Siége eût insisté pour que l'évêque de Québec relevât de la cour de Rome.

Les colons firent parvenir leurs plaintes à la cour, et certes le temps était favorable pour le faire. Elles arrivaient au moment où l'on combattait et restreignait les prétentions exagérées de la cour de Rome, et où Bossuet motivait ainsi les bases des libertés de l'Eglise de France: «Que le pape n'a d'autorité que dans les choses spirituelles, que dans ces choses mêmes les conciles généraux lui sont supérieurs et que ses décisions ne sont infaillibles qu'après que l'Eglise les a acceptées». Sur leurs représentations on s'empressa de rendre les cures fixes en les faisant conférer à des titulaires perpétuels. C'était sapper le plan de M. de Pétrée par sa base.

Louis XIV régla ainsi d'une manière définitive, par son édit du mois de mai 1679, qui est toujours demeuré depuis en pleine vigueur en ce pays, la question des dîmes et de l'inamovibilité des cures .

«Nous ayant été rapporté, dit le roi dans le 1er article de cet édit important, que divers seigneurs et habitans de notre pays de la Nouvelle-France, désiraient avoir des curés fixes pour leur administrer les sacremens, au lieu de prêtres et curés amovibles qu'ils avaient eu auparavant, nous aurions donné nos ordres et expliqué nos intentions sur ce sujet les années dernières, et étant nécessaire à présent de pourvoir à leur subsistance et aux bâtimens des églises et paroisses...nous ordonnons ce qui suit:

Les dîmes, outre les oblations et les droits de l'Eglise, appartiendront entièrement à chacun des curés dans l'étendue de la paroisse où il est, et où il sera établi perpétuel, au lieu du prêtre amovible qui la desservait auparavant».

L'article deux confirme le réglement du conseil souverain au sujet de la quotité des dîmes.

L'article quatre ordonne que, si cette dîme ne suffit pas pour l'entretien du curé, le seigneur et les habitans fourniront ce qui y manquera.

L'article cinq enfin, statue que dans les cas de subdivisions des paroisses, les dîmes de la portion distraite appartiendront au nouveau curé, sans que l'ancien puisse prétendre de dédommagement.

Les ordres de la cour étaient positifs, il fallut obéir. L'évêque parut consentir à tout. Des curés furent établis en titre; la dîme fut maintenue au 26ème des produits du grain, avec un supplément en argent là où elle n'était pas suffisante. L'on ne tarda pas cependant à trouver moyen de se soustraire à l'effet de la loi; et plus tard, lorsque le réglement de la question des libertés de l'Eglise gallicane eut éloigné de son attention les affaires religieuses, la cour ferma les yeux sur cette infraction. Petit à petit les curés qui avaient été fixes redevinrent amovibles comme auparavant, quoique le clergé continuât de reconnaître l'édit comme loi du pays ainsi qu'il ressort de plusieurs faits constants , surtout depuis l'arrêt du roi de 1692, rendu sur les motifs de l'archevêque de Paris et du P. de la Chaise qui avaient déclaré, au sujet de l'amovibilité des curés en Canada, qu'on y devait se conformer à la déclaration royale de 1686, donnée pour tout le royaume, déclaration qui défendait de nommer des curés amovibles.

Depuis la conquête, le principe de l'amovibilité est cependant devenu général, sans que les curés, ni les paroissiens aient manifesté aucune opposition à cet égard. Afin d'éluder les dispositions de l'édit de Louis XIV, l'évêque se réserve, dans ses lettres de nomination, le droit de révoquer le curé qu'il pourvoit d'un bénéfice. Cette condition acceptée semble en effet mettre ces deux parties en dehors de l'action de la loi, qui subsiste toujours néanmoins pour les paroissiens s'ils jugent à propos de s'en prévaloir .

L'extinction du chapitre de la cathédrale de Québec suivit aussi bientôt la chute du gouvernt français. Etabli lors de l'érection du Canada en évêché, et n'étant point électif comme en France, ce chapitre se composait d'un doyen, d'un grand chantre, d'un archidiacre, d'un théologal, d'un grand pénitencier et d'une douzaine de chanoines. Le roi nommait aux deux premières charges, et l'évêque aux autres. Après cette extinction, l'évêque administra seul son diocèse, sur lequel, au moyen de l'amovibilité des curés, il régna d'une manière absolue. Il y a loin de là au système quasi-républicain de la primitive Eglise; mais la prudence et les vertus qui ont distingué les évêques du Canada jusqu'à ce jour, les ont empêchés d'abuser d'une aussi grande autorité.

Les opinions sont partagées aujourd'hui non sur le droit, mais sur l'expédience d'assimiler l'organisation ecclésiastique du Canada à celle de l'Eglise en Europe. L'inamovibilité des curés et l'existence des chapitres ont été partout regardées comme une garantie de stabilité, et comme un frein contre les abus de pouvoir. «L'expérience a fait connaître, dit un auteur grave, combien l'état fixe d'un bénéficier chargé du soin des âmes était utile à l'Eglise, et combien au contraire une amovibilité purement arbitraire lui était préjudiciable. C'est d'après ces vues que les cardinaux préposés à l'explication du concile de Trente, décidèrent que nonobstant toute coutume, même immémoriale, les bénéfices-cures ne devaient se donner qu'à perpétuité.»

En Canada, il y aurait, suivant les uns, du danger à laisser à un seul homme, quelles que soient d'ailleurs ses lumières et sa sagesse, la direction d'une Eglise placée au milieu d'un continent presque tout protestant, sous un gouvernement protestant, en butte en outre à la propagande et aux jalousies des nombreuses sectes qui regardent la forte discipline de l'Eglise de Rome avec un oeil de jalousie et de crainte. L'expérience a prouvé que les conseils composés d'hommes choisis, offrent, dans les affaires religieuses comme dans les affaires politiques, les plus fortes garanties de modération et de fermeté dans toutes les circonstances qui peuvent se présenter. La masse du bas clergé est, en outre, comme le peuple, plus difficile à corrompre, à dénationaliser et à pervertir, que le haut clergé qui a de grands emplois ou de grandes richesses à conserver.

D'autres assurent que cette situation particulière même nécessite une dépendance complète de la part des curés; que la subordination serait plus difficile si un curé ne pouvait être destitué qu'après un jugement en forme, qui ne pourrait jamais s'obtenir qu'à la suite de longs débats et de beaucoup de scandale peut-être; que toutes les paroisses attachées à leurs pasteurs seraient comme autant de petites républiques, qui réclameraient dans l'occasion une liberté intolérable, et qu'elles auraient d'autant plus de chance d'obtenir, qu'elles seraient favorisées par les protestans, &c. Dans l'état actuel des choses tout cela est évité, et si un ministre manque à ses devoirs, l'évêque remédie au mal avec promptitude et sans éclat. Par ce moyen l'harmonie qu'on voit régner parmi les catholiques n'est presque jamais troublée.

Sans entrer dans l'appréciation de ces deux systèmes, nous devons dire que les Canadiens auront naturellement plus de confiance dans celui qui a été consacré par l'expérience des peuples et des siècles, que dans un autre qui sera tout à fait contraire à l'esprit de leurs institutions politiques; car ils doivent désirer avant tout que leurs ministres et leurs autels soient autant que possible hors des atteintes de l'intimidation. D'après l'alliance intime qui existe entre leur religion, leurs lois et leur nationalité , ils ont droit de réclamer aussi qu'un rempart infranchissable environne les institutions nationales qu'ils tiennent de leurs pères.

Nous avons parlé plusieurs fois du séminaire de Québec, auquel M. de Pétrée voulait faire jouer un grand rôle dans son plan de gouvernement ecclésiastique. Cet utile établissement fondé par lui, comme on l'a dit en 1663, fut doté richement en terres qu'il acheta dans le pays, et qu'il affranchit des dîmes, faveur qu'il prit sur lui, mais nous ne savons avec quel droit, d'accorder aussi à toutes celles des communautés religieuses. Bientôt il l'unit avec celui des missions étrangères de Paris. Cette union exista jusqu'à la conquête.

Cinq ans après l'établissement de ce séminaire, qui était un grand séminaire, il en établit un petit pour donner aux enfans les élémens de la grammaire et les conduire jusqu'à la théologie. Cette nouvelle création, qui excita la jalousie du collège des Jésuites, a rendu, surtout depuis l'extinction de ces derniers, des services éminens au pays, et a mérité à son auteur une éternelle reconnaissance. Plus de trois cents élèves y reçoivent aujourd'hui une éducation classique.

En parlant du gouvernement ecclésiastique du Canada, il nous semble nécessaire de dire quelque chose sur la manière dont les biens affectés au culte sont administrés, comme les temples, les cimetières, les presbytères, etc. Cette partie fort importante du service religieux, nous révèle d'ailleurs une organisation administrative très-ancienne, et appuyée sur les principes qui font aujourd'hui la base de gouvernemens autrement plus vastes et plus compliqués que celui d'une paroisse. L'Eglise catholique a fourni des modèles et des principes de plus d'un genre à l'organisation sociale moderne; mais aussi il fut une époque où elle avait besoin d'autant et de plus de liberté que les peuples aujourd'hui. Ce qu'elle imagina alors pour sa conservation et sa sûreté est ce qu'il y a de préférable dans la vieille organisation catholique; ce qu'il y a de plus libéral dans le sens actuel du mot. L'on voudra bien nous pardonner ces réflexions à l'occasion des humbles fabriques; nous avons voulu seulement montrer un exemple d'un fait d'ailleurs assez commun que des plus petites choses proviennent souvent les plus grandes.

Le système suivi par les fabriques paroissiales de France fut adopté dans ce pays; et il y subsiste encore pour servir de modèle à toutes les autres sectes religieuses, et même aux catholiques de la langue anglaise, en ce qui regarde la régie des biens de la paroisse ecclésiastique. Cette administration se divise en deux branches, toutes deux sous le contrôle de l'évêque diocésain. L'une, temporaire et n'existant que pour un objet spécial, comme lorsqu'il s'agit de bâtir une église, etc., et de prélever une contribution sur les paroissiens, est une espèce de commission dont les membres portent le nom de *syndics* ou échevins d'église. L'autre, permanente et uniforme, est chargée de la recette des revenus, de la régie et de l'entretien des biens de cette église, et s'appelle *oeuvre et fabrique*. Les membres qui la composent sont le curé et les marguilliers, et leurs droits et leurs pouvoirs sont également définis par les lois.

Les marguilliers sont élus pour trois ou quatre ans d'exercice, selon le nombre de ceux qui sont en activité de service et siégent au banc d'oeuvre, un sortant tous les ans. Tant que dure cet exercice, ils sont désignés sous le nom de nouveaux marguilliers; lorsqu'il expire, ils tombent dans la catégorie des anciens. Chacun d'eux devient à son tour le marguillier en charge et comptable dans sa dernière année de présence au banc d'oeuvre. Dans la généralité des paroisses ils sont élus par les anciens et nouveaux marguilliers seulement, sur la convocation du curé; dans les autres par les fabriciens et par les principaux habitans. A Québec ces assemblées furent générales dans l'origine; mais M. de Pétrée, toujours peu ami du suffrage populaire, ordonna en 1660 que les anciens et nouveaux marguilliers seuls feraient ces élections. Quoiqu'il ne paraît pas qu'il eût le pouvoir de faire une pareille ordonnance, elle a néanmoins toujours été observée jusqu'à ce jour. Les marguilliers en charge sortans sont obligés de rendre compte de leur gestion dans une assemblée de fabrique où le curé tient la première place (*arrêt du conseil souverain*, 1675); et dans ses visites l'évêque diocésain, ou un grand vicaire à sa place, a droit de se faire représenter ces comptes. Enfin les marguilliers ne peuvent accepter aucune fondation sans l'avis du curé, ni aliéner les biens des fabriques sans nécessité et sans avoir accompli les formalités indiquées par la loi. Prises dans leur ensemble les fabriques, ou les paroisses ecclésiastiques, sont donc de véritables corporations sous le contrôle salutaire de l'évêque.

Lorsqu'il s'agit de réparations considérables ou de constructions nouvelles, les fabriciens doivent obtenir au préalable la permission de l'évêque et le consentement de la majorité de la paroisse assemblée, surtout s'il faut lever une contribution pour exécuter ces travaux. Alors les paroissiens dans une assemblée générale élisent des syndics qui sont chargés de concert avec le curé de faire une répartition de la somme requise entre les habitans, en observant certaines formes obligées dans la confection des rôles. C'est par eux aussi que se fait le prélèvement et l'emploi de ces deniers, dont ils sont obligés de rendre compte ensuite aux contribuables.

Nous avons dit que dans la plupart des paroisses de ce pays, les élections de marguilliers se faisaient par les anciens et nouveaux seulement. Il y a quelques années plusieurs localités du Canada prièrent la législature de passer une loi afin de rendre les assemblées de fabrique pour l'élection des marguilliers générales. Cette question en apparence si minime, si indifférente en elle-même, causa une agitation profonde dans le pays, et faillit amener une division entre les Canadiens, qui aurait été bien à déplorer. Ce qui occasionna principalement cette effervescence, ce fut l'attitude que prit le clergé d'un bout de la province à l'autre au premier bruit de cette mesure; cent vingt-trois curés répondirent à la chambre représentative et se prononcèrent plus ou moins fortement contre le projet. C'était plus qu'il n'en fallait pour troubler la conscience de la pieuse population canadienne. Le gouvernement en lutte avec la chambre depuis longues années se garda bien d'appuyer les paroissiens; et le parti anglais, quoique en général mal disposé contre nos anciennes institutions, ou indifférent à leur égard, se montra tout à coup en cette occasion l'ami zélé des fabriciens et soutint le clergé. Comme l'on devait s'y attendre, la mesure échoua devant toutes ces oppositions, non sans laisser des germes de rancune et de mécontentement dans les esprits. Depuis ce temps là, l'ancien ordre de chose n'a pas été inquiété. Il faut avouer aujourd'hui que cette mesure fut amenée intempestivement, et qu'elle fut inspirée plus par mauvaise humeur, résultat d'une lutte politique prolongée et aride que par besoin senti, pressant; car dans toutes les paroisses les fabriciens sont tirés de la classe la plus respectable des habitans, et il est très rare que leurs gestions ne soient pas marquées au coin d'une bonne économie et de la plus parfaite honnêteté.

L'histoire du gouvernement ecclésiastique nous conduit naturellement à parler des autres institutions religieuses placées sous sa surveillance, et qui sont pour ainsi dire des annexes du sacerdoce.

La charité ou l'amour des lettres a fondé tous les grands établissemens destinés à l'instruction de la jeunesse, ou au soulagement de l'humanité souffrante. Comme on l'a déjà dit, le collège de Québec est dû à la libéralité du Jésuite de Rohaut; l'Hôtel-Dieu à celle de la duchesse d'Aiguillon, nièce du cardinal de Richelieu, qui y envoya des hospitalières de Dieppe en 1639; l'Hôtel-Dieu de Montréal à madame de Bullion et Mlle. Manse; le couvent des Ursulines à madame de la Peltrie. Il en fut de même encore de l'Hôpital général établi à Québec vers 1692 par M. de St.-Vallier, pour remplacer le bureau des pauvres que les citoyens de la ville avaient établi quatre ans auparavant, parce qu'il était défendu de mendier.

Mais si tous ces monastères durent leur origine à des personnes puissantes, qui pouvaient en même temps aider leurs fondations de leur bourse, et leur assurer la protection du gouvernement, l'institution de la congrégation de Notre-Dame pour l'éducation des jeunes filles du peuple, n'eut point cet avantage; elle fut l'oeuvre d'une personne plus humble; la soeur Bourgeois, native de Troyes en France, était une pauvre religieuse inconnue, sans influence, sans amis et sans fortune. Ayant visité le Canada une première fois, elle y revint en 1659, et jeta à Montréal les fondemens de cette congrégation si utile à tout le pays. Quoiqu'elle n'eût que dix francs, dit-on, quand elle commença son entreprise, son dévouement et son courage lui méritèrent l'encouragement des personnes riches ici et en France, où elle fit plusieurs voyages . La congrégation possède aujourd'hui de vastes écoles dans les villes et dans les campagnes. Ces écoles, dans lesquelles on enseigne à lire et à écrire, ont fait plus de bien dans leur humble sphère qu'on n'eût pu en attendre de fondations beaucoup plus ambitieuses. Il est à jamais regrettable qu'une institution de cette nature n'ait pas été formée en même temps pour l'éducation des garçons. Le respect dont les soeurs de la congrégation ont été l'objet dans tous les temps de la part du peuple, est une preuve de leur mérite et de leur utilité. Leur digne fondatrice en Canada fut récompensée de ses nobles travaux par une longue vieillesse; elle mourut en 1700, entourée de la vénération et des regrets des Canadiens.

L'éducation des jeunes garçons fut abandonnée entièrement à la direction du clergé, qui fut le seul corps enseignant à peu d'exception près avec les religieux sous la domination française. Le gouvernement ne s'occupa jamais de cet objet si important, si vital. Soit politique, soit désir de plaire au sacerdoce, en lui léguant l'enseignement, il laissa le peuple dans l'ignorance; car alors, il faut bien le reconnaître, les clergés comme les gouvernemens sous lesquels ils vivaient, considéraient l'instruction populaire comme plus dangereuse qu'utile. Le Canada fut encore moins exempt de ce préjugé funeste que plusieurs autres pays. Il n'y fut jamais question de plan général d'éducation; il n'y eut jamais d'écoles publiques dans les paroisses, qui restèrent plongées dans les ténèbres; et chose inouïe, l'imprimerie ne fut introduite en Canada qu'en 1764, ou 156 ans après sa fondation.

Les maisons d'éducation, nécessairement peu nombreuses étaient en général confinées aux villes. Les séminaires de Québec et de Montréal ouvrirent des classes pour les enfans. Les Récollets firent aussi l'école dans leur monastère. Mais les Jésuites étaient ceux qui, par état, devaient se placer à la tête de l'enseignement et lui donner de l'impulsion. Ils furent moins heureux en Canada qu'ailleurs; leurs classes furent de tout temps peu considérables; on n'y comptait qu'une cinquantaine d'élèves du temps de l'évêque de St-Vallier. Aucun d'eux n'a laissé un nom dans les lettres. Contens d'une certaine mesure de connaissances suffisantes pour le courant des emplois, ils n'ont produit en aucun genre de science des hommes profonds: il faut même convenir qu'il y avait peu de secours, peu de livres, et peu d'émulation. Le gouvernement se donnait bien de garde de troubler un état de choses qui rendait les colons moins exigeans, moins ambitieux, et par conséquent plus faciles à conduire, car l'ignorance et l'esclavage existent toujours ensemble. Telle est en peu de mots l'histoire de l'éducation en Canada durant le premier siècle et demi de son existence: c'est la page la plus sombre de nos annales; et nous en sentons encore les pernicieux effets. La métropole fut punie la première de son oubli coupable et impolitique à cet égard; si le peuple eût été plus éclairé lorsque la guerre de 1755 éclata, il aurait été plus industrieux, plus riche, plus populeux, et il aurait pu en conséquence opposer une résistance non pas plus longue, car la guerre dura six ans et avec acharnement, mais plus efficace et plus heureuse, à ses ennemis.

Le gouvernement ecclésiastique a conservé jusqu'après la conquête à peu près la forme qui lui avait été donnée lors de l'érection de l'évêché de Québec. Quoique relevant immédiatement du St.-Siége, les prélats canadiens furent toujours pris dans le clergé de France, de même que les curés. La politique de la métropole de ne choisir que des sujets nés dans son sein pour remplir les emplois publics de ses possessions d'outre-mer, afin d'être plus sûre de leur fidélité, s'étendait jusqu'au sanctuaire, comme on l'a observé ailleurs; de sorte qu'il y eût peu de prêtres canadiens sous l'ancien régime, et que le sacerdoce servait ici les vues exclusives et soupçonneuses de la politique.

Après cela il n'est pas étrange que ce clergé, ainsi composé, ait introduit à sa suite en Amérique les idées, les prétentions et l'esprit inquiet et turbulent de celui de France, constitué en pouvoir politique et par conséquent accoutumé à se mêler activement des affaires de l'Etat. Chacun sait que par suite de cette position, ce clergé, d'ailleurs si illustre, a pris part à toutes les grandes révolutions qui ont agité cet ancien peuple, au grand détriment de la religion. Une pareille conduite, vu les élémens de la société américaine, ne pouvait se prolonger au-delà d'un certain terme en Canada, terme que la conquête est venue précipiter. Depuis cet événement, les prêtres et les évêques étant devenus insensiblement canadiens, cet esprit a heureusement disparu. Nulle part aussi le clergé n'est plus influent ni plus aimé que dans ce pays. Sa sagesse l'éloignera toujours sans doute de l'arène politique où s'agitent tant d'intérêts et tant de passions; arène dans laquelle d'ailleurs il ne pourrait descendre sans compromettre gravement sa mission. Le grand exemple de la France, au dernier siècle, est là pour prouver la vérité de cette assertion. En outre, l'accablante majorité des populations protestantes dans cette partie du continent, où l'ardeur des méthodistes n'est pas moins grande que celle des plus zélés catholiques, lui fait une loi d'agir avec la plus grande prudence et la plus grande réserve. Le martyre obtenu dans des luttes entre des chrétiens, ne doit être à aucun titre désirable; et les proclamations journalières de triomphes d'un autel sur l'autre, dans un pays où il y en a tant, sont des actes qui annoncent plus de fanatisme que de saine raison.

Les dissensions religieuses qui ont éclaté en France au sujet des libertés de l'Eglise gallicane, n'ont guère troublé les populations du Canada. Le St.-Siége en faisant relever de lui l'Eglise canadienne, l'avait soustraite aux avantages que le génie de Bossuet avait arrachés au pape pour celle de France, et l'avait désintéressée dans ces débats dès lors étrangers pour elle.

Mais le Jansénisme, avec sa dialectique rigide et son front sévère, pénétra, lui, un instant sur nos bords, et en agita en passant la surface religieuse, jusqu'alors si calme et si douce. Personne n'aurait cru que même l'ombre d'une hérésie eût pu l'obscurcir et s'y arrêter. C'est pourtant ce qui arriva. D'abord quelques livres infectés des doctrines de Pascal et d'Arnault s'y glissèrent clandestinement, et y répandirent leur venin; ensuite de leurs adeptes s'y introduisirent de la même manière, malgré la vigilance du clergé. M. Varlet, évêque de Babylone et archevêque déposé d'Utrecht, passa par le Canada pour se rendre dans les missions du Mississipi. Il laissa après lui des prosélites à l'hérésie. M. de Villermaula, du séminaire de Montréal, M. Thibout, curé de Québec, M. Glandelet, doyen du chapitre, eurent le malheur de penser comme l'auteur des lettres provinciales!

En 1714, un religieux inconnu, parut tout à coup en Canada, et proclama l'intention d'y fonder un monastère pour s'y renfermer le restant de ses jours. L'on observa que quelque chose de mystérieux et de gêné enveloppait la conduite de cet étranger, qui se retira durant quelque temps dans les forêts de Kamouraska, où il s'éleva une cabane à la manière des anachorètes. Cachant soigneusement ses principes et son nom, il y vivait en ermite, se prosternant devant tous ceux qu'il rencontrait et leur baisant les pieds avec grand accompagnement de paroles édifiantes. Mais le Canada n'est pas un pays favorable aux ermites; un hiver de six mois, et quatre pieds de neige sur le sol en chasseront toujours les mystiques contemplateurs du désert. Sous prétexte que sa cabane avait pris feu, l'inconnu fut bien aise d'abandonner sa retraite pour aller vivre à Québec, dont tant d'institutions religieuses et monacales devaient lui rendre le séjour agréable. Il trouva moyen de s'introduire dans les principales familles et dans les couvens, qu'il fréquentait avec une grande assiduité, lorsqu'une lettre d'Europe arrive au gouverneur. Cette lettre dévoila tout. Il fut reconnu pour Dom George François Paulet, bénédictin corrompu par les pernicieuses maximes jansénistes, et redemandé par le supérieur de son monastère, dont il s'était secrètement échappé.

De ce moment toutes les portes lui furent fermées. En vain voulut-on l'engager à se soumettre à la constitution *unigenitus*, ferme dans sa croyance comme le grand Arnault et le P. Quesnel, dont il avait été le disciple, il s'y refusa constamment. Ne pouvant fléchir ce coeur endurci, l'évêque l'excommunia. Partout fui et persécuté, il fut enfin banni du Canada comme hérétique .

«Au milieu des factions du calvinisme et des querelles du Jansénisme, dit l'auteur du siècle de Louis XIV, il y eut encore une division en France sur le Quiétisme. C'était une suite malheureuse des progrès de l'esprit humain dans le siècle de ce monarque, que l'on s'efforçât de passer presqu'en tout les bornes prescrites à nos connaissances; ou plutôt, c'était une preuve qu'on n'avait pas fait encore assez de progrès.»

Cette secte, car on lui a donné ce nom, se jeta dans la *spiritualité*; elle atteignit l'illustre auteur du Télémaque, qui, sans tomber dans les rêveries de madame Guyon, avait néanmoins du penchant pour la contemplation et les idées mystiques. Il paraît que plusieurs personnes furent imbues de son esprit en Canada. On assure que madame d'Aillebout, la femme du gouverneur, s'était vouée à Jésus-Christ dès sa jeunesse, inspirée par le culte intérieur, et l'amour pur et désintéressé, et que, malgré son mariage, elle conserva jusqu'à la fin de ses jours sa pureté virginale. Devenue veuve, elle fut recherchée en mariage par le gouverneur, M. de Courcelles, et par M. Talon, intendant; mais à l'exemple de la fondatrice du Quiétisme, elle refusa constamment les partis les plus avantageux. Cette femme qui avait de grands biens, les partagea entre l'Hôpital général et l'Hôtel-Dieu où elle mourut. «Dieu lui avait donné, dans le langage de ces rêveurs, l'esprit de prophétie, le don des larmes, le discernement des esprits et plusieurs autres grâces gratuites».

Le tremblement de terre de 1663 fut le plus beau temps du Quiétisme en Canada. Ce phénomène, en effet, mit en mouvement l'imagination ardente et mobile de ses adeptes; les apparitions furent nombreuses, singulières, effrayantes, et les prophéties se multiplièrent. Jamais l'on n'aurait tant vu de prodiges si l'on en croit les relations monacales du temps; non des prodiges rians et agréables comme en rêvent les heureux habitans des contrées méridionales où croissent l'aloès et l'oranger; mais des apparitions sombres et menaçantes comme en voient les tristes imaginations des enfans du Nord, nés au milieu des frimats et des tempêtes.

La supérieure de l'Hôtel-Dieu et la célèbre Marie de l'Incarnation, supérieure des Ursulines, partagèrent ce délire de la dévotion; mais la dernière est celle qui donna le plus d'éclat dans ce pays au culte de la spiritualité, pieuse chimère qui affecta pendant longtemps plusieurs intelligences tendres et romanesques, surtout parmi les personnes du sexe. Le clergé se contenta d'observer une réserve respectueuse devant ce phénomène moral, n'osant blâmer ce que quelques uns pouvaient prendre pour de saintes inspirations, et d'autres, pour des illusions innocentes causées par un excès de fausse piété.

Depuis que le Canada jouit d'institutions libres, le clergé a mérité l'attachement du peuple, en se mettant à la tête de l'éducation si négligée, comme on l'a vu, sous l'ancien régime; et en embrassant franchement et sans arrière-pensée, l'esprit d'une liberté qui est le fruit de la civilisation, et qui n'a jamais été contraire aux doctrines évangéliques, quoique des intérêts rien moins que religieux aient voulu les interpréter autrement dans quelques pays européens, et aient en conséquence attiré sur les catholiques la haine des sectes protestantes. On ne peut trop persuader aux chrétiens de ce continent, séparés de l'Eglise de Rome, que les catholiques sont aussi favorables qu'eux à toutes les institutions propres à assurer le bonheur et à rehausser la dignité de l'homme; et qu'ils sont aussi attachés qu'eux à cette liberté pour la conquête de laquelle la France, l'Espagne, le Portugal, et l'Amérique du Sud, tous pays catholiques, ont fait tant de sacrifices.

L'on dira dans son lieu ce que notre clergé a fait pour l'instruction de la jeunesse, objet de sa sollicitude, lors même que le gouvernement et le peuple ne s'en occupaient encore que très faiblement, ou demeuraient dans une coupable indifférence à cet égard.

LIVRE IV

CHAPITRE I

LUTTES DE L'ÉTAT ET DE L'ÉGLISE

1663-1682.

Nous avons laissé le gouverneur aux prises avec une partie de son conseil au commencement de l'avant-dernier chapitre. L'opposition que le prêtre de Charny, représentant M. de Pétrée, la Ferté, son beau frère, et d'Auteuil, faisaient à l'élection d'un syndic des habitations, élection recommencée par trois fois, acheva de brouiller tout à fait M. de Mésy et l'évêque.

Le premier, voyant «l'opiniâtreté de la faction», c'est ainsi qu'il s'exprime, demanda l'ajournement du conseil, où il s'était rendu, pour recevoir le serment du syndic élu. Mais s'étant ravisé, dans une séance subséquente il procéda à l'accomplissement de cette formalité, malgré les protestations de M. de Charny et des autres membres de l'opposition, auxquels il fut répondu que la convocation des assemblées publiques n'était pas de la compétence du conseil.

Cette opposition se composait des membres déjà nommés, de Villeray et du procureur général Bourdon. Ils tenaient pour M. de Pétrée, qui se trouvait ainsi avoir la majorité dans le conseil, le gouverneur n'ayant pour lui que le Gardeur et d'Amours. Le peuple était bien aussi pour ce dernier, mais le peuple était sans influence sur ce corps; de sorte qu'il ne restait plus à M. de Mésy d'autre alternative que de se soumettre à la volonté de son adversaire, ou de se faire une majorité en essayant les chances d'un coup d'état, dernier refuge d'une administration chancelante. Il prit ce dernier parti qui était plus conforme à son caractère, et il suspendit de leurs fonctions tous les membres partisans de M. de Pétrée, donnant pour raison que celui-ci les avait désignés à son choix, parcequ'il les connaissait pour être de ses créatures; et «qu'ils avaient voulu se rendre les maîtres et sacrifier les intérêts du roi et du public à ceux des particuliers».

Le roi, soit par défiance des gouverneurs, soit pour captiver la bonne volonté du clergé, soit enfin pour se conformer à l'esprit de la constitution politique du royaume, où le clergé comme corps formait un des pouvoirs de l'Etat conjointement avec la noblesse et le peuple, avait adjoint à ces mêmes gouverneurs le chef du sacerdoce, toujours si puissant, pour faire, comme nous l'avons déjà dit, la nomination annuelle des membres du conseil. Ce partage d'autorité jetait l'évêque dans l'arène politique, en même temps qu'il en faisait un égal, ou plutôt un rival et un observateur du chef du gouvernement de la colonie dans l'exercice de l'une des prérogatives les plus importantes de la couronne. Ce système défectueux devait être, et fut en effet, la cause d'une foule de difficultés.

M. de Mésy, en suspendant de sa propre et seule autorité la majorité des membres du conseil, avait violé l'édit constitutif de ce corps; car s'il n'en pouvait nommer les membres sans le concours de l'évêque, ce concours devait être aussi nécessaire pour les suspendre, et il lui avait été refusé.

Pour remplacer les conseillers interdits, il voulut employer un moyen qui doit nous paraître assez étrange, vu la nature du gouvernement d'alors, mais qui montre combien il désirait obtenir l'appui du peuple, en le faisant intervenir dans les affaires politiques. Il proposa de convoquer une assemblée publique pour procéder, par l'avis des habitans, à la nomination des nouveaux conseillers; et il motiva cet appel au peuple de manière à faire entendre qu'il avait été induit en erreur lors du premier choix, et que, ne connaissant pas encore assez les hommes et les choses dans la colonie, il avait besoin d'être éclairé par une expression solennelle de l'opinion publique.

Comme on devait s'y attendre, et à cause de la nature de la convocation, et à cause des accusations qu'elle comportait, M. de Pétrée refusa de donner son consentement ; et l'assemblée n'eut pas lieu.

Les choses en restèrent là jusqu'à la fin de l'année des conseillers, c'est-à-dire jusqu'à l'époque où il fallait renouveler leur nomination.

Alors, le gouverneur, après avoir fait inviter au conseil M. de Pétrée, qui s'excusa de ne pouvoir s'y rendre, remplaça les membres suspendus par MM. Denis, de la Tesserie et Péronne Demazé. Il révoqua aussi le procureur-général Bourdon, qui était présent, et qui lui nia le droit de le destituer. En effet, l'édit de création du conseil en décrétant la nomination annuelle des membres, gardait le silence sur ce fonctionnaire. Le gouverneur lui ordonna de se retirer, et il nomma sur le champ à sa place M. Chartier de Lotbinière. Le greffier en chef, M. Peuvret, subit le même sort, et eut pour successeur M. Fillion, notaire.

Ces discordes avaient leur contre-coup au dehors; le public tout en blâmant la violence de M. de Mésy, violence qui l'entraînait au delà des bornes de la légalité, inclinait pour lui cependant contre M. de Pétrée, que la question des dîmes rendait alors très impopulaire. Le clergé au contraire prit la défense de son chef, et les chaires retentirent de nouveau au bruit des disputes politiques.

Pendant ce temps là M. de Villeray était passé en France pour porter devant le roi les accusations de l'évêque, des conseillers suspendus et les siennes propres, contre le gouverneur. Elles furent accueillies par la métropole comme le sont en général celles qui viennent du parti le moins exigeant en fait de liberté dans une colonie.

Les velléités libérales de M. de Mésy, ses appels au principe électif et au peuple, eurent alors leur récompense. Louis XIV dut voir, et il vit en effet, d'un mauvais oeil cette conduite de son représentant, qu'il sacrifia sans hésitation et sans regret à la satisfaction du prélat. Ainsi celui-ci triomphait une seconde fois des gouverneurs de la colonie; mais la disgrâce de M. de Mésy sembla encore plus complète que celle du baron d'Avaugour.

Colbert tira néanmoins pour conclusion de toutes ces querelles, que les laïques ne se soumettraient jamais paisiblement au pouvoir que voulait s'arroger M. de Pétrée dans les affaires temporelles. Il crut donc qu'il fallait prendre de bonnes précautions pour mettre des bornes à la puissance des ecclésiastiques et des missionnaires supposé qu'on vérifiât qu'elle allait trop loin; et dans cette vue, il songea à choisir pour la colonie des chefs, qui fussent de caractère à ne donner aucune prise sur leur conduite, et à ne pas souffrir qu'on partageât avec eux une autorité, dont il convenait qu'ils fussent seuls revêtus.

Cependant le Canada avait été concédé de nouveau à la compagnie des Indes occidentales «en toute seigneurie, propriété et justice» par l'édit du roi du mois de mai 1664. Cette compagnie gigantesque se trouva par cet acte maîtresse de toutes les possessions françaises dans les deux hémisphères. A sa demande, le roi nomma les premiers gouverneurs provinciaux et un vice-roi pour l'Amérique. Alexandre de Prouville, marquis de Tracy, lieutenant-général dans les armées, fut choisi pour remplir ce dernier poste, avec ordre de se rendre d'abord dans les îles du golfe du Mexique, et ensuite en Canada qu'il devait travailler à consolider au dedans et au dehors. C'est pendant qu'il se rendait en Amérique que les plaintes contre M. de Mésy étaient parvenues à la cour. On faisait demander en même temps, pour peupler le pays, des familles de la Normandie, de la Picardie, de l'île de France et des provinces circonvoisines, au lieu de celles du Sud, où il y avait beaucoup de protestans et moins de gens propres à la culture des terres.

Daniel de Rémi, seigneur de Courcelles, fut nommé pour remplacer M. de Mésy, et M. Talon, intendant en Hainaut, M. Robert, qui n'était, comme on l'a dit, jamais venu en Canada. Ils furent chargés conjointement avec le marquis de Tracy d'informer contre le gouverneur révoqué et de lui faire son procès; mais Dieu, observe le doyen du chapitre de Québec, termina tout heureusement par la pénitence et la mort du coupable, paroles d'une vengeance satisfaite, et qui montrent jusqu'où l'esprit du parti était monté.

Avant d'expirer, M. de Mésy dont ses ennemis ont cherché à outrer tantôt les emportemens et tantôt la faiblesse, écrivit une lettre au vice-roi dont une partie se trouve dans les procès-verbaux du conseil souverain, dans laquelle il proteste que dans tout ce qu'il a fait, il n'a été guidé que par l'intérêt de sa majesté, et le désir d'avancer le bien-être de la colonie. Vous éclaircirez, dit-il, bien mieux que moi les choses que j'aurais pu faire savoir au roi touchant la conduite de M. de Pétrée et des Jésuites dans les affaires temporelles. Je ne sais néanmoins si je ne me serais point trompé en me laissant un peu trop légèrement persuader par les rapports qu'on m'a faits sur leur compte. Je remets toutefois à votre prudence et à vos bons examens le règlement de cette affaire. (*Voir* la lettre de M. de Mésy, Appendice C.)

Il laissa les rênes du gouvernement jusqu'à l'arrivée de M. de Courcelles à M. de la Potherie, auquel l'on refusa le droit de siéger au conseil, par suite d'une interprétation fort rigoureuse, ce nous semble, des pouvoirs de délégation du gouverneur défunt.

Pendant que ceci se passait, des commandemens avaient été reçus de la cour afin de faire tous les préparatifs nécessaires pour la guerre que l'on voulait pousser avec vigueur contré les Iroquois. Une levée des habitans du pays fut ordonnée, et le régiment de Carignan, qui venait d'arriver en France de la Hongrie où il s'était beaucoup distingué contre les Turcs, reçut ordre de s'embarquer immédiatement pour l'Amérique.

Le marquis de Tracy arriva à Québec dans le mois de juin (1665), venant de la baie du Mexique, où il avait repris Cayenne sur les Hollandais, et remis plusieurs îles de l'archipel au pouvoir du roi. Il débarqua au milieu des acclamations de la population qui l'accompagna jusqu'à la cathédrale; l'évêque de Québec vint processionnellement le recevoir à la tête de son clergé sur le parvis, et le conduisit au pied du choeur où un prie-dieu lui avait été préparé. Le pieux vice-roi le refusa et voulut s'agenouiller humblement sur le pavé nu de la basilique. Après le chant du *Te Deum*, le prélat le reconduisit avec les mêmes honneurs. Toutes les autorités de la colonie allèrent ensuite lui présenter leurs hommages.

Quatre compagnies du régiment de Carignan étaient déjà débarquées; il en arriva encore de juin à décembre vingt autres avec leur colonel, M. de Salières. Les vaisseaux qui les amenaient, portaient aussi M. de Courcelles et M. Talon, un grand nombre de familles, d'artisans et d'engagés; des boeufs, des moutons, et les premiers chevaux qu'on ait vu dans le pays. Ce noble animal excitait particulièrement l'admiration des Sauvages, qui s'étonnaient de le voir si traitable et si souple à la volonté de l'homme.

Dès que le vice-roi eut reçu ses renforts, il songea à mettre un terme aux déprédations que continuaient de faire les Iroquois, et à exécuter les ordres de la cour; mais cette tâche était difficile dans l'état où se trouvait le pays. Il fit élever, pour commencer, trois forts sur la rivière Richelieu qui était la route que suivaient ordinairement ces barbares, et où l'on avait déjà construit quelques ouvrages plusieurs années auparavant; il les plaça l'un à Sorel, l'autre à Chambly, et le troisième à trois lieues plus loin, et y laissa pour commandans des officiers dont ces lieux tiennent leurs noms. D'autres postes fortifiés furent encore établis peu de temps après à Ste.-Anne et à St.-Jean. Ces petits ouvrages en imposèrent d'abord aux Iroquois, mais ils se frayèrent bientôt de nouvelles routes et l'on put s'apercevoir qu'un bon fort jeté dans le coeur de la confédération, leur eût inspiré une terreur plus durable et plus salutaire, en même temps qu'il eût paralysé leurs mouvemens. Néanmoins cette année-là les récoltes se firent assez tranquillement.

Pendant que le vice-roi prenait ainsi des mesures pour mettre la colonie à l'abri des ennemis, M. Talon, resté à Québec, s'occupait de l'administration inférieure, examinant et appréciant tout, afin d'en faire rapport à Colbert. La mort de M. de Mésy ayant mis fin aux accusations portées contre lui, et débarrassé la nouvelle administration d'une affaire difficile, elle put s'occuper de suite de choses plus utiles pour le pays. L'intendant avait des vues élevées et de l'indépendance dans le caractère: il jugea au premier coup-d'oeil de quelle importance le Canada était pour la métropole, et il réclama la liberté du commerce pour les colons qui avaient déjà fait des représentations à cet égard par leur syndic M. Jean Le Mire au conseil souverain (1668). Il insista sur leur émancipation de la compagnie des Indes occidentales qui voulait faire peser sur eux un affreux monopole. Si sa majesté, dit-il dans son rapport du mois d'octobre 1665, veut faire quelque chose du Canada, il me paraît qu'elle ne réussira, qu'en le retirant des mains de la compagnie; et qu'en y donnant une grande liberté de commerce aux habitans, à l'exclusion des seuls étrangers . Si au contraire elle ne regarde ce pays que comme un lieu propre à la traite des pelleteries et au débit de quelques denrées qui sortent de son royaume, elle n'a qu'à le laisser entre les mains de la compagnie. Mais en ce cas, elle pourrait compter de le perdre; car sur la première déclaration que cette compagnie y a faite d'abolir toute liberté commerciale, et d'empêcher les habitans de rien importer eux-mêmes de France, même pour leur subsistance, tout le monde a été révolté. Au reste une pareille politique enrichirait, il est vrai la compagnie, mais ruinerait les colons canadiens, et serait par cela même un obstacle à l'établissement du pays.

Ces représentations si sages ne furent pas sans effet. Dès le 8 avril suivant, par un arrêt du conseil du roi, la compagnie abandonna à la colonie la traite des pelleteries avec les Sauvages telle qu'elle lui avait été concédée par l'ancienne société, et lui rendit la liberté du commerce avec la France, se réservant le droit du quart sur les castors, du dixième sur les orignaux et la traite de Tadoussac, mais encore s'obligeant de payer, pour cette réserve, les juges ordinaires, dont, suivant M. Gaudais, la subvention se montait à 48,950 livres, monnaie d'alors.

Il était grandement temps que cette réforme commerciale s'effectuât. Tout était tombé dans une langueur mortelle. Le conseil souverain avait été obligé de faire réglemens sur réglemens pour satisfaire les habitans qui poussaient de grandes clameurs; et d'une ordonnance à l'autre le commerce s'était trouvé soumis à un véritable esclavage. Le conseil voulut limiter, par exemple, par un tarif le prix des marchandises dont la compagnie des Indes occidentales avait le monopole, et qui étaient devenues d'une cherté excessive; tout de suite elles disparurent du marché, et l'on ne pouvait s'en procurer à quelque prix que ce fût. Cet état de choses, qui ne pouvait durer sans remettre en question l'existence de la colonie, cessa dès que le commerce avec les Indigènes et avec la France redevint libre, tant il est vrai que là où il n'y a pas de liberté, il ne peut y avoir de négoce.

Sur la fin de l'année, trois des cinq cantons de la confédération iroquoise envoyèrent des députés avec des présens pour solliciter la paix. Le chef Garakonthié en formait partie; c'était, comme on sait, un ami des Français. Le marquis de Tracy lui montra beaucoup d'amitié, et la paix fut conclue à des conditions honorables pour les deux parties. Les députés s'en retournèrent dans leur pays chargés de présens. Les Agniers et les Onneyouths étaient restés chez eux. L'on prit immédiatement les moyens d'aller porter la guerre au milieu de ces tribus, pour les châtier de leurs brigandages et les forcer à demander aussi la paix. Deux corps de troupes commandés, l'un par le gouverneur, M. de Courcelles, et l'autre par M. de Sorel, se mirent en marche dans le cours de l'hiver.

Effrayés, les Onneyouths s'empressèrent d'envoyer des ambassadeurs à Québec, pour conjurer l'orage. Ils étaient aussi, dit-on, chargés des pleins pouvoirs des Agniers, dont les bandes continuaient cependant la guerre, et venaient de massacrer encore trois officiers qu'ils avaient surpris, dont un neveu du vice-roi. Malgré cela, la négociation aurait probablement réussi, sans l'insolence barbare d'un chef Agnier qui s'était joint à la députation, et qui étant à table un jour chez le marquis de Tracy, leva le bras en disant que c'était ce bras qui avait tué son neveu. Ce propos excita l'indignation de tous les assistans. Le vice-roi lui répondit qu'il ne tuerait plus personne, et à l'instant même des gardes l'entraînèrent hors de la salle, et il fut étranglé par la main du bourreau. Cette justice qui ne peut être justifiée que par la nécessité où l'on était d'en imposer à ces barbares par la frayeur, ne laissa pas, toute sommaire qu'elle était, que d'avoir un bon effet.

Cependant M. de Courcelles, ignorant ce qui se passait dans le capitale, parvint chez les Agniers après une marche pénible de 700 milles au milieu des forêts et des neiges, se tenant toujours à la tête de ses troupes et portant ses provisions et ses armes comme le dernier des soldats. La milice canadienne qui s'est tant distinguée depuis par sa bravoure, par la patience avec laquelle elle supportait les fatigues, et par la hardiesse de ses expéditions, commence à paraître ici sur la scène du monde. Elle était commandée dans cette campagne par la Vallière, St.-Denis, Giffard et le Gardeur, tous braves gentilshommes.

L'on trouva toutes les bourgades du canton désertes. La plupart des guerriers qui ne s'attendaient pas à une invasion dans cette saison de l'année, étaient à la chasse; et les femmes, les enfants et les vieillards avaient pris la fuite à la première apparition des Français. De sorte qu'on ne put tirer la vengeance que l'on méditait d'eux; cependant cette brusque attaque, faite au sein de l'hiver, causa de l'étonnement chez les Iroquois, étonnement que la campagne entreprit contre eux l'été suivant changea en une terreur salutaire.

Le marquis de Tracy quoiqu'âgé de soixante et quelques années, voulut commander lui-même en personne cette nouvelle expédition, forte de 600 soldats de Carignan, de presque tous les habitans capables de porter les armes, puisqu'on y comptait 600 Canadiens, et d'une centaine de Sauvages.

L'armée, retardée dans sa marche par le passage des rivières et les embarras de forêts épaisses qu'on était obligé de traverser, épuisa ses provisions avant d'atteindre l'ennemi; et sans un bois de Châtaigniers qu'elle rencontra sur son chemin et dont les fruits la sustentèrent, elle allait être obligée de se débander pour trouver de quoi vivre.

Les Agniers n'osèrent pas attendre les Français, qui traversèrent tambour battant, drapeaux déployés, tous leurs villages. Au dernier, ils firent un instant mine de vouloir livrer bataille; mais à la vue de nos préparatifs pour le combat, le coeur leur manqua et ils prirent la fuite. L'on pilla leurs provisions dans les cabanes et dans les caches sous terre, où l'on savait qu'ils en conservaient de grandes quantités, surtout de maïs; l'on en emporta ce que l'on put, et le reste fut détruit ainsi que toutes les bourgades du canton qui devinrent la proie des flammes.

Ces pertes abattirent l'orgueil de ces barbares accoutumés depuis longtemps à faire trembler leurs ennemis. Ils vinrent demander humblement la paix à Québec; et c'était tout ce que l'on voulait: nous n'avions intérêt qu'à maintenir la bonne intelligence entre toutes les nations indiennes. Elle fut signée en 1666 et dura jusqu'en 1684, alors que les Anglais, maîtres depuis quelques années de la Nouvelle-Belgique, commencèrent à faire une concurrence active aux Canadiens dans la traite avec les Indigènes, et à travailler à leur détacher les Iroquois.

M. de Tracy repassa en France l'année suivante (1667) après avoir mis la compagnie des Indes occidentales en possession des droits qui lui avaient été reconnus par l'arrêt du 8 avril 1666. Le gouvernement de cet actif vieillard, aidé de M. Talon, fut marqué par deux événemens qui eurent des conséquences heureuses pour la colonie, savoir: la conclusion de la paix avec la confédération iroquoise, qui laissa jouir le Canada pendant longtemps d'une profonde tranquillité, et lui permit de faire les découvertes les plus brillantes dans l'intérieur du continent, découvertes dont nous parlerons ailleurs; et l'abolition du monopole que la nouvelle compagnie y avait organisé, et qui avait eu l'effet de nous placer dans la plus funeste servitude.

L'on avait formé à Paris le projet de franciser les Indiens, et M. Talon avait été chargé par la cour d'engager les missionnaires à entreprendre cette oeuvre difficile, en instruisant les enfans dans la langue française, et en les façonnant à la manière de vivre des Européens. Toutes les tentatives échouèrent. Le marquis de Tracy fit à cet égard des représentations dont Colbert reconnut la sagesse, et l'on abandonna un projet qui ne présentait en effet que des dangers.

Malgré la réorganisation du conseil souverain auquel furent nommés de nouveau tous les anciens membres suspendus par M. de Mésy, et M. le Barrois, agent de la compagnie des Indes occidentales, et malgré le rétablissement de MM. Bourdon et de Peuvret dans leurs charges respectives de procureur-général et de greffier en chef du conseil, ce qui semblait donner complètement gain de cause au parti de M. de Pétrée, le ministère n'en chercha pas moins à restreindre l'autorité du clergé dans les affaires temporelles, et à suivre les conseils que le gouvernement local lui adressait, lorsqu'ils lui paraissaient dictés par la raison et une prudence éclairée .

La religion a joué un grand rôle dans l'établissement du Canada; et ce serait manquer de justice que de ne pas reconnaître tout ce qu'elle a fait pour lui, même dans les temps les plus critiques. Le missionnaire a marché côte à côte avec le défricheur dans la forêt pour le consoler et l'encourager dans sa rude tâche; il a suivi et quelquefois devancé le traitant dans ses courses lointaines et aventureuses; il s'est établi au milieu des tribus les plus reculées pour y annoncer la parole de Dieu, y répandre la civilisation, et on l'a vu tomber héroïquement sous la hache des barbares qui avaient déclaré une guerre mortelle et à ses doctrines et aux nations qui avaient eu le malheur de les recevoir.

Le dévouement du missionnaire catholique a été enfin sans borne dans l'accomplissement de cette tâche sainte; jamais ce dévouement ne sera surpassé.

Mais si son influence est indispensable au début de la civilisation; si la religion est nécessaire aux peuples civilisés dont elle est le bien le plus précieux, l'expérience semble prouver aussi que le clergé doit autant que possible se tenir éloigné des affaires et des passions du monde, afin de conserver ce caractère de désintéressement et d'impartialité si nécessaire à ceux qui sont établis pour instruire les hommes sur leurs devoirs moraux, ou pour les juger.

Talon paraît avoir été pénétré de cette vérité, et tout en entourant le clergé de respect et de considération, et tout en inspirant ces sentimens au peuple, il traçait les bornes qui ne devaient pas être dépassées par les ecclésiastiques. Mais il fallut encore une longue expérience, et des collisions souvent répétées pour convaincre la cour de la sagesse de cette politique, la cour, elle, accoutumée à voir ce corps puissant jouer un si grand rôle dans l'Etat depuis l'origine de la monarchie.

Cependant la paix, qui était rétablie au dedans et au dehors, favorisait l'intendant dans ses projets d'amélioration à la réalisation desquels il travaillait avec une ardeur extraordinaire; il ne cessait pas de vanter à Colbert tous les avantages qu'on pourrait retirer du pays si on savait les utiliser. La colonie du Canada, écrivait-il encore, peut aider par ses productions à la subsistance des Antilles, et leur devenir un secours assuré si celui de France venait à leur manquer; elle pourrait leur fournir de la farine, des légumes, du poisson, des bois, des huiles, et d'autres choses qu'on n'a pas encore découvertes.

A mesure qu'elle recevra des accroissemens, elle pourra, par ses peuples naturellement guerriers et disposés à toutes sortes de fatigues, soutenir le partie française de l'Amérique méridionale, si l'ancienne France se trouvait hors d'état de le faire, et cela d'autant plus aisément qu'elle aura elle-même des vaisseaux. Ce n'est pas tout, continuait l'intendant, si son commerce et sa population augmentent, elle tirera de la mère-patrie tout ce qui pourra lui manquer, et par ses importations du royaume elle contribuera à l'accroissement du revenu du roi, et accommodera les producteurs français en achetant le surplus de leurs marchandises.

Au contraire, si la Nouvelle-France n'est pas soutenue, elle tombera entre les mains des Anglais, ou des Hollandais ou des Suédois; et l'avantage que l'on perdra en perdant cette colonie, n'est pas si peu considérable que la compagnie ne doive convenir que cette année il passe de la nouvelle en l'ancienne France pour près de cinq cent cinquante mille francs de pelleteries.

Par toutes ces raisons, comme par celles qui sont connues dont on ne parle pas, ou qui sont cachées et que le temps fera seul découvrir, l'on doit se convaincre que le Canada est d'une utilité inappréciable.

L'intendant dont tous les actes nous révèlent un homme à vues larges, à connaissances positives, avait l'oeil à tout, embrassait tout, donnait de la vie à tout. Entre autres soins, il faisait faire des recherches métallurgiques. En venant de France, il s'était fait débarquer lui-même à Gaspé, où il découvrit du fer. L'année suivante, en 1666, il avait envoyé un ingénieur, M. de la Tesserie, à la baie St.-Paul, lequel rapporta en avoir trouvé une mine très abondante; il espérait même y trouver du cuivre et peut-être de l'argent. Lorsque M. Talon passa en France, deux ans après, il engagea Colbert à faire continuer ces explorations. M. de la Potardière fut en conséquence envoyé en Canada, où on lui présenta des épreuves de deux mines que l'on venait de découvrir aux environs des Trois-Rivières. Ayant visité les lieux, il déclara qu'il n'était pas possible de voir des mines qui promissent davantage, soit pour la bonté du fer, soit pour l'abondance. Ce fer est en effet supérieur à celui de la Suède.

Talon qui était par dessus tout un homme essentiellement pratique, ne s'en tenait pas à des recherches, à des études, à des rapports. Il fonda ou encouragea une foule d'industries, fit faire de nombreux essais de culture, établit de nouvelles branches de commerce, noua des correspondances avec la France, les Antilles, Madère, et d'autres places dans l'ancien et le nouveau monde, ouvrit des pêches de toutes sortes de poissons dans le St.-Laurent et ses nombreux affluens. La pêche du loup-marin fut encouragée, et bientôt elle produisit de l'huile non seulement pour la consommation du pays, mais encore pour l'exportation en France et dans les Antilles, colonies avec lesquelles il voulait établir un commerce très actif, et où il fit passer du poisson, des pois, du merrain et des planches, le tout cru du pays.

Mais comme la pêche sédentaire devait être nécessairement l'âme de ce négoce, il travailla à en établir une, et pour en assurer le succès, il projeta de former une compagnie qui eût les capitaux suffisans pour la mettre de suite sur un pied solide et étendu, ne doutant point que en peu de temps elle ne fît des profits considérables. La pêche au marsouin blanc, exigeant peu de dépense, devait produire aussi des huiles excellentes pour la manufacture et en très grande quantité. Il fit encore couper des bois de toutes sortes, et entre autres des mâtures, dont il envoya des échantillons à la Rochelle pour servir à la marine.

Outre les grains ordinaires qui avaient été cultivés jusqu'alors, il encouragea la culture des chanvres entièrement négligée aujourd'hui, afin de fournir à la consommation du pays, et aux demandes du commerce extérieur. Une tannerie, la première qu'ait eue le Canada, fut établie près de Québec et eut un plein succès. Enfin sous sa main créatrice tout prit une nouvelle vigueur, et changea complètement de face dans un court espace de temps. Il entrait dans le détail des moindres choses, invitait les habitans chez lui, ou allait les visiter; il éclairait leur industrie, favorisait leur commerce et encourageait ainsi tout le monde. En 1668, l'on vit onze vaisseaux mouillés dans la rade de Québec, chargés de toutes sortes de marchandises, proportion plus grande relativement à la population, que les 1200 navires qui fréquentent annuellement nos ports aujourd'hui; c'était le fruit à la fois et de l'impulsion éclairée donnée par Talon, et de la liberté du commerce qui venait d'être accordée à la colonie; liberté, cependant, qui n'était pas égale en toutes choses, puisqu'une ordonnance du conseil souverain fut passée dans l'année même pour défendre dans la province, dès qu'il y aurait été établi des brasseries, l'entrée des vins et des eaux-de-vie sans un permis du roi. C'était une nouvelle manière de mettre en vigueur les défenses de vendre des boissons fortes aux Indigènes; manière tyrannique si l'on veut, mais qui devait atteindre sûrement son but.

Cependant, comme l'émigration n'était pas aussi considérable qu'on s'y était attendu, l'on prit le sage parti d'y licencier le beau régiment de Carignan, à condition que les soldats prendraient des terres et s'y établiraient, politique qu'on ne saurait trop louer, sous le rapport militaire surtout, parceque l'on ne combat jamais mieux que lorsque c'est pour défendre son bien. Six compagnies qui étaient repassées en France avec le vice-roi, revinrent à cet effet en Amérique. Les officiers, dont la plupart étaient gentilshommes, obtinrent des seigneuries en concession, dans lesquelles leurs soldats se fixèrent. Ces vieux guerriers de Turenne qui avaient couru les chances et les périls de la guerre ensemble, voulurent partager aussi le même sort dans une nouvelle carrière et dans une nouvelle patrie. Un sentiment d'attachement réciproque continua de subsister entre eux, devenus, les uns seigneurs, les autres censitaires. L'estime contractée sur les champs de bataille s'éteint difficilement. En effet, elle leur survécut et passa à leurs enfans. Ce n'est que de nos jours que cette harmonie a été troublée, depuis qu'on permet à certains spéculateurs étrangers et autres d'élever les rentes de leurs concessions au-dessus des taux usités et d'ajouter de nouvelles charges aux anciennes.

Le régiment de Carignan faisait partie des 4000 hommes de pied envoyés par la France au secours de Léopold, contre les Turcs en 1664, et commandés par les comtes de Coligny et de la Feuillade. A la journée décisive de St.-Gothard, où Montécuculi défit complètement le grand visir Ahmed Kouprouli, les Français repoussèrent les Turcs des bords du Raab, et soutinrent le centre des Allemands, prêt à être enfoncé. De la gauche qu'ils occupaient, ils se portèrent sur ce point, et tombant avec furie sur les janissaires, ils leur arrachèrent une victoire que ceux-ci proclamaient déjà. Par le détail que Montécuculi nous a laissé de cette action, dans ses mémoires, on peut juger à combien peu tient souvent le sort des combats. Il avoue, en effet que, sans la valeur éprouvée des Français et de quelques régimens de l'empereur, qui permit d'opposer l'art et le courage aux efforts de la multitude, l'armée était prise en flanc sur les ailes, et la bataille infailliblement perdue. Les troupes françaises prirent quantité de drapeaux et onze pièces de canon. Les Turcs perdirent 8000 hommes tués ou noyés (Anquetil) .

Ce régiment dont descend une grande partie des Canadiens, avait pris part aussi à la guerre de la Fronde et aux sanglans combats d'Etampes et du faubourg St.-Antoine à Paris (1652), pour les royalistes; de sorte que l'on pouvait compter sur l'attachement et sur la fidélité des colons qu'on tirerait de ses rangs. Plus tard Turenne le commanda encore à l'attaque d'Auxerre.

C'est vers cette année que des affaires de famille, et peut-être quelques difficultés avec le gouverneur, provenant moins de la différence de vues que de la différence de caractère engagèrent Talon à repasser en France, mais avec l'intention de revenir en Canada. Il se plaignit, dit-on, à la cour des manières de M. de Courcelles à son égard. Ce dernier doué de grands talens administratifs et qui a eu la gloire de gouverner le Canada pendant l'une des périodes les plus intéressantes de son histoire, manquait quelquefois d'activité. L'intendant au contraire concevait et exécutait rapidement, il ne pouvait rester un instant dans l'inaction. Il décidait bien des choses sans en communiquer avec M. de Courcelles, afin d'éviter un retardement préjudiciable au service du roi et au bien de la colonie. L'on conçoit facilement qu'une telle conduite était de nature à déplaire au gouverneur, qui paraît aussi n'avoir pas toujours été d'un commerce égal, et qui de plus n'approuvait pas la politique de ménagemens de l'intendant pour le clergé contre lequel il s'était laissé prévenir, quoiqu'au fond l'opinion de ces deux hommes fût la même sur cette matière. Seulement Talon, placé entre le gouverneur et M. de Pétrée, avait plus de motifs de se comporter avec prudence, chose nécessaire d'ailleurs à la tranquillité du pays et à l'exécution des projets dont nous parlerons plus tard et qu'il méditait déjà. M. de Bouteroue vint remplacer Talon; c'était un homme savant, poli, gracieux, grand et bien fait de sa personne; mais il lui était difficile de surpasser, d'égaler même son prédécesseur. Il avait ordre particulièrement de modérer avec sagesse la grande sévérité des confesseurs et de l'évêque, et de maintenir la bonne intelligence entre tous les ecclésiastiques du pays. L'on devine aisément que toutes ces recommandations avaient été inspirées par le mémoire que Talon avait adressé à la cour l'année précédente.

C'est en 1670 que l'on s'aperçut pour la première fois que les cinq nations cherchaient à engager les Outaouais à porter leurs pelleteries chez elles, dans l'intention de les revendre aux Anglais, qui occupaient la Nouvelle-Belgique depuis six ans, et dont ils avaient changé le nom en celui de Nouvelle-York. Cette province avait été découverte en 1609 par Jean Hudson, qui était entré dans la rivière sur laquelle sont bâtis aujourd'hui Albany et New-York la plus grande ville de l'Amérique du Nord. Il céda sa découverte à la Hollande, qui y envoya des colons en 1614, tandis que tes Suédois s'établissaient dans la partie méridionale de cette contrée, qui forme à présent la Pennsylvanie. Ces deux nations restèrent en paix avec les Anglais jusque vers 1654. Leurs établissemens commençant alors à se toucher, des difficultés ne tardèrent pas à éclater entre elles. Les Anglais, qui convoitaient depuis longtemps la Nouvelle-Belgique, trouvèrent un prétexte en 1664 pour y envoyer des commissaires et des troupes, qui s'emparèrent de la colonie sans coup-férir, les Hollandais ayant à peine tiré l'épée pour se défendre. Plus amoureux de leur bien-être que sensibles à l'honneur national, ils acceptèrent volontiers un nouvel état de choses qui leur permettait du moins de commercer en paix. L'Angleterre acquit ainsi à peu de frais une belle province, en retour de laquelle elle céda la plantation de Surinam dans le voisinage de la Guyanne. C'est ainsi qu'elle devint notre voisine immédiate dans la vallée du St.-Laurent. M. de Courcelles, qui surveillait la conduite des Sauvages d'un oeil vigilant, vit de suite le danger de la démarche des Iroquois. En effet, s'il permettait aux tribus des bords du St.-Laurent et des rivières qui s'y déchargent de porter leurs pelleteries ailleurs, le commerce du Canada, formé alors principalement de cette marchandise, se trouverait anéanti, et, ce qui était aussi essentiel, l'alliance de ces peuples gravement compromise. Il ne balança donc pas un instant à partir pour leurs cantons; et, afin de leur faire voir qu'on pouvait aller chez eux par eau, et que les obstacles de la communication n'étaient pas tels qu'ils né pussent être vaincus, soit pour le commerce, soit pour la guerre, il remonta en bateau tous les rapides, de Montréal au lac Ontario. Son voyage eut un plein succès; mais les fatigues qu'il y avait endurées, altérèrent tellement sa santé, qu'il fut obligé de demander son rappel, afin, disait-il dans sa lettre au ministère, que s'il avait le bonheur de recouvrer ses forces, il pût aller se faire tuer pour le service du roi, comme avaient déjà fait tous ses frères. Il ne repassa en France cependant qu'en 1672.

Le séjour que fit M. Talon à Paris, ne fut pas inutile au Canada. Il s'y occupa activement des intérêts de cette colonie, et surtout des moyens de grossir l'émigration, qui marchait beaucoup trop lentement à son gré. Le roi lui permit d'y envoyer sans délai cinq cents familles. Les Récollets profitèrent de sa présence pour solliciter de la cour la permission de retourner en Canada, dont les Jésuites, comme nous l'avons déjà dit, avaient eu l'adresse de les faire exclure. Ils obtinrent ce qu'ils demandaient avec d'autant plus de facilité qu'ils furent probablement appuyés par lui. En 1669, Talon repartit pour l'Amérique emmenant un grand nombre de familles et quelques Franciscains; mais après trois mois de la navigation la plus orageuse, le vaisseau qui les portait fut obligé de relâcher à Lisbonne, d'où ayant fait voile pour retourner à la Rochelle, il périt presqu'à la vue du port. L'on ne put sauver qu'une partie des passagers. Talon fut plus heureux l'année suivante; il débarqua à Québec avec quantité de soldats du régiment de Carignan, qui étaient repassés en France, et qui revenaient pour s'établir dans le pays. (*Voir* Appendice D.) Les Récollets qui le suivirent furent mis en possession du terrain qu'ils avaient occupé avant leur expulsion. L'édit de leur rétablissement est de l'année 1669.

Jusque là l'on avait été très scrupuleux sur le choix des émigrans destinés pour cette contrée, regardée plutôt comme une mission que comme une colonie. Ce système qui l'avait privée de beaucoup d'habitans, était certainement des plus vicieux; car l'expérience a démontré que les moeurs des émigrés s'épurent à mesure qu'ils acquièrent de l'aisance, et que la pauvreté et la misère, qui sont les causes déterminantes du relâchement des moeurs dans les classes qui alimentent l'émigration, disparaissant, leurs vices les quittent également. L'on jugea donc alors à propos de se départir d'une sévérité dont les avantages n'étaient que temporaires, tandis que les inconvéniens étaient irréparables. Le nouveau système permit de trouver des colons en plus grand nombre.

A peu près vers ce temps-ci la paix avec les Indiens fut mise en danger par quelques pillards français qui assassinèrent un chef Iroquois et six Mahingans, pour avoir leurs pelleteries. Lorsque la nouvelle en parvint dans les bourgades des Sauvages assassinés, elles entrèrent en fureur, et menacèrent d'en tirer une vengeance éclatante. Il n'y avait pas un moment à perdre. M. de Courcelles partit sur le champ pour Montréal, où se trouvaient heureusement entre beaucoup d'autres tribus, des gens de ces mêmes villages. Il les assembla aussitôt, et après leur avoir démontré la nécessité de rester unis avec nous, il fit venir trois des meurtriers et leur fit casser la tête en leur présence; il assura en même temps à ces Sauvages que tous les complices du crime subiraient le même sort, si on parvenait a s'en saisir. Des présens leur furent ensuite offerts pour les dédommager des pelleteries volées. Une si prompte justice les apaisa.

Le gouverneur eut encore plusieurs autres affaires à régler avec ses alliés qu'il avait pour politique invariable de maintenir en paix ensemble. Il obligea les cinq cantons et les Outaouais, qui faisaient des courses les uns sur les autres, à poser les armes; il pacifia également (1671) les Tsonnonthouans et les Pouteouatamis, quoique les premiers n'adhérèrent à sa décision qu'en murmurant. Le règlement de toutes ces difficultés l'occupa jusqu'à la fin de son administration. Les Iroquois chrétiens, étant exposés aux insultes de leurs compatriotes demeurés idolâtres, demandèrent la permission de s'établir parmi les Français. Il les reçut à bras ouverts, comptant avec raison qu'ils formeraient dans la suite une barrière contre les irruptions de leurs anciens compatriotes. Ils furent placés d'abord à la prairie de la Magdelaine, et ensuite au Saul-St.-Louis, où l'on en voit encore quelques restes. Le temps était propice pour faire tous ces arrangemens; le fléau qui décimait alors les Indigènes les rendait plus conciliants et plus raisonnables. La terrible année de 1670 fut une époque de deuil et de désolation pour eux. Ils furent frappés d'une mortalité effrayante causée par la petite vérole qui enleva des tribus entières, et dépeupla presque complètement le nord du Canada. Les Attikamègues disparurent comme nation. Tadoussac, où l'on voyait au temps de la traite de 1000 à 1200 Sauvages, fut, depuis ce moment, presqu'abandonné. Quelques années après, cette maladie, si funeste à tous les Indiens, fit littéralement un vaste tombeau de la bourgade de Syllery. Quinze cents Sauvages en furent atteints et pas un seul ne guérit (Charlevoix). C'est après ces ravages que le P. Chaumonot rassembla les Hurons qui avaient été épargnés et fonda avec eux le village de Lorette, à 2 lieues de Québec.

Cependant le moment était arrivé où Talon allait réaliser un projet qu'il avait formé lors de sa première intendance en Canada; et qui consistait à faire passer les vastes contrées de l'Ouest, dont l'on ignorait encore toute l'étendue, sous la suprématie de la France qui ambitionnait l'honneur d'étendre son influence jusqu'aux dernières limites du continent. Il y avait de la grandeur et de la politique dans un pareil dessein, qui témoigne du génie de son auteur. Louis XIV l'avait accueilli avec beaucoup de faveur pendant le séjour de Talon à Paris; et celui-ci, sûr maintenant de l'appui du roi, ne fut pas plus tôt de retour à Québec qu'il s'occupa des moyens de le mettre à exécution.

L'on a vu dans un autre chapitre que les nombreuses tribus de la grande famille algonquine occupaient une portion considérable du continent à l'est du Mississipi, avec les Hurons, et que tous ces peuples étaient très attachés aux Français dont ils aimaient les moeurs agréables et le caractère chevaleresque, et auxquels ils se regardaient comme redevables du repos dont ils jouissaient. Talon profita adroitement de cette circonstance pour les engager à reconnaître la suprématie du roi et à se mettre sous sa protection. Les missionnaires et les traitans, qui avaient déjà étendu leurs courses fort loin, facilitèrent aussi ses vues, à la réalisation desquelles les premiers reçurent ordre de travailler en étendant leurs prédications . Mais pour ouvrir la négociation qui devait amener un résultat définitif, il fallait trouver une personne propre à remplir officiellement cette mission délicate et difficile avec les tribus occidentales. Personne ne lui parut plus capable qu'un voyageur renommé, Nicolas Perrot, homme assez instruit, de beaucoup d'esprit, et parlant bien la langue de ces peuples parmi lesquels il avait acquis une grande influence. Ce voyageur, ayant reçu ses instructions, partit avec l'ordre de pousser aussi loin que possible ses découvertes; il visita un grand nombre de peuplades, et pénétra jusque chez les Miâmis, à Chicago, dans le fond du lac Michigan, par lesquels il fut reçu comme l'envoyé d'un grand roi et avec toute l'ostentation que pouvaient mettre ces barbares. Il les invita tous au nom du grand *Ononthio*, c'est ainsi que les Indiens désignaient toujours le roi de France, à envoyer des députés pour rencontrer les siens, et délibérer sur les matières importantes qui leur seraient soumises, le printemps suivant, au Sault-Ste.-Marie, au pied du lac Supérieur, où se faisaient alors les assemblées générales de toutes les nations, à cause de la prodigieuse abondance de la pêche qui pouvait nourrir de grandes réunions d'hommes. Tous promirent de se trouver au rendez-vous. M. de St.-Lusson y arriva à la fin de mai 1671, chargé des pleins pouvoirs du roi. Il y trouva les chefs d'une multitude de tribus qui habitaient les bords du lac Supérieur, du lac Huron et le fond de la baie d'Hudson. Le père Allouez fit un discours en langue algonquine, pour expliquer l'objet de l'assemblée, et demander leur acquiescement aux propositions du monarque qui leur faisait offrir sa puissante protection, et dont il exalta la gloire et la magnificence. Les députés s'écrièrent tous qu'ils ne voulaient plus avoir d'autre père que le grand *Ononthio* des Français. Alors Perrot creusa un trou dans la terre, et y éleva une croix aux armes de France, pour scéler par ce signe la prise de possession du pays, que M. de St.-Lusson déclara être désormais sous la protection du roi, au bruit de la mousqueterie et aux acclamations de cette foule ignorante qui venait de se donner un maître.

Talon, voyant le succès qui avait couronné cette première entreprise, résolut de ne pas s'arrêter en aussi beau chemin, et fit continuer les découvertes jusqu'au dernier moment de son séjour dans le pays. Les Indiens occidentaux rapportaient qu'il y avait un grand fleuve, nommé Mississipi, à l'est du Canada; il ne voulut point laisser la colonie sans avoir éclairci ce point important. Le P. Marquette et M. Joliet, de Québec, furent chargés par lui d'aller en faire la recherche; l'on verra dans le chapitre suivant comment ils s'acquittèrent de cette entreprise.

Nous avons dit que M. de Courcelles avait demandé d'être rappelé; le roi choisit pour le remplacer, le comte de Frontenac, qui arriva en Canada en 1672, précédé d'une réputation qui fit désirer à Talon de remettre aussi sa charge. Il avait jugé en effet qu'il y aurait de l'imprudence à se commettre avec le nouveau gouverneur dans une colonie trop petite pour donner des occupations séparées à deux hommes qui n'étaient pas d'humeur à dépendre l'un de l'autre, et par conséquent à agir en tout avec ce concert qui exige des concessions réciproques. Il demanda en conséquence sa retraite. Un des derniers actes administratifs de M. de Courcelles fut une convention qu'il conclut avec les Iroquois pour la fondation de Catarocoui, aujourd'hui Kingston. Ces barbares, après une guerre de plusieurs années où les succès avaient été longtemps balancés, venaient de vaincre les Andastes et les Chaouanons, qui furent presqu'entièrement exterminés. Cette victoire les avait gonflés d'orgueil, et l'on ne savait pas où s'arrêterait leur ambition. M. de Courcelles pensa qu'il était temps de se mettre en garde contre les entreprises qu'ils pourraient tenter contre la colonie, n'ayant plus rien pour s'occuper au dehors. Il convoqua dans cette vue une assemblée de leurs chefs à Catarocoui où il se rendit lui-même; et il leur déclara qu'il allait bâtir un fort pour qu'ils pussent y faire la traite plus commodément avec les Français. Soit qu'ils ne comprissent pas le but du gouverneur, soit qu'ils s'abusassent sur leurs propres forces, ils trouvèrent ce projet très bien imaginé; mais avant que celui-ci put faire commencer les travaux, arriva, comme on vient de le dire, M. de Frontenac qui comprit de suite l'importance de l'entreprise. Il se transporta de sa personne sur les lieux l'année suivante, et ordonna la construction du fort au confluent de la rivière Catarocoui avec le St.-Laurent. Telle fut l'origine de la ville qui vient d'être temporairement la capitale du Canada.

Le départ de M. de Courcelles qui devait entraîner plus tard celui de Talon fut une perte pour le pays. Les qualités de ce gouverneur n'étaient pas aussi brillantes que celles de son successeur; mais avec beaucoup d'expérience et de fermeté, il possédait cette sagesse si précieuse aux hommes d'état, qui leur fait prévenir les difficultés. D'une part, en retenant avec une main ferme, mais douce, les prétentions du clergé dans de justes bornes, il avait su se concilier l'appui des missionnaires qui ont rendu de tout temps de si grands services à la colonie, et qui contribuaient alors à faire respecter par les Indiens sa personne et son gouvernement. De l'autre, aucun gouverneur n'a déployé une politique plus habile que la sienne à l'égard de ces peuples, et il est regrettable que plusieurs de ceux qui vinrent après lui, n'aient pas toujours partagé ses vues à cet égard et suivi ses traces. On doit aussi lui tenir compte d'avoir eu le bon esprit de tolérer en général l'espèce d'indépendance que prenait quelquefois M. Talon, dont le génie supérieur ne pouvait jeter que de l'éclat sur son administration. Le caractère particulier de ces deux hommes, l'activité de l'un suppléant à la nonchalance de l'autre, a fait qu'ils ont pu marcher ensemble malgré les brouilles qu'inspirait quelquefois peut-être l'amour-propre blessé, mais que faisaient taire bientôt des idées plus généreuses, la gloire et l'amour de leur patrie. Les regrets des colons accompagnèrent le retour de M. de Courcelles en France.

Cependant le rang, l'influence et la réputation de son successeur leur firent espérer que l'on ne cesserait point de travailler à l'avancement de la colonie avec la même activité, et qu'elle serait toujours l'objet de la même attention de la part du roi. Petit fils d'un chevalier des ordres fort dévoué à la cause de Henri IV dans la guerre de la ligue, le comte (Louis de Buade) de Frontenac avait suivi la carrière de ses ancêtres, et était parvenu au grade de lieutenant-général dans les armées; il avait l'esprit pénétrant, fertile en ressources et orné par l'étude, mais on lui reproche de l'ambition et de la hauteur; et l'on remarqua en Canada qu'il était d'autant plus fier pour les grand qu'il était poli et affable pour le peuple, ce qui dut lui faire des ennemis puissans. Extrêmement jaloux du pouvoir, il en usa despotiquement. Il avait appris le métier des armes sous le fameux Maurice, prince d'Orange; et ayant obtenu le commandement du régiment de Normandie, il avait servi en France, en Allemagne, et en d'autres pays de l'Europe, et avait eu l'honneur d'être désigné, par Turenne, au roi pour commander les secours qu'il envoyait à Candie assiégée par les Turcs .

En prenant les rênes du gouvernement, il voulut assembler le conseil souverain d'une manière solennelle; et contre l'usage ordinaire, il lui adressa un discours que nous reproduirons ici, et dans lequel on reconnaît le soldat qui aime à voir dans le succès des armes la grandeur de sa patrie. Cette harangue est peut-être la première qui ait été prononcée par le représentant du roi dans cette colonie, en pareille circonstance; et à ce titre, nous avons cru devoir conserver des paroles qui se sont rarement répétées sous le gouvernement français. «Après vous avoir remercié, dit le nouveau gouverneur, de toutes les civilités que j'ai reçues de vous, et vous avoir témoigné la joie que je ressens d'être au milieu de mes conseillers, je vous avouerai que je n'en ai pas une médiocre de ce qu'en vous faisant part des ordres de sa Majesté, j'ai à vous apprendre l'heureux succès de ses armes et à vous annoncer ses victoires.

«Elle désire que vous enregistriez la déclaration de la guerre qu'elle a faite par mer et par terre contre les Hollandais; mais vous ne saurez pas plutôt par là qu'ils sont ses ennemis, que je vous dirai qu'ils sont devenus ses sujets, et qu'elle a poussé ses conquêtes avec tant de rapidité qu'en un mois de temps elle s'est assujetti des peuples qui, pendant plus de cent années, avaient résisté à toute la puissance de la maison d'Autriche, lors même qu'elle était dans le plus haut point de sa grandeur et de son élévation.

«Tous ces prodiges qui n'ont presque point d'exemples, doivent augmenter l'amour et la vénération que nous sommes obligés d'avoir pour cet incomparable monarque, que nous voyons être favorisé de Dieu si visiblement, et nous engager à lui donner de plus en plus de grandes preuves de notre obéissance et de notre fidélité.

«Quoique sa Majesté n'a jamais eu lieu de douter de la vôtre, elle m'a commandé néanmoins qu'à mon avènement dans ce pays, je vous fisse prêter un nouveau serment entre mes mains, et que je vous excitasse à vous acquitter du devoir de vos charges avec toute sorte de vigilance et d'intégrité.

«C'est par la justice que les Etats les mieux établis se conservent, et ceux qui ne font encore que de naître ont encore plus de besoin qu'on la rende avec exactitude et célérité.

«C'est pourquoi vous devez, messieurs, appliquer tous vos soins à répondre en cela aux intentions de sa Majesté, puisque c'est une des choses qui peuvent le plus contribuer aux progrès de cette colonie dont elle souhaite fort l'accroissement.

«Pour moi j'essaierai de vous en donner l'exemple en ne faisant aucune acception de personne, en protégeant toujours le pauvre et le faible contre ceux qui les voudraient opprimer, et en cherchant avec soin les moyens de procurer l'avantage et la satisfaction de toutes les personnes que je verrai être bien intentionnées pour le bien du pays et pour le service de sa Majesté.»

Après ce discours tous les membres du conseil levèrent la main et firent serment.

Le comte de Frontenac trouva la colonie et les nations indiennes dans une paix profonde qui dura plusieurs années. La déclaration de guerre contre la Hollande qu'il fit proclamer en Canada, n'était qu'une pure formalité qui intéressait tout au plus quelques marchands. Il n'avait donc qu'à s'occuper de l'avancement du pays, et du perfectionnement de ses jeunes institutions, qui avaient besoin de beaucoup d'améliorations. L'administration de la justice fut particulièrement l'objet de sa sollicitude; et en cela il ne fit que suivre les tendances du gouvernement de Louis XIV pour la France elle-même. En homme habile, ce monarque qui avait fait atteindre le plus haut degré de centralisation à la monarchie, qui avait écrasé la puissance pontificale et l'opposition protestante, chercha à couvrir ses usurpations par une administration plus régulière et plus éclairée de la justice. Ainsi l'on a vu de nos jours Napoléon, après avoir renversé la constitution de sa patrie, constitution il est vrai qui menaçait ruine, on l'a vu, dis-je, promulguer un code de lois qui lui a acquis une gloire immortelle.

Le gouverneur tout en marchant sur les traces de son maître, opérait ces changemens avec des formes et des manières si hautaines et si despotiques, que malgré sa grande influence, et sa grande capacité, il se fit des ennemis nombreux et implacables. Si l'on voulait en croire tout ce qu'en disent ses contemporains, l'on serait très en peine de le juger, car sa conduite a été attaquée avec autant de virulence qu'elle a été défendue avec enthousiasme. Nous tâcherons d'éviter ces deux extrêmes, et nous jugerons des actes de cet administrateur par les résultats qu'ils ont eus pour notre patrie.

Quoique M. Talon eût demandé son rappel en même temps que M. de Courcelles, il ne fut relevé qu'en 1675; de sorte qu'il resta trois ans avec le nouveau gouverneur auquel il fut sans doute très utile. Il paraît que la bonne intelligence ne cessa pas de régner entre ces deux grands fonctionnaires. Comme l'intendant, le comte de Frontenac étudia et connut bientôt les vrais intérêts de la colonie à la prospérité de laquelle il travailla avec ardeur. Personne ne sut mieux que lui prendre sur les colons et sur les Sauvages cet ascendant si nécessaire pour les retenir dans le devoir et le respect; et il traitait ses alliés et ses ennemis avec une hauteur mêlée de noblesse qui en imposait aux barbares et leur donnait une haute idée de la France.

Après avoir mis la dernière main aux traités conclus avec ces peuples, et s'être assuré de leurs bonnes dispositions qu'il sut affermir par sa politique, il porta les yeux sur les affaires intérieures du pays. Plusieurs gouverneurs avaient voulu signaler le commencement de leur administration par la promulgation de réglemens pour la bonne conduite des habitans, nommés réglemens de police; mais qui avaient souvent une bien plus grande portée. Dans le mois de mars 1673, de nouveaux réglemens furent passés par le conseil souverain en 31 articles, dont plusieurs pourraient être encore adoptés aujourd'hui avec avantage. Le premier portait que trois échevins seraient élus à la pluralité des suffrages des habitans de Québec, pour agir comme juges de police et veiller à l'exécution des lois. Trois ans après, ces réglemens subirent une nouvelle révision et furent très-étendus, quelques uns embrassant même les Sauvages qu'ils firent tomber sous l'action des lois françaises pour les offenses criminelles graves. Défense fut pareillement faite aux marchands forains de traiter avec les Indigènes; et il fut pourvu à ce que le lieutenant général tint deux assemblées de police générale par an, le 15 novembre et le 15 avril, où les principaux habitans de Québec seraient appelés, pour aviser, entre autres choses, aux moyens d'augmenter et d'enrichir la colonie.

En 1674, le roi se rendant enfin aux voeux des Canadiens, supprima totalement la compagnie des Indes occidentales, qui ne remplissait aucune de ses obligations envers le pays, et remboursa aux membres les fonds qu'ils avaient mis dans la société. Il paraît, par l'édit de révocation, que la population des colonies françaises en Afrique et en Amérique, était à cette époque de plus de 45,000 âmes, et que leur commerce employait environ 100 navires, sans compter sans doute ceux qui étaient engagés dans la pêche de la morue et de la baleine, et dont le nombre était beaucoup plus considérable.

L'absence d'une cour en première instance pour connaître des matières civiles et criminelles entraînant des inconvéniens, le siège de la prévoté et justice ordinaire fut rétabli à Québec, ainsi qu'on l'a rapporté ailleurs, en 1677. Cette amélioration fut suivie l'année d'après de l'introduction de la fameuse ordonnance de 1667 touchant l'administration de la justice. Cette ordonnance, l'un des plus grands bienfaits qui aient été conférés à ce pays sous l'ancien régime, n'y a eu de pendant depuis en matières légales, que le code criminel anglais introduit par la conquête.

L'année 1679 vit paraître, elle, l'important édit concernant les dîmes et les cures fixes dont on a parlé assez au long dans le chapitre sur le gouvernement ecclésiastique; et une ordonnance non moins intéressante pour la liberté des citoyens, par laquelle il était défendu aux gouverneurs particuliers d'emprisonner personne. Ce droit fut réservé seulement au gouverneur en chef, au lieutenant-général civil et au conseil souverain. Il n'est pas improbable que cette loi salutaire ait été suggérée par ce qui venait de se passer entre M. de Frontenac et M. Perrot, gouverneur de Montréal, et dont nous allons maintenant parler.

Tous les changemens, toutes les améliorations qu'on vient d'énoncer se faisaient au bruit des querelles qui avaient marqué les premiers pas de l'administration de M. de Frontenac. Dès 1673, ce gouverneur était en guerre ouverte avec celui de Montréal, dont le satirique La Hontan disait, que n'ayant que mille écus d'appointemens, il avait trouvé le moyen d'en gagner cinquante mille par son commerce avec les Sauvages en peu d'années. Soit à tort ou à raison, M. de Frontenac crut que M. Perrot n'observait pas les ordonnances et les instructions du roi, et il lui envoya pour lui porter ses commandemens à cet égard un lieutenant de ses gardes. Celui-ci reçut fort mal cet officier, et le fit jeter même en prison.

Cette conduite inqualifiable attira sur lui toute la colère du comte déjà prévenu, qui fit aussitôt assembler extraordinairement le conseil souverain pour aviser aux moyens à prendre en présence d'un acte d'insubordination qu'il regardait comme un attentât contre l'autorité royale. Le substitut du procureur-général fut chargé de commencer l'instruction de cette affaire de suite, et de se transporter à Montréal s'il était nécessaire.

Cependant Perrot voyant que l'affaire prenait une tournure plus sérieuse qu'il ne l'avait pensé, était descendu à Québec dans l'espoir peut-être de trouver assez d'influence pour détourner l'orage qui le menaçait; mais cela ne fit qu'avancer sa disgrâce; il y fut arrêté au commencement de janvier (1674) et enfermé au château St.-Louis, où il fut détenu plus d'un an prisonnier, refusant de reconnaître l'autorité du gouverneur général et du conseil souverain pour le juger.

Malheureusement cette affaire, déjà assez grave, se compliqua dans le cours de l'hiver par la part qu'y voulurent prendre quelques membres du séminaire de St.-Sulpice, dont l'un, M. l'abbé de Salignac Fénélon, était curé de Montréal. Cette intervention mal avisée ne fît, comme on devait le supposer, qu'augmenter le mal en mêlant le clergé à la querelle. L'abbé Fénélon blâma hautement, dans son sermon du jour de Pâques, la conduite du gouverneur général, qu'il qualifia de tyrannique et de violente; il ne s'arrêta pas là, il recueillit dans la ville des signatures à une remontrance au roi contre lui. Dans un temps où la liberté était inconnue, cette hardiesse parut un second outrage à M. de Frontenac; et l'ordre fut donné sur le champ d'assigner le bouillant abbé, qui était peut-être en partie la cause, par ses conseils, de la rébellion de M. Perrot, à venir expliquer sa conduite devant le conseil souverain, et plusieurs de ses collègues à comparaître en témoignage contre lui.

Après avoir fait plusieurs fois défaut, ces messieurs se présentèrent enfin; mais ce fut pour décliner la juridiction du conseil sur eux, prétendant qu'ils ne pouvaient être jugés ou assignés en témoignage que par leur évêque. L'abbé Fénélon se conduisit surtout avec une grande audace. Il réclama le droit que possédaient les ecclésiastiques en France de parler assis et couverts en présence des conseils souverains, et ajoutant l'action à la parole, il s'avança vers les membres et se couvrit avec un geste de vivacité insultant comme pour braver le comte de Frontenac, qui présidait alors le conseil, et qui après lui avoir fait remarquer avec beaucoup de modération l'inconvenance de sa conduite, le fit retirer dans une salle voisine sous la garde de l'huissier, en attendant que le conseil eût opiné sur ce qu'il y avait à faire dans cette urgence. Ce corps décida tout d'une voix que la prétention de M. l'abbé Fénélon ne pouvait être admise d'autant plus qu'il comparaissait comme accusé. Il fut ramené devant le conseil; mais persistant à ne pas le reconnaître comme son tribunal légitime, et à refuser de répondre à ses interrogatoires, il fut mis aux arrêts.

La situation des choses en Canada dans le moment, montrait le danger de la doctrine invoquée par les ecclésiastiques de ne reconnaître pour juge légitime que leur évêque. Lorsqu'un violent antagonisme divisait le gouverneur et cet évêque jusqu'au point d'entraîner des voies de fait chez leurs partisans, si chacun des deux rivaux avait eu un tribunal pour juger ses amis et ses créatures, quelle justice, quelle unité aurait-on pu en attendre? Il est évident qu'il y aurait eu dès lors deux pouvoirs en opposition dans l'Etat, et que la société aurait été en conséquence bouleversée.

D'un autre côté, comme les offences de M. Perrot et de l'abbé Fénélon étaient personnelles au comte de Frontenac, celui-ci parut exercer un pouvoir exorbitant et dangereux, en cumulant avec ses autres fonctions celles de président du conseil, où il semblait être à la fois dans ce cas-ci accusateur et juge. Il ne faut pas croire néanmoins, comme Charlevoix, qu'il eût usurpé cette présidence; il l'a remplissait par droit d'office, et conformément à l'usage établi, les gouverneurs en commençant par M. de Tracy ayant les uns après les autres présidé ce corps depuis sa création, et signé les procès-verbaux de ses séances .

Cependant M. Perrot persistait toujours obstinément à ne pas reconnaître la compétence du conseil. Dans ses objections il s'en trouva de bien fortes et qui influèrent puissamment sur la décision qui fut adoptée plus tard. Il représenta, entre autres choses, que se trouvant accusé directement par le gouverneur général qui était son ennemi personnel, il ne pouvait consentir à mettre son sort entre les mains d'un tribunal dont ce gouverneur était président; qu'en outre plusieurs des membres du conseil étaient intéressés à sa perte, en ce que la personne qui avait été nommée pour le remplacer dans le gouvernement de Montréal, leur était étroitement alliée par le sang, et que c'est ce qui expliquait l'acharnement avec lequel ils travaillaient contre lui. Pour ces raisons donc, il récusait nommément M. de Frontenac et tous les autres membres auxquels il avait fait allusion, et en appelait au conseil d'état à Paris.

Le sulpicien, l'abbé Fénélon, qui souffrait de se voir ainsi traîner devant un tribunal civil, qu'il savait mal disposé contre lui, adopta la même tactique et commença aussi à récuser ses juges. Sa cause devint dès lors commune avec celle de M. Perrot, auquel l'influence du clergé qui commença à se remuer fut fort avantageuse. Nul doute que l'opinion publique n'ait été aussi pour quelque chose dans l'espèce de changement que l'on croit apercevoir alors dans les dispositions de la plupart des membres du conseil et du gouverneur lui-même. Les membres récusés voulurent s'abstenir de siéger; et le gouverneur fut comme emporté par le torrent; car il chercha d'abord à justifier sa présence en prétendant qu'il n'était pas plus intéressé dans le procès que le roi lui-même dont il était le représentant; ce qui était plausiblement vrai. Le conseil ne se trouvant plus en nombre après la retraite des membres en question, il en fut nommé d'autres spécialement pour continuer les procédures contre les accusés; et après plusieurs séances, ne demandant pas mieux que de se débarrasser d'une affaire compliquée, ils firent droit sur les causes de récusation, et ordonnèrent que le tout serait soumis au roi pour sa décision, avec prière, en outre, à sa majesté de faire connaître si le conseil devait continuer d'être ou non présidé à l'avenir par le gouverneur général.

L'année suivante une réponse relative au dernier point fut donnée par Louis XIV dans la déclaration qui régla la question des préséances au conseil. La première et la seconde places y furent réservées au gouverneur et à l'évêque, et la troisième à l'intendant, mais avec la présidence puisqu'on lui en conférât les fonctions, quoiqu'il lui fût défendu d'en prendre le titre, comme pour ménager l'amour propre du comte de Frontenac. De ce moment M. de Pétrée, qui ne paraissait plus depuis longtemps au conseil, commença à y revenir. Dès que quelque nuage s'élevait entre lui et le gouverneur, il avait pour politique de s'abstenir d'assister aux séances de ce corps, où il se faisait remplacer par quelque prêtre vigilant. Aussi quand il commençait à s'absenter pouvait-on prédire en toute assurance quelque nouvel orage.

Quant à M. Perrot et à l'abbé Fénélon qui avaient été la cause principale de tout ce fracas, il paraît que leur affaire, qui avait divisé tout le pays, fut étouffée; et que l'un alla reprendre son gouvernement et l'autre sa cure. La procédure qui les concernait resta probablement oubliée dans quelque coin du ministère des colonies.

A peine cependant cette difficulté fut-elle terminée qu'il s'en éleva d'autres qui ne finirent, celles-là, que par le rappel de M. de Frontenac et de l'intendant. Un esprit querelleur, rancuneux, intolérant, semblait s'être emparé de tout le monde.

L'éternelle question de la traite de l'eau-de-vie n'avait pas cessé d'agiter sourdement le pays sous l'administration de M. de Courcelles. Ce gouverneur ainsi que l'intendant, M. Talon, étaient favorables à ce négoce exercé parmi les Français seulement; et même le dernier avait obtenu une lettre du ministère qui le rendait libre entre les colons. Mais l'évêque n'avait rien relâché de sa fermeté; il avait continué son opposition par des mandemens et des excommunications tout en faisant entendre ses plaintes à la cour. Plus tard, c'est-à-dire à l'époque où nous sommes parvenus, le nouvel intendant, M. Duchesneau, qui s'était déjà brouillé avec le gouverneur, touchant la présidence du conseil et d'autres questions d'administration locale, appuya les plaintes du clergé, peut-être pour s'assurer des bonnes grâces de ce corps influent en épousant ses intérêts, quoiqu'il se déclarât néanmoins contre lui dans la question des dîmes et des cures, réglée par l'ordonnance de 1679.

Le gouverneur, qui avait déjà pris les devants à Paris, répondit que les plaintes de M. de Pétrée étaient mal fondées, que la traite de l'eau-de-vie, restreinte dans de justes bornes, était nécessaire pour s'attacher les Indigènes, et qu'au surplus, le zèle des ecclésiastiques à cet égard «ne servait guère que de prétexte pour persécuter ceux qui les empêchaient de dominer dans le pays et pour solliciter leur révocation». Il faisait allusion par ces paroles aux gouverneurs déjà rappelés et à lui-même, ne se croyant pas plus à l'abri de ces attaques dissimulées que ses prédécesseurs. Toute fortuite qu'était cette supposition, il y avait bien de l'apparence que cette nouvelle difficulté allait soulever une tempête plus violente encore que toutes celles que l'on avait vues en Canada, à cause surtout de l'irritation qui était restée dans les esprits à la suite des longs démêlés que nous avons rapportés plus haut.

Pour y mettre fin du coup, Colbert ordonna à M. de Frontenac de convoquer une assemblée de vingt des principaux habitans de la colonie, afin d'avoir leur avis sur ce commerce et sur les conséquences qui en découlaient pour elle. Le résultat de leurs délibérations, favorable à la traite, fut envoyé à Paris. M. de Pétrée, dont cette décision éloignait plus que jamais la réalisation d'un projet qui avait fait l'occupation d'une partie de sa vie, passa exprès en France en 1678 pour en arrêter l'effet. Selon Charlevoix, le roi ayant voulu que l'archevêque de Paris et le P. de la Chaise, confesseur de sa majesté, donnassent leur jugement définitif; l'un et l'autre après en avoir conféré avec l'évêque de Québec, avaient jugé que la traite de l'eau-de-vie dans les bourgades indiennes devait être défendue sous les peines les plus rigoureuses; et une ordonnance avait été décrétée pour appuyer ce jugement. Suivant une autre version, celle de l'auteur des mémoires sur la vie de M. de Laval, la cour fatiguée de cette lutte entre l'autorité civile et l'autorité ecclésiastique, aurait reçu le prélat canadien avec beaucoup de froideur; et après deux ans de vaines sollicitations et de déboires, celui-ci aurait été été obligé de revenir dans ce pays sans avoir presque rien obtenu. Le fait est que l'évêque réussit en partie dans ses prétentions, et que l'ordonnance dont parle Charlevoix fut en effet rendue. Mais un demi triomphe était regardé par M. de Pétrée et ses partisans presque comme une défaite, eux qui avaient été jusque là accoutumés à remporter des succès complets, et à renverser tous les obstacles que rencontrait l'Eglise dans ses volontés.

Ce résultat, d'un autre côté, ne contribua qu'à augmenter l'éloignement du gouverneur général pour M. Duchesneau qui avait appuyé, comme on l'a dit, l'évêque dans cette question. Il se conduisit envers lui comme il faisait envers ceux qu'il regardait comme ses ennemis, avec une grande hauteur. La mésintelligence, s'accrut tous les jours de plus en plus entre eux; et malgré les recommandations de la cour, les choses en vinrent à tel point qu'il fallut les rappeler en 1682 .

Le gouverneur quittait la colonie au moment où elle avait le plus de besoin de ses talens. Outre l'incendie du 5 août (1682) qui avait réduit la plus grande partie de Québec en cendres, ruiné le commerce et fait subir des pertes immenses au pays , l'on s'attendait à tout instant à avoir les Iroquois sur les bras. L'influence du voisinage des Anglais, commençait à changer les dispositions de la confédération, qui, dans la prévision d'une guerre prochaine, s'appliqua à nous enlever ou à nous rendre inutiles nos alliés. Le colonel Dongan travailla activement à mettre ces barbares dans les intérêts de l'Angleterre, et il avait plusieurs moyens de réussir. L'accroissement qu'avait pris le commerce de cette puissance lui permettait déjà dans ce temps là de vendre ses marchandises aux Sauvages à meilleur marché que les Canadiens, qui malgré la dissolution de la société des Indes occidentales, étaient restés soumis au monopole du fermier du droit appelé le quart des castors et le dixième des orignaux, ainsi que de la traite de Tadoussac. Ce fermier achetait toutes les pelleteries à un prix très modique, à cent soixante pour cent de moins que ne les payaient les Anglais. Il est évident par cela que, puisque ces derniers pouvaient vendre leurs marchandises aux Indiens à beaucoup meilleur compte que nous, et acheter leurs pelleteries à cent ou cent-soixante pour cent de plus, ils devaient s'emparer insensiblement de toute la traite des contrées occidentales.

En outre de ces motifs commerciaux et pécuniaires que les Anglais avaient soin de faire valoir habilement parmi les nations sauvages, et de leur expliquer tous les jours à l'occasion de chaque fait nouveau qui en démontrait la justesse, motifs puissans en effet, qui devaient les rapprocher d'eux, les difficultés fâcheuses survenues entre notre commandant à Michilimackinac et les indigènes, à l'occasion de représailles usées par lui pour venger la mort de quelques uns de ses compatriotes, avaient presque détaché ces peuples de la cause française. Avec d'aussi grands désavantages, il fallait donc une grande habileté dans M. de Frontenac non seulement pour éviter une rupture, mais même pour conserver le commerce de ces nations. En arrivant en Canada il s'était occupé à raffermir l'alliance qui existait avec elles, et à paralyser l'effet de l'influence anglaise; et ce n'était qu'à force d'adresse et de présens qu'il avait atteint ce but difficile, et pu assurer la paix qui avait duré, comme on l'a déjà dit, tout le temps de son administration. Ce n'est qu'à l'heure de son départ que l'on aperçut des symptômes d'agitation chez les Iroquois qui annonçaient la guerre. Recherchés à la fois par les Français et par les Anglais, qui les obsédaient constamment, ces barbares, naturellement fiers et ambitieux, augmentaient d'audace et élevaient leurs prétentions. Ils n'y mettaient plus de bornes surtout depuis que le gouverneur de la Nouvelle-York s'était mis à flatter leur orgueil, à vanter leurs prouesses, et à leur promettre l'appui de l'Angleterre. En vain le comte de Frontenac eut-il des conférences avec les ambassadeurs des cinq cantons; avec ceux des Hurons, des Kikapous et des Miâmis, elles n'eurent aucun résultat. Il quitta donc le Canada, comme nous le disions, au moment où nous avions le plus grand besoin de son énergie, et de son expérience, car la guerre était imminente, non une guerre partielle entre les Français et la confédération iroquoise seulement, mais une guerre générale qui allait s'étendre à toutes les nations de l'Ouest et compromettre notre système d'alliances, si essentiel au commerce et à la paix du Canada.

C'est en 1682 que le comte de Frontenac s'embarqua pour la France. Son départ était au fond un nouveau triomphe pour le parti de M. de Pétrée; mais c'était le dernier. Le rappel presque successif de trois gouverneurs avait suffisamment constaté sa puissance et ses prétentions. L'administration des deux premiers n'avait duré ensemble que quatre ans; celle de M. de Frontenac en avait duré dix;

ses talens et son influence à la cour avaient seuls pu le maintenir si longtemps dans un poste aussi difficile. Il était parent, nous croyons, de madame de Maintenon, chargée alors de l'éducation des enfans que le roi avait eus de madame de Montespan; et c'est probablement par son influence qu'il fut nommé de nouveau gouverneur de la Nouvelle-France en 1689, ainsi que nous le verrons plus tard. Les successeurs qu'on lui donna s'étant montrés des administrateurs médiocres, l'on sentit plus que jamais la nécessité de soutenir contre les cabales coloniales les gouverneurs qui travaillaient avec le plus de succès à l'agrandissement de ces importantes possessions. Quoique ses démêlés avec l'intendant fussent la cause immédiate et ostensible de la révocation de M. de Frontenac, il a été facile de se convaincre, en lisant l'histoire de son administration, que le pays était alors divisé en deux grands partis dont le gouverneur et l'évêque étaient les chefs, et qui prenaient pour cette raison les désignations de parti des laïques et de parti des ecclésiastiques. La lutte se continua toujours sous différens prétextes et sous différens noms; et dans toutes les difficultés de M. de Frontenac, soit avec M. Perrot ou M. Duchesneau, soit avec M. l'abbé de Salignac Fénélon ou M. de Pétrée, l'influence ecclésiastique fut constamment mise en oeuvre contre lui. Si cette lutte eût eu pour objet un intérêt purement colonial, l'amélioration politique et matérielle du pays, comme on prétendait qu'elle avait pour fin l'intérêt religieux, nous nous rallierions de bon coeur, comme Canadien, à ceux qui l'encourageaient; mais comme elle ne produisit que du mal en semant la division partout, qu'elle ne fit que retarder le développement de la colonie en distrayant les habitans de travaux plus essentiels à leur bien être, enfin, qu'elle n'avait pour but que de satisfaire les prétentions plus ou moins raisonnables, plus ou moins exagérées, des chefs de ce nouveau pays sur lequel chacun voulait exercer sa domination, un sentiment de regret est seul permis en présence de ces funestes dissentions.

M. de la Barre vint remplacer le comte de Frontenac comme gouverneur général de la Nouvelle-France. C'était un excellent marin, qui s'était distingué par des faits d'armes glorieux contre les Anglais dans l'archipel du Mexique, où il s'était emparé d'Antigua et de Montserrat, mais qui se montra en Canada un administrateur médiocre, manquant à la fois de cette souplesse qui élude les obstacles, et de cette grandeur qui en impose, nécessaires pour négocier avantageusement avec les Indiens.

La première nouvelle qu'il apprit en mettant le pied à terre, c'est que la guerre était commencée entre les cinq cantons et les Illinois alliés de la France. L'on s'attendait à tout instant à voir paraître les bandes des premiers dans la colonie. Dans ces circonstances, loin d'apaiser les dissentions qui y régnaient encore, et de rallier tous les partis à lui, il se laissa préjuger contre les amis de son prédécesseur, parmi lesquels se trouvaient des hommes habiles et qui justifiaient la réputation de leur chef; et il ne cacha point ses préventions à leur égard. Cette politique ne pouvait être plus malheureuse. Il rejeta avec une légèreté inconcevable la cause de la guerre sur M. de la Salle qui venait d'achever la découverte du Mississipi. Et pourtant, loin de pouvoir désirer la guerre, ce voyageur célèbre devait la redouter plus que personne, puisque tous ses projets se trouvaient ruinés par elle; mais ce ne fut là qu'une des moindres erreurs de M. de la Barre. Mais il est temps de revenir sur nos pas pour reprendre la chaîne de nos découvertes dans l'intérieur de l'Amérique, découvertes qui ne sont pas une des moindres parties de la gloire française, et qui n'avaient pas cessé de s'étendre sous l'administration de M. de Frontenac qui les avait encouragées comme M. Talon. Il avait protégé d'une manière spéciale M. la Salle dont il aimait l'esprit hardi et aventureux, et auquel il avait affermé le fort de Catarocoui au pied du lac Ontario en 1675. Ces découvertes en augmentant les possessions des Français, les avaient mis en relation avec un grand nombre de peuples inconnus jusque-là, avaient compliqué leurs alliances, leurs intérêts, et accru par là même les causes de guerre.

CHAPITRE II

DÉCOUVERTE DU MISSISSIPI

17 Juin, 1673.

Si nous voulions caractériser en peu de mots ce qui a amené les Européens en Amérique, nous dirions que les Espagnols y vinrent pour chercher de l'or, les Anglais la liberté civile et religieuse, et les Français pour y répandre les lumières du christianisme. Leurs missionnaires, ayant leur point d'appui à Québec, se répandirent en effet de là parmi toutes les tribus indiennes, depuis la baie d'Hudson jusque dans les contrées qu'arrosent les eaux du bas Mississipi. Un bréviaire suspendu au cou et une croix à la main, ils ont souvent devancé nos plus intrépides voyageurs. On leur doit la découverte de plusieurs vastes pays, avec les peuples desquels ils formaient alliance au nom de cette même croix qu'ils mettaient entre eux et le ciel. L'effet que cet emblème religieux produisait sur l'esprit des Sauvages, devait avoir, au milieu des forêts sombres et silencieuses du Nouveau-Monde, quelque chose de triste et de touchant qui désarmait, qui amollissait leurs coeurs farouches, mais neufs et sensibles aux sentimens profonds et vrais. C'étaient dans ces sensations que le missionnaire français fondait l'amitié qui le faisait rechercher de l'homme des bois. Les doctrines douces qu'il enseignait, contribuaient aussi à resserrer les noeuds qui l'unissaient à ses néophytes. Delà les facilités qu'il trouvait pour pénétrer d'une cabane à une autre cabane, d'une peuplade à une autre peuplade, jusque dans les contrées les plus reculées.

Ces missionnaires, dont quelques uns étaient Récollets, appartenaient pour la plupart à la fameuse compagnie de Jésus, qui n'était jamais plus grande que quand elle employait ses lumières pour répandre la civilisation chez les peuples barbares de toutes les parties du monde. Cet ordre fut établi, comme l'on sait, dans le temps de là réformation, à la fois pour mettre un frein au bouleversement que cette grande révolution morale avait causé dans les idées religieuses, et pour aller prêcher la foi aux infidèles. Ses règles ne permettaient d'admettre que des hommes dévoués, qui, tout en ayant une grande énergie mentale, devaient faire abnégation d'eux-mêmes et se soumettre à un joug absolu. Les intérêts particuliers étaient sacrifiés à la volonté d'un seul, le pape, et à l'avantage de la compagnie. C'est cette obéissance aveugle à un souverain étranger, au pontife Romain, qui détermina probablement dans la suite l'abolition de la société dans la plupart des Etats catholiques, jointe si l'on veut à la passion de trop faire sentir son influence, qui s'empara de l'ordre dès qu'il connut ce qu'il pouvait oser et ce qu'il pouvait faire.

Cet ordre en effet, devait, par son organisation, acquérir une puissance morale prodigieuse. Faisant voeu de pauvreté, de chasteté et d'obéissance absolue, et se livrant exclusivement à l'enseignement, à la prédication et à la confession, les Jésuites se mettaient du coup au dessus du clergé séculier qu'ils devaient finir par maîtriser. Dirigés par la main habile de Rome qu'ils reconnaissaient pour seule maîtresse, avec ces trois grands moyens, l'école, la chaire et le confessionnal, que ne pouvaient-ils pas espérer? Leurs couvens devinrent en peu de temps les meilleures écoles de l'Europe. Séparés du monde, ils formèrent une espèce de république intellectuelle, soumise à la discipline la plus stricte, et dont le mot d'ordre était obéi d'une extrémité de la terre à l'autre, partout où elle avait des membres. Son influence s'étendit en peu de temps sur les savans et sur les ignorans, sur les trônes les plus élevés et sur les plus humbles chaumières. Les Jésuites présentèrent pour la seconde fois le phénomène d'hommes qui, saisis d'une ambition et d'un héroïsme religieux qui méprisait tous les obstacles, allaient soumettre les infidèles à la foi, non pas comme les croisés, par le fer et la flamme, mais comme le Christ, par une éloquence persuasive qu'ils portèrent, au milieu des fatigues et des dangers, jusqu'aux extrémités du monde. Ils firent briller la croix des rives du Japon aux forêts du Nord-Ouest de l'Amérique, et depuis les glaces de l'Islande jusqu'aux îles de l'Océanie. De quelque manière que l'on envisage un pareil dévouement, l'on ne peut s'empêcher d'admirer une résignation si profonde chez des hommes dont les lumières et les talens devaient dissiper tout fanatisme crédule, tout sentiment d'obéissance aveugle et sans but. Ces hommes dont l'existence était toute intellectuelle, s'étaient donc fait une image bien parfaite des dogmes religieux et sociaux, puisqu'ils allaient si loin et enduraient tant de fatigues pour les répandre, sans en retirer aux yeux du monde des avantages équivalens pour eux-mêmes.

C'est ce dévouement héroïque et humble tout à la fois, qui a étonné le philosophe et conquis l'admiration des protestans, qui ont voulu aussi les imiter. C'est lui qui a inspiré de si belles pages à M. Bancroft, l'éloquent historien des colonies qui forment maintenant les États-Unis, à la noblesse des sentimens, et à l'impartialité duquel en ce qui touche le Canada, je me plais à rendre ici hommage. Ecoutons ce qu'il dit des missionnaires infatigables de la Nouvelle-France:--«Trois ans après la seconde occupation de ce pays (1636), le nombre des Jésuites s'élevait dans la province à quinze; et toutes les traditions rendent témoignage à leur mérite. Ils avaient les défauts qui dérivent d'une superstition ascétique; mais ils supportaient les horreurs d'une vie canadienne dans le désert avec un courage passif invincible et une profonde tranquillité d'âme. Privés des choses qui rendent la vie agréable, éloignés des occasions de satisfaire une vaine gloire, ils étaient morts au monde, et leur âme jouissait d'une paix inaltérable. Le petit nombre de ceux qui ont vécu vieux, courbés sous le poids de longs travaux, était encore animé d'une ferveur, d'un zèle tout apostolique. L'histoire des travaux des missionnaires se rattache à l'origine de toutes les villes célèbres de l'Amérique française; pas un cap n'a été doublé, pas une rivière n'a été découverte, sans qu'un Jésuite en ait montré le chemin».

De leur côté, les voyageurs guidés tantôt par le désir de s'illustrer par de brillantes découvertes, tantôt par un esprit aventureux et avide de nouveautés, tantôt enfin par l'amour des richesses tout à la fois et de l'indépendance, ont sur plusieurs points, devancé les missionnaires. Les plus célèbres sont, Champlain lui-même, Perrot, Joliet et la Salle.

Nous avons vu déjà que le fondateur de Québec a découvert pour sa part le lac Champlain, le lac Ontario, le lac Nipissing au nord du lac Huron, et remonté une grande partie de la rivière des Outaouais. Tandis qu'il agrandissait ainsi vers l'Ouest le champ de la géographie américaine, le P. d'Olbeau, en mission chez les Montagnais de Tadoussac, parcourait les pays montagneux et pittoresques qu'arrosent les eaux du Saguenay. Il visita les Betsiamites et d'autres tribus qui habitaient les contrées situées au septentrion du golfe St.-Laurent; mais il ne paraît pas qu'il ait, lui, remonté bien haut vers la source du Saguenay. Ce n'est qu'en 1647 que le lac St.-Jean, que traversait cette rivière au sein de la nation du

Porc-Epic, fut découvert par le P. Le Quen. Plus tard les PP. Druillettes et Dablon s'élevèrent jusqu'à la source de la rivière Nekouba, un peu plus qu'à mi-chemin entre le St.-Laurent et la baie d'Hudson, cherchant à pénétrer dans la mer du Nord, dont les nations avaient fait demander un missionnaire aux Français et la traite. L'on reprit ce projet dans la suite avec plus de succès comme on va le voir.

La recherche d'un passage aux Indes par le Nord-Ouest avait amené la découverte de la baie d'Hudson. C'est au vénitien Cabot qu'est dû l'honneur de la première tentative à cet égard; il découvrit le Labrador. Alphonse de Xaintonge, celui-là même qui avait accompagné Roberval en Canada, marcha sur ses traces; Frobisher, navigateur anglais, le suivit; Davis, sans voir la baie d'Hudson, pénétra en 1585, jusqu'au col de celle de Baffin; et enfin Hudson, homme de mer habile et hardi, se plongea dans la vaste baie qui porte son nom vers 1610, et longea une partie de ses côtes arides. C'est dans ce voyage que ce célèbre navigateur périt victime de la mutinerie de son équipage. Jean Bourdon, montant un petit bâtiment de 30 tonneaux, osa s'avancer jusqu'au fond de cette baie en 1656, pour lier commerce avec les indigènes. Ce navigateur prit possession du pays au nom de la France, qui, quelques années après, crut devoir faire renouveler cette cérémonie.

A cet effet Desprès Couture, qui avait accompagné Druillettes et Dablon dans leur expédition au Saguenay, fut choisi pour s'y rendre par terre. Plus heureux qu'eux, il parvint enfin à la mer dans le fond de la baie, en 1663, et eut l'honneur de terminer glorieusement une entreprise où plusieurs avaient échoué avant lui. Comme l'embouchure du Saguenay était, depuis la découverte du Canada, un poste de traite considérable, l'on avait toujours désiré établir des relations plus intimes avec les peuples qui habitaient et les contrées où cette rivière prend sa source, et celles beaucoup plus reculées de la baie d'Hudson: l'on venait donc de faire un grand pas. Mais les Anglais, ainsi qu'on le verra ailleurs, conduits par deux transfuges huguenots, profitèrent les premiers de ces découvertes, et des relations établies avec les naturels, pour y former des établissemens; mais ils éprouvèrent bientôt après de la part de leurs conducteurs la même trahison dont ceux-ci s'étaient rendus coupables envers leur patrie pour les mettre en possession de cette contrée.

Au sud du St.-Laurent, le P. Druillettes est le premier Européen qui se soit rendu de ce fleuve à l'Atlantique en remontant la rivière Chaudière et en descendant celle de Kénébec qui se jette dans la mer dans l'Etat du Maine (1646). Il fut l'apôtre des Abénaquis dont il mérita l'estime et la vénération; et il rendit de grands services à la colonie en cimentant l'amitié qui unit ensuite les Français à cette nation intrépide que les Iroquois même n'osèrent jamais attaquer.

Cependant les traitans et les missionnaires s'enfonçant toujours plus avant dans l'intérieur de l'Amérique en remontant le cours du fleuve St.-Laurent, étaient parvenus jusqu'à l'extrémité supérieure du lac Huron. Les PP. Bréboeuf, Daniel, Lallemant, Jogues, Raimbault et plusieurs autres membres de leur ordre, avaient fondé les villages chrétiens, entre autres, de St.-Joseph, St.-Michel, St.-Ignace, et de Ste.-Marie. Ce dernier placé sur la décharge du lac Huron dans le lac Erié, fut longtemps le point central des missions de cette partie reculée du pays. Plus tard, en 1671, les débris des Hurons, fatigués d'errer de contrées en contrées, se fixèrent à Michilimackinac au pied du lac Supérieur, sous la conduite du P. Marquette. C'est le premier établissement fondé par un Européen dans l'Etat du Michigan. Les Indiens qu'on trouva domiciliés dans le voisinage, reçurent des Français le nom de «Sauteurs» à cause de leur proximité du Sault-Ste.-Marie; ils étaient de la famille algonquine.

Dans l'espace de treize ans, (de 1634 à 1647) ces vastes pays furent visités par dix-huit missionnaires Jésuites outre plusieurs Français attachés à leur ministère, qui entraînés par leur zèle, se répandirent parmi toutes les tribus huronnes dont Charlevoix exagère beaucoup la population en la portant à quarante ou cinquante mille âmes. L'hostilité des Iroquois, rendant la navigation du lac Ontario dangereuse, obligeait pour atteindre ces contrées de passer par la rivière des Outaouais; de sorte que la nation Neutre visitée par Champlain, et le sud du lac Erié au-delà de Buffalo, étaient restés presqu'inconnus; on résolut vers 1640 d'y envoyer les PP. Chaumonot et Bréboeuf, et leur voyage compléta la reconnaissance de la grande vallée du St.-Laurent, depuis le pied du lac Supérieur jusqu'à l'Océan.

Les deux Jésuites, Charles Raimbault et Isaac Jogues, envoyés vers le lac Supérieur, après une navigation de dix sept jours, dont une partie au milieu des îles nombreuses et pittoresques du lac Huron, trouvèrent au Sault-Ste.-Marie un assemblage de deux mille Indiens, par lesquels ils furent très bien accueillis. A mesure que l'on avançait, les bornes du continent américain semblaient reculer; ils apprirent là les noms d'une foule de nations qui habitaient les contrées du Sud et de l'Ouest, et qui n'avaient jamais vu d'Européens; et entre autres les Sioux dont le pays était à dix-huit jours de marche du lac Supérieur. On leur parla aussi de tribus guerrières vivant de la culture du sol, dont la race et la langue étaient inconnues. «Ainsi, observe un auteur américain, le zèle religieux des Français avait porté la croix sur les bords du Sault-Ste.-Marie et sur les confins du lac Supérieur, d'où elle regardait déjà la terre des Sioux dans la vallée du Mississipi, cinq ans avant qu'Elliot, de la Nouvelle-Angleterre, eût adressé seulement une parole aux Indiens qui étaient à six milles du havre de Boston».

L'on peut dire qu'à cette époque (1646) la force du Canada résidait complètement dans les missionnaires, qui conservaient dans son alliance toutes les nations indigènes, excepté les Iroquois. La colonie languissante et sans moyens menaçait ruine; oubliée de la métropole, sa population augmentait à peine, et son commerce était presqu'anéanti; sans soldats et sans argent, elle était à la merci des Sauvages au milieu desquels elle avait été jetée. Les cinq cantons se vantaient même hautement de chasser bientôt Montmagny et les Français au de là de la mer, d'où ils étaient venus. Mais l'activité et la hardiesse des missionnaires et des traitans, que l'on trouvait partout sur les bords de la baie d'Hudson, sur les côtes du golfe St.-Laurent, et jusqu'à l'entrée des forêts du Michigan, donnaient aux peuplades qu'ils visitaient une haute idée de la nation française. Elles ne pouvaient voir en effet sans une espèce d'étonnement, ses prêtres et ses voyageurs s'abandonner seuls au milieu de leurs forêts, à la recherche de tribus inconnues, et s'enfoncer courageusement vers le nord, vers le midi, vers le couchant, dans des contrées que leur imagination leur peignait remplies de dangers et peuplées d'hommes et d'animaux cruels et féroces. Le merveilleux dont l'ignorance aime à envelopper tout ce qu'elle ne connaît pas, s'attachait à la personne même des Français par cela seul qu'ils étaient supposés avoir vu des choses extraordinaires, et leur donnait une influence salutaire qu'ils savaient mettre à profit pour l'avantage de la colonie. La crainte des Iroquois faisait aussi rechercher par les tribus indiennes l'alliance du Canada, alliance qui, réduite en système appuyé sur les missions, était devenue à son tour la sauvegarde de ce même pays.

En 1659, deux jeunes traitans , entraînés par la curiosité et leur esprit aventureux, se mêlèrent à quelques bandes algonquines et côtoyèrent avec elles les bords du lac Supérieur où ils passèrent l'hiver. Les yeux fixés sur les immenses solitudes de l'Ouest, ils recueillirent avec avidité ce qu'une bourgade huronne, qu'ils trouvèrent établie à l'extrémité supérieure du lac, leur dit des Sioux à peine connus des Indiens dont nous avons parlé jusqu'à présent, et ils résolurent de les visiter. Ils virent dans leur route de nombreux débris des nations vaincues et dispersées par la confédération iroquoise, traînant dans les forêts une existence misérable. Les Sioux leur parurent un peuple puissant, dont les moeurs étaient plus douces que celles des Sauvages de l'Est. Ils étaient partagés en quarante bourgades très populeuses. Un missionnaire qui est allé ensuite dans leur pays, a témoigné à l'historien de la Nouvelle-France, qu'ils étaient doués d'un très bon sens naturel, qu'ils n'exerçaient point envers leurs prisonniers ces cruautés qui déshonoraient la plupart des autres nations du continent, et qu'ils avaient conservé une connaissance assez distincte d'un seul Dieu. Il paraît que leur manière de croire avait quelque ressemblance avec celle des Tartares. Ces deux intrépides voyageurs revinrent à Québec en 1660, escortés de soixante canots algonquins remplis de fourrures. Ils confirmèrent ce que deux autres Français, qui s'étaient rendus jusqu'au lac Michigan quatre ans auparavant, avaient rapporté de la quantité de tribus qui erraient dans toutes ces contrés, et des Kristinots dont les cabanes s'élevaient jusqu'à la vue des mers du Nord.

Le P. Mesnard partit cette année là avec les Algonquins dont nous venons de parler, pour aller prêcher l'Evangile aux Outaouais et aux autres peuplades répandues sur le lac Supérieur . Il s'arrêta d'abord huit mois dans une baie qu'il nomma Ste.-Thérèse, probablement la baie de Kiwina sur la rive sud de ce lac, où il ne trouva pour nourriture que du gland et de l'écorce d'arbres pilée. Delà, invité par les Hurons, il partit pour la baie de Cha-gouïa-mi-gong, ou du St.-Esprit, à l'extrémité occidentale du lac, où le défaut de chasse et l'éloignement mettaient ces Sauvages à l'abri des atteintes des

Iroquois; mais tandis que son compagnon de voyage était occupé à leur canot, il entra dans le bois et ne reparut plus. Cet homme avait une grande réputation de sainteté parmi les Indiens, dans l'esprit desquels il avait su s'insinuer. Plusieurs années après l'on reconnut sa soutane et son bréviaire chez les Sioux, qui les conservaient comme des reliques et leur rendaient une espèce de culte. Les Sauvages avaient un respect superstitieux pour les livres qu'ils prenaient pour des esprits. Quatre ou cinq ans après la mort du P. Bréboeuf et du P. Garnier, que les Iroquois avaient fait périr, un missionnaire trouva entre les mains de ces barbares qui les conservaient soigneusement un Testament et un livre de prières qui leur avaient appartenus.

Dès ce temps reculé les traitans et les missionnaires savaient déjà que l'Amérique septentrionale était séparée du vieux monde par la mer. La relation des Jésuites de 1650-1660 contient ces paroles:--«Au levant, au sud, au couchant et au nord, ce continent étant entouré d'eau, doit être séparé du Groenland par quelque trajet dont on a déjà découvert une bonne partie; et il ne tient plus qu'à pousser encore quelques degrés pour entrer tout à fait dans la mer du Japon».

C'est en 1665 que le P. Allouez partit pour le lac Supérieur. La magnificence du spectacle que présente l'entrée de ce vaste bassin de notre globe, rarement surpassée par la nature grandiose et tourmentée des pays du Nord, dut exciter son admiration. Après avoir longé les montagnes de sable que les vents et les flots ont soulevées le long du rivage, et suivi l'espace de douze milles, un cap formé par l'extrémité ouest des Laurentides, de trois cents pieds de hauteur, dans lequel la violence des vagues a taillé des arches, des cavernes, des tours gigantesques, et dont le pied est jonché de débris qui semblent de loin des murailles, des édifices en ruine, des colonnes, etc., il arriva, après un court séjour à Ste.-Thérèse, à Cha-gouïa-mi-gong, où il y avait un grand village de Chippaouais (que les Jésuites nomment Outchibouec). Il y bâtit une chapelle. Il prêcha en langue algonquine devant douze ou quinze tribus qui entendaient cet idiome. Sa réputation se répandit au loin, et les guerriers de différentes nations se mirent en marche pour venir voir l'homme blanc; les *Pouteouatamis* des profondeurs du lac Michigan, les *Outagamis* et les *Sakis* des déserts qui s'étendent du lac Michigan au Mississipi, les Kristinots, nommés *Criques* par les Canadiens, des forêts marécageuses du Nord, les Illinois des prairies aujourd'hui couvertes de si abondantes moissons, et enfin les Sioux; tous admirèrent l'éloquence du missionnaire. Ils lui donnèrent des informations sur les moeurs, la puissance et la situation de leurs différentes contrées. Les Sioux armés seulement d'arcs et de flèches, lui dirent qu'ils couvraient leurs huttes de peaux de cerfs, et qu'ils habitaient de vastes prairies sur les bords d'un grand fleuve qu'ils nommèrent «Mississipi». C'est ainsi que les Français acquirent la première idée de l'existence du fleuve dont la découverte devait immortaliser Joliet et son compagnon. Pendant son séjour dans cette contrée, Allouez poussa ses courses très loin dans le Nord, où il trouva des Sauvages Nipissings que la frayeur des Iroquois avait conduits jusque dans ce pays reculé et rigoureux. Il tâcha de consoler ces fugitifs qui présentaient l'état le plus déplorable. Allouez parcourut ainsi plus de deux mille lieues dans ces vastes forêts, »souffrant la faim, la nudité, les naufrages, les fatigues et les persécutions des Idolâtres».

A cette époque, la paix rétablie entre toutes les nations indiennes, permettaient aux traitans d'agrandir le cercle de leurs courses, et aux missionnaires de se répandre dans les riches et fertiles contrées situées à l'ouest du lac Michigan. Allouez, Marquette et Dablon s'illustrèrent, moins encore par les services qu'ils rendirent à la religion, que par ceux qu'ils ont rendus à la science. Ce dernier fut le premier auteur de l'expédition du Mississipi; les termes avec lesquels les naturels parlaient de la magnificence de ce fleuve, ayant excité puissamment sa curiosité, il avait résolu d'en tenter la découverte en 1669 ; mais il en fut empêché par ses travaux évangéliques, quoiqu'il s'approcha assez près de ce fleuve. Allouez et Dablon pénétrèrent dans leurs courses, entre 1670 et 1672, jusque dans le Ouisconsin et le nord de l'Etat de l'Illinois, visitant les Mascontins (ou nation du feu), les Kikapous et les Outagamis sur la rivière aux Renards qui prend sa source du côté du Mississipi et se décharge dans le lac Michigan. L'intrépide Dablon avait même résolu de pénétrer jusqu'à la mer du Nord, pour s'assurer si l'on pouvait passer de là à la mer du Japon .

Le nouvel élan qui avait été donné au Canada par le génie de Colbert et de Talon, commençait à porter ses fruits; le commerce se ravivait, l'immigration devenait plus considérable, et les Indigènes craignaient et respectaient partout la puissance française. L'on a vu ailleurs les motifs qui avaient engagé le gouvernement canadien à envoyer Perrot chez les nations du Couchant; que ce célèbre voyageur fut le premier Européen qui se soit rendu jusqu'au fond du lac Michigan, chez les Miâmis, et que des députés de toutes les nations des sources du Mississipi, de la rivière Rouge et du St-Laurent, s'étaient rendus à son appel au Sault-Ste.-Marie. De découverte en découverte, l'on s'était depuis le traité conclu en cet endroit avec les Indiens, avancé de plus en plus dans l'Occident, et le temps était arrivé où l'on allait résoudre le problème de l'existence du fleuve Mississipi et de la direction de son cours. Il paraissait certain que ce fleuve, s'il était aussi grand que le faisaient les naturels, ne coulait ni vers l'est, ni vers le nord, et qu'il fallait qu'il se jetât dans la baie du Mexique ou dans la mer Pacifique. La solution de ce problème allait mettre celui qui la trouverait à la tête des plus célèbres voyageurs qui avaient fait des découvertes dans l'intérieur de ce continent. Talon lui-même se faisait un orgueil d'encourager une entreprise dont le succès non seulement retournerait à sa gloire et à celle de son pays, mais dont les avantages pour le commerce et la navigation pouvaient être incalculables. Il choisit pour exécuter son dessein le P. Marquette, le premier auteur du projet, et M. Joliet, de Québec, homme doué d'esprit et de courage, qui avait beaucoup voyagé chez les Outaouais dans les contrées du lac Supérieur, et qui par conséquent possédait toute l'expérience nécessaire. Ces deux voyageurs partirent en 1673.

Les Pouteouatamis que Marquette avait visités comme missionnaire, et qui avaient beaucoup d'attachement pour lui, apprirent avec étonnement une entreprise aussi audacieuse. «Ne savez-vous pas, lui dirent-ils, que ces nations éloignées n'épargnent jamais les étrangers; que les guerres qu'elles se font infestent leurs frontières de hordes de pillards; que la Grande-Rivière abonde en monstres qui dévorent les hommes et les canots; et que les chaleurs excessives y causent la mort?».

Rendu au dernier village visité par Allouez sur la rivière aux Renards, dans lequel Kikapous, Mascontins et Miâmis vivaient ensemble comme des frères, et chez lesquels le Jésuite que l'on vient de nommer avait jeté les premières semences de l'Evangile, les deux voyageurs furent reçus par le conseil des anciens avec distinction; ils demandèrent deux guides qui leur furent accordés. Nul Européen n'avait encore pénétré au delà de cette bourgade.

Ils en partirent le dix juin au nombre de neuf personnes, à savoir: Marquette, Joliet, et cinq autres Français et les deux Indiens qui leur servaient de guides. Ils chargèrent sur leurs épaules leurs canots pour faire le court portage qui sépare la source de la rivière aux Renards de celle de la rivière Ouisconsin qui coule vers l'Occident. Là, les deux guides, effrayés de cette entreprise, désertèrent les Français, qui, «se mettant entre les mains de la providence dans cette terre inconnue», s'abandonnèrent au cours de la rivière au milieu des solitudes profondes qui les environnaient Ils entrèrent au bout de sept jours, dans le Mississipi dont on parlait depuis si longtemps. Ils saluèrent ce fleuve magnifique avec tous les sentimens d'une joie inexprimable: sa grandeur ne laissait aucun doute sur la réalité de leur découverte, et correspondait avec la description qu'en faisaient les Indigènes. «Les deux canots ouvrant alors leurs voiles sous de nouveaux cieux et à de nouvelles brises, descendirent le cours calme et majestueux du tributaire de l'Océan, tantôt glissant le long de larges bancs de sable aride, refuge d'innombrables oiseaux aquatiques, tantôt longeant les îles qui s'élèvent du sein du fleuve et que couronnaient d'épais massifs de verdure, tantôt enfin fuyant entre les vastes plaines de l'Illinois et de l'Iowa, couvertes de forêts magnifiques, ou parsemées de bocages jetés au milieu de prairies sans bornes», comme pour présenter leur ombre aux passans qui désiraient se rafraîchir contre les ardeurs du soleil. Ils firent ainsi soixante lieues sans rencontrer la présence d'un seul homme, lorsque tout à coup ils aperçurent sur la rive droite du fleuve la trace de pas humains sur le sable, et ensuite un sentier qui menait à une prairie. Les voyageurs allaient-ils se risquer au milieu de la tribu inconnue qui habitaient ce pays? Joliet et Marquette hasardèrent cette entrevue. Prenant le sentier, ils marchèrent six milles et se trouvèrent devant une bourgade située sur la rivière Moïngona, qu'on appelle des Moines par corruption. Ils s'arrêtèrent et appelèrent à haute voix. Quatre vieillards sortirent au devant d'eux portant le calumet de paix; ils reçurent les étrangers avec distinction. Nous sommes des Illinois, dirent-ils, nous sommes des hommes , soyez les bienvenus dans nos cabanes. C'était la première fois que le sol de l'Iowa était foulé par des blancs.

Ces Indiens qui avaient entendu parler des Français, désiraient depuis longtemps leur alliance, car ils les savaient ennemis des Iroquois qui commençaient à faire des excursions aussi dans leur pays. Ces derniers avaient su inspirer une telle frayeur partout où ils allaient, que les Illinois, comme les autres, recherchèrent l'alliance d'une nation qui avait seule pu leur résister jusqu'à présent, et qui venait de les châtier encore, ainsi que Joliet le leur rapporta. Les Français après s'être reposés quelques jours chez ce peuple qui leur donna un grand festin, continuèrent leur route. Le chef de la tribu, suivi de plusieurs centaines de guerriers vint les reconduire sur le rivage, et pour dernière marque de son amitié, il passa dans le cou de Marquette un calumet orné de plumes de diverses couleurs, passeport assuré chez les nations indiennes.

Le bruit que les eaux du Missouri, nommé sur les vieilles cartes Pekitanoni, font en se jetant dans celles du Mississipi, leur annonça de loin l'approche de cette rivière. Après une navigation de quarante lieues, depuis la rivière des Moines, ils passèrent celle de la Ouabache, ou de l'Ohio, qui baigne la contrée des Chouanons on Chaûnis. L'aspect du pays changea; au lieu de vastes prairies, ils ne virent plus que des forêts épaisses. Ils trouvèrent aussi une autre race d'hommes dont ils ne connaissaient point la langue; ils étaient sortis des terres de la grande famille algonquine, bornées par l'Ohio de ce côté-ci, et touchaient à la race mobilienne, dont les Chickasas, chez lesquels ils venaient d'entrer, formaient partie. Les Dahcotas, ou Sioux, habitaient le sud du fleuve. Ainsi les Français avaient besoin d'interprètes pour se faire entendre des deux côtés du Mississipi, où se parlaient deux langues-mères différentes de celles des Hurons ou des Algonquins, dont ils savaient la plupart des dialectes.

Ils continuèrent à descendre le fleuve jusqu'à la rivière des Arkansas vers le 33me. degré de latitude, région que le célèbre voyageur espagnol, Soto, venant du sud, avait, dit-on, visitée. Le calumet que le chef des Illinois leur avait donné les fit accueillir partout avec bienveillance; et les Indigènes envoyèrent dix hommes, dans une pirogue, pour les escorter jusqu'au village des Arkansas, situé à l'embouchure de la rivière dont l'on vient de parler. Le chef de cette bourgade vint au devant d'eux, et leur offrit du pain de maïs. La richesse de ces barbares consistait en peaux de bison, et ils avaient des haches d'acier, preuve qu'ils commerçaient avec les Européens. Ils ne pouvaient donc pas être loin des Espagnols et de la baie du Mexique. La chaleur du climat en était une nouvelle preuve; ils étaient parvenus dans les régions où l'on ne connaît l'hiver que par les pluies abondantes qui y règnent dans cette saison.

Ne doutant plus que le fleuve Mississipi ne se déchargeât dans la baie du Mexique, et non dans l'Océan Pacifique, comme rien jusqu'alors n'empêchait de le supposer, et d'ailleurs les munitions commençant aussi à leur manquer, ils ne crurent pas devoir avec cinq hommes seulement aller plus loin dans un pays dont ils ne connaissaient pas les habitans. Ils avaient constaté que ce fleuve ne coulait pas vers l'ouest, et que par conséquent il n'offrait point de passage à la mer des Indes: ce problème résolu, ils retournèrent sur leurs pas jusqu'à la rivière des Illinois qu'ils remontèrent et qui les conduisit à Chicago. Ils découvrirent dans cette navigation le pays le plus fertile du monde, arrosé par de belles rivières; des bois remplis de vignes et de pommiers; des prairies superbes couvertes de bisons, de cerfs, de canards, d'oies, de dindes sauvages et de perroquets d'une espèce particulière. Cette contrée d'une fertilité prodigieuse exporte aujourd'hui une immense quantité de blé, dont une partie, depuis l'ouverture des canaux du St.-Laurent, passe par le Canada pour les marchés de l'Europe. Marquette et Joliet prévoyaient-ils alors qu'un jour l'on pourrait descendre de Chicago à Québec dans le même bâtiment?

Toute cette contrée était habitée, comme on l'a déjà dit, par les Miâmis, les Mascontins, ou nation du feu, les Pouteouatamis et les Kikapous. Allouez et Dablon en avaient déjà visité une partie; Marquette de retour du Mississipi resta parmi les Miâmis au nord de la rivière des Illinois. Joliet descendit immédiatement à Québec pour porter la nouvelle de leur grande découverte à Talon qu'il trouva parti pour la France. L'encouragement que cet intendant avait donné à cette expédition, lui en fait à juste titre partager la gloire: on ne peut trop honorer la mémoire des hommes qui ont su utiliser, pour l'honneur et pour davantage de leur patrie, la position élevée que la fortune leur a faite dans l'Etat.

Marquette resta deux ans dans cette mission, et partit en 1675 pour Mackina à l'entrée du lac Michigan. Dans la route, il fit arrêter son canot à l'embouchure d'une petite rivière du côté oriental du lac, pour y élever un autel et célébrer la messe. Ayant prié ses compagnons de voyage de le laisser quelques instans seul, ils se retirèrent à quelque distance, et quand ils revinrent il n'existait plus.

Le découvreur du Mississipi fut enterré en silence dans une fosse que ses compagnons creusèrent dans le sable sur la lisière de la forêt et sur le bord de la petite rivière dont nous venons de parler, et à laquelle on a donné son nom. Les Américains de l'Ouest doivent, dit-on, élever un monument à cet illustre et pieux voyageur. Le nom de Joliet a été aussi donné à une montagne située sur le bord de la rivière des Plaines, un des affluens de celle des Illinois, et à une petite ville qui est à quelques milles de Chicago.

La nouvelle de la découverte du Mississipi fit une grande sensation dans la colonie, quoique l'on y fût accoutumé depuis longtemps à de pareils événemens; car il ne se passait pas d'années sans qu'on annonçât l'existence de nouvelles contrées et de nouvelles nations. Chacun se mit donc à calculer les avantages que l'on pourrait retirer du fleuve et de l'immense territoire que nos deux illustres voyageurs avaient légués à la France. L'on formait déjà en imagination de vastes projets. Le Mississipi tombait dans le golfe du Mexique, il n'y avait pas à en douter; les possessions françaises allaient donc avoir deux issues à la mer Atlantique, et embrasser entre leurs deux fleuves gigantesques, la plus belle et la plus large portion du nouveau continent.

Néanmoins tant que l'on n'aurait point descendu le Mississipi jusqu'à la mer, il resterait toujours des doutes quant à savoir dans quel océan, Atlantique ou Pacifique, il se jetait; car enfin l'on ne connaissait point les pays qu'il traversait depuis l'Arkansas en descendant, et les suppositions qu'on avait formées touchant la conformation de l'Amérique dans cette latitude, du côté du couchant, pouvaient bien être erronées. C'était un point qu'il restait à éclaircir; et celui qui se chargerait de cette tâche devait partager la gloire de Marquette et de son compagnon. Nous allons voir comment cela s'effectua.

«La Nouvelle-France comptait alors au nombre de ses habitans un Normand nommé La Salle (Robert Cavalier de), possédé de la double passion de foire une grande fortune et de parvenir à une réputation brillante. Ce personnage avait acquis dans la société des Jésuites, où il avait passé sa jeunesse, l'activité, l'enthousiasme, le courage d'esprit et de coeur, que ce corps célèbre savait si bien inspirer aux âmes ardentes, dont il aimait à se recruter. La Salle prêt à saisir toutes les occasions de se signaler, impatient de les faire naître, audacieux, entreprenant», voyageur enfin devenu aussi célèbre par ses malheurs et son courage indomptable pour les surmonter, que par ses découvertes, était depuis quelques années à Québec (1677), lorsque Joliet arriva de son expédition du Mississipi. Il avait l'esprit cultivée et étendu, et le rapport de celui-ci fut pour son génie un jet de lumière. Il forma de suite un plan vaste sur lequel il appuya sa fortune et sa renommée future, plan qu'il suivit jusqu'à sa mort avec une persévérance incroyable.

Il était venu en Canada avec le projet de chercher un passage au Japon et à la Chine par le nord ou par l'ouest de cette colonie; pauvre, il n'avait rien apporté avec lui que son énergie et ses talens, et cependant son entreprise exigeait de grands moyens. Il commença donc par se faire des amis et des protecteurs, et sut captiver les bonnes grâces du comte de Frontenac, qui aimait en lui la hardiesse des idées, l'esprit entreprenant et courageux, et ce caractère ferme et résolu qui le distinguait lui-même.

Favorisé par Courcelles et Talon, en arrivant dans le pays il établit un comptoir pour la traite près de Montréal, à Lachine, nom qu'on prétend avoir été donné à ce lieu par allusion satirique à l'entreprise qu'il avait formée d'aller en Asie par le Nord-Ouest. Il visite pour son commerce le lac Ontario et le lac Erié. La découverte du Mississipi le trouva comme on vient de le dire à Québec. Saisissant avec avidité le moment où tout le Canada était encore dans l'excitation causée par cet événement, il communiqua ses vues au comte de Frontenac. Il se flattait qu'en remontant jusqu'à la source du fleuve nouvellement découvert, il pourrait trouver un passage qui le conduirait à l'Océan, objet principal de son ambition; dans tous les cas, la découverte de son embouchure ne serait pas sans gloire ni sans avantage. Voulant faire en même temps une entreprise de commerce et de découverte, il jugea que le fort de Frontenac lui était nécessaire pour servir de base à ses opérations. Fortement recommandé par son protecteur, il passa en France; le marquis de Seignelay qui avait remplacé son père, le grand Colbert, dans le ministère de la marine, le reçut très bien et lui fit obtenir tout ce qu'il désirait. Le roi l'anoblit, lui accorda le fort de Frontenac à condition qu'il le rebâtirait en pierre, et lui donna enfin tous les pouvoirs nécessaires pour faire librement le commerce et pour continuer les découvertes commencées. Cette concession équivalait à un commerce exclusif avec les cinq nations.

La Salle, animé d'une vive espérance et le cour plein de joie, partit de la Rochelle le 14 juillet 1678, emmenant avec lui trente hommes, marins et ouvriers, des ancres, des voiles, etc. pour équiper des navires sur les lacs. En arrivant à Québec, il s'achemina vers Catarocoui sans perdre de temps, avec les marchandises qu'il apportait pour trafiquer avec les Indiens. Sa brûlante énergie donna de l'activité à tout. Dès le 18 novembre, le premier brigantin qu'on eût encore vu sur le lac Ontario, sortait du port de Catarocoui (Kingston) à grandes voiles chargé de marchandises et d'objets nécessaires pour la construction d'un fort et d'un nouveau vaisseau à Niagara, second poste dont son entreprise nécessitait l'établissement. Cette première navigation fut assez heureuse. Lorsqu'on arriva à la tête du lac Ontario, les Sauvages de ces quartiers restèrent longtemps dans l'étonnement et l'admiration devant le navire; tandis que de leur côté les Français qui n'avaient pas vu la chute de Niagara, ne pouvaient cacher leur profonde surprise à l'aspect de tout un fleuve se précipitant d'un seul bond dans un abîme de 160 pieds, avec un bruit qui s'entend à plusieurs lieues de distance.

Cependant la Salle fit débarquer et transporter la cargaison du brigantin au pied du lac Erié, pour commencer la construction du fort et du vaisseau. Mais lorsque les Indigènes virent s'élever le fort, ils commencèrent à craindre et à murmurer. Afin de ne point s'attirer ces barbares sur les bras, la Salle se contenta de le convertir en une habitation entourée de simples palissades, pour servir de magasin. On établit dans l'hiver un chantier à deux lieues au-dessus de la chute, et l'on construisit un bâtiment de soixante tonneaux. Ces travaux se faisaient sous les ordres immédiats du chevalier de Tonti, que le prince de Conti, ami de la Salle, lui avait recommandé. Cet Italien avait eu une main emportée d'un éclat de grenade, dans les guerres de la Sicile, et il s'en était fait mettre une de fer couverte ordinairement d'un gant, dont il se servait avec facilité; les Sauvages le redoutaient beaucoup et l'appelaient bras de fer. Il fut très utile à la Salle auquel il demeura toujours fidèlement attaché. Il a été publié sous son nom un ouvrage sur la Louisiane qu'il a désavoué.

L'activité de la Salle redoublait à mesure que la réalisation de ses desseins semblait devenir plus probable. Il envoya dans l'hiver Tonti et le franciscain Hennepin, devenu célèbre par ses voyages en Amérique, en ambassade chez les Iroquois pour rendre ces barbares favorables à son entreprise; il les visita lui-même ensuite, ainsi que plusieurs autres nations avec lesquelles il voulait établir des relations commerciales.

La Salle fut le premier fondateur européen de Niagara, et le premier aussi qui construisit un navire sur le lac Erié. Le Griffon, c'est le nom qu'il donna à ce vaisseau, voulant, disait-il, faire voler le griffon par dessus les corbeaux par allusion à ses ennemis que ses projets avaient rendus fort nombreux, fut lancé sur la rivière Niagara en 1679, au milieu d'une salve d'artillerie, des chants du *Te Deum* et des cris de joie des Français, auxquels vinrent se mêler ceux qu'arrachait la surprise superstitieuse des Indigènes, qui appelaient les premiers *Otkon*, c'est-à-dire, esprits perçans.

Le 7 août de la même année, le Griffon armé de 7 pièces de canon et chargé d'armes, de vivres et de marchandises, portant en outre trente deux hommes, et deux missionnaires, entra dans le lac Erié au milieu des détonations de l'artillerie et de la mousqueterie, dont le bruit frappait pour la première fois les échos de ces contrées désertes et silencieuses. La Salle triomphant de l'envie de ses ennemis et de tous les autres obstacles inhérens à son entreprise, salua de son bord, au bout de quelques jours de passage, avec un secret plaisir les rives du Détroit, dont l'aspect enchanta tous ses compagnons: chaque point de vue leur sembla autant de lieux de plaisance et de belles campagnes. «Ceux, dit Hennepin, qui auront le bonheur de posséder un jour les terres de cet agréable et fertile pays, auront de l'obligation aux voyageurs qui leur en ont frayé le chemin, et qui ont traversé le lac Erié pendant cent lieues d'une navigation inconnue». C'est la Salle qui donna en passant au lac qu'il y a vers le milieu du Détroit, le nom de Ste.-Clair. Le 23 août, il entra dans le lac Huron, et arriva cinq jours après à Michilimackinac après avoir essuyé une grosse tempête. Les naturels en voyant s'élever à l'horison le vaisseau couvert de sa haute voilure blanche, furent tout interdits, et le bruit du canon acheva de les jeter dans une épouvante extraordinaire.

Le chef français couvert d'un manteau d'écarlate bordé de galon d'or, et suivi d'une garde, alla entendre la messe par terre à la chapelle des Outaouais: il y fut reçu avec beaucoup de politesse et de considération.

Le Griffon continuant son voyage, jeta enfin l'ancre heureusement dans la baie des Puans, sur la rive occidentale du lac Michigan, dans le mois de septembre. Telle fut la première navigation d'un vaisseau de haut bord sur les lacs du Canada. Les partis que La Salle entretenait dans ces contrées pour faire la traite, lui ayant ramassé un chargement de pelleteries, il renvoya son navire avec une riche cargaison à Niagara, afin de payer ses créanciers. Le Griffon fit voile le 18 septembre, et l'on n'en a plus entendu parler depuis. Cette perte considérable ne fut pas de moins de 50,000 à 60,000 francs.

Cependant La Salle après le départ de son vaisseau, continua sa route jusqu'au village de St.-Joseph au fond du lac Michigan, où il lui avait donné ordre de monter à son retour de Niagara. Il emmenait avec lui une trentaine d'hommes de différens métiers avec des armes et des marchandises. Rendu dans ce village, il fit bâtir dans les environs une maison et un fort pour la sûreté de ces marchandises, et en même temps pour servir de retraite à ses gens; il lui donna le nom de Fort des Miâmis. Cette fortification occupait la cime d'une montagne escarpée en forme de triangle, baignée de deux côtés par la rivière des Miâmis, et défendue de l'autre par une profonde ravine. Il fit baliser soigneusement l'entrée de la rivière dans l'attente du vaisseau sur la sûreté duquel dépendait en partie le succès de son entreprise, et il envoya deux hommes expérimentés à Michilimackinac pour le piloter dans le lac. Mais après l'avoir attendu longtemps, il commença à craindre quelque malheur. Quoique très inquiet de ce retard, l'hiver approchant il se décida à pénétrer chez les Illinois; et laissant dix hommes pour garder le fort, il partit accompagné de Tonti, de Hennepin avec deux autres missionnaires, et d'une trentaine de suivans. Il remonta la rivière des Miâmis, et après beaucoup de fatigues et de dangers, arriva vers la fin de décembre dans un village indien situé sur la rivière des

Illinois, probablement dans le comté qui porte aujourd'hui son nom. La tribu était absente à la chasse du bison, et le village complètement désert.

Les Français continuèrent à descendre la rivière, et ne découvrirent les Illinois qu'au lac *Peoria*, qu'Hennepin appelle *Pimiteoni*, où il y en avait un camp nombreux. Ce peuple de moeurs douces et pacifiques, les reçut avec une généreuse hospitalité, et leur frotta les jambes, selon son usage lorsqu'il recevait des étrangers qui arrivaient d'une longue marche, avec de l'huile d'ours et de la graisse de taureau sauvage pour les délasser. La Salle lui fit des présens et contracta une alliance durable avec lui. Ce fut avec un plaisir extrême que cette nation apprit que les Français venaient pour fonder des colonies sur son territoire. Comme les Hurons du temps de Champlain, elle était exposée aux invasions des Iroquois; les Français seraient donc aussi pour elle un allié utile contre ces barbares avides et ambitieux, tandis qu'à son tour la Salle pourrait compter sur les dispositions bienveillantes de ce peuple. Les Illinois font leurs cabanes de nattes de jonc plat, doublées et cousues ensemble. Ils sont de grande stature, forts, robustes, adroits à l'arc et à la flèche; mais quelques auteurs les représentent comme errans, paresseux, lâches, libertins et sans respect pour leurs chefs. Ils ne connaissaient point l'usage des armes à feu lorsque les Français parurent au milieu d'eux.

Déjà les hommes de la Salle commençaient à murmurer, et disaient que puisqu'on ne recevait point de nouvelles du Griffon, c'est qu'il s'était perdu. Le découragement gagna ainsi une partie de sa troupe, et six hommes désertèrent dans une nuit. L'entreprise qui avait eu un commencement heureux, semblait maintenant tendre vers un dénouement contraire. Depuis quelque temps des obstacles naissaient chaque jour sous les pas de la Salle, et il fallait toute sa force d'âme pour les surmonter, et toute son éloquence pour rassurer sa petite colonie, à laquelle il fut enfin obligé de promettre la liberté de retourner en Canada au printemps, si les choses ne recevaient point de changement favorable. Afin d'occuper les esprits, et éloigner d'eux l'ennui et les mauvaises passions de l'oisiveté, il se détermina à bâtir un fort sur une éminence qu'il trouva à quatre journées au dessous du lac, sur la rivière des Illinois, et qu'il nomma le Fort de Crèvecoeur, pour marquer la rigueur de sa destinée et les angoisses cuisantes qui déchiraient alors son âme. Il mit aussi une barque en construction afin de descendre le Mississipi, tant il s'opiniâtrait à son dessein: les difficultés augmentaient son énergie.

Ayant besoin de gréement pour ce vaisseau, et ne sachant encore ce qu'était devenu le Griffon qui devait lui apporter les choses qu'il avait jugées nécessaires à son entreprise, il prit la résolution désespérée de retourner lui-même à pied au fort de Frontenac, dont il était éloigné de douze à quinze cents milles, pour faire acheminer ces objets vers le Mississipi. Il chargea avant de partir le P. Hennepin de descendre dans ce fleuve pour remonter aussi haut que possible vers sa source, et examiner les contrées qu'il arrose dans ses régions supérieures; et après avoir donné le commandement du fort à Tonti, il se mit en marche lui-même le 2 mars 1680, armé d'un mousquet et accompagné de quatre Français et d'un Sauvage, pour Catarocoui .

Hennepin s'était mis en chemin cependant le 29 février. Il descendit la rivière des Illinois jusqu'au Mississipi, fit diverses courses dans cette région, puis remonta le fleuve jusqu'au dessus du Sault-St.-Antoine et tomba entre les mains des Sioux. Pendant sa captivité, ces barbares s'amusaient à lui faire écrire des mots de leur langue qu'il avait commencé à étudier: ils appelaient cela mettre du noir sur du blanc. Quand ils le voyaient consulter le vocabulaire qu'il s'était fait des termes de leur idiome, pour leur répondre, ils se disaient entre eux: il faut que cette chose blanche soit un esprit, puisqu'elle lui fait connaître tout ce que nous lui disons. Combien d'hommes civilisés sont encore sauvages pour des choses encore plus simples et plus faciles, et mettent dans leur ignorance sans cesse obstacle à des inventions et à des pratiques utiles.

Au bout de quelques mois les Sauvages permirent aux trois captifs français de retourner parmi leurs compatriotes, sur la promesse qu'ils leur firent de revenir l'année suivante. Un des chefs leur traça la route qu'ils devaient suivre sur un morceau de papier, et cette carte, dit Hennepin, nous servit aussi utilement que la boussole aurait pu le faire. Ils parvinrent, par la rivière Ouisconsin qui tombe dans le Mississipi, et la rivière aux Renards qui coule vers le côté opposé, à la mission de la baie du lac Michigan.

Telle fut l'expédition du P. Hennepin, qui reconnut, lui, le Mississipi depuis l'embouchure de l'Ohio jusqu'au Sault-St.-Antoine en remontant vers sa source, et qui entra probablement dans le Missouri un des grands affluens de ce fleuve. En revenant, il ne fut pas peu étonné de rencontrer vers le Ouisconsin, sur les bords du Mississipi, des traitans conduits par un nommé de Luth qui l'avaient probablement devancé dans ces régions lointaines.

Tandis que Hennepin explorait le haut du Mississipi, les affaires de la Salle empiraient de jour en jour à Crèvecoeur où commandait Tonti. Mais pour bien comprendre la cause des événemens qui obligèrent celui-ci à évacuer finalement ce poste, et celle des obstacles qui surgirent autour de la Salle, il est nécessaire de dire quelque chose de sa position en Canada, et des craintes qu'y excitaient dans le commerce les grands projets qu'il formait sans cesse touchant les contrées de l'Ouest. Arrivé dans le pays, comme je l'ai dit, sans fortune, mais avec une vaste ambition et des recommandations qui lui donnèrent accès auprès des personnes en autorité, et dont il cultiva l'amitié avec le plus grand soin, il devint bientôt l'objet de leur faveur spéciale, tandis que ses projets de découvertes et de colonisation excitaient contre lui l'envie des hommes médiocres et la jalousie des traitans, qui tremblèrent pour leurs intérêts. Cette crainte n'était pas en effet chimérique, puisqu'il obtint, avec la concession du fort de Frontenac, le privilége exclusif de la traite dans la partie supérieure du Canada. Ce monopole si injudicieusement donné, ameuta contre lui et les marchands et les coureurs de bois. Pendant qu'il était encore sur la rivière des Illinois, les premiers firent saisir tout ce qu'il possédait et avait laissé à leur portée; ils lui firent éprouver par là de grandes pertes en affaiblissant son crédit. De leur côté les derniers indisposaient contre lui les tribus sauvages, et intriguaient auprès de ses propres gens pour les faire déserter et pour faire manquer l'entreprise de leur chef . Ils excitèrent ainsi les Iroquois et les Miâmis à prendre les armes contre les Illinois ses alliés, par des correspondances qu'ils entretenaient chez ces peuples. Rien n'égalait l'activité de ces traitans; ils suivaient la Salle à la piste, ils faisaient une espèce de concurrence sourde à son privilège chez toutes les nations sauvages, et semaient par tous les moyens que l'intérêt peut suggérer, des obstacles à l'accomplissement de ses desseins. A cette opposition intérieure, venaient se joindre les intrigues des colonies anglaises, qui voyaient naturellement d'un mauvais oeil les découvertes et l'esprit d'agrandissement des Français; aussi encouragèrent-elles les Iroquois à fondre sur leurs alliés dans la vallée du Mississipi. Il n'est donc pas surprenant si, ayant à lutter contre une opposition aussi nombreuse et aussi formidable, la Salle n'a pu exécuter qu'une partie d'un plan qui était d'ailleurs au-dessus des forces d'un simple individu, et s'il a à la fin entièrement succombé.

Cependant Tonti qu'il avait été chargé de la garde du fort de Crèvecoeur, travaillait à s'attacher les Illinois en parcourant leurs bourgades. Ayant appris que les Miâmis voulaient se joindre aux Iroquois pour les attaquer, il se hâta d'enseigner aux nouveaux alliés des Français l'usage des armes à feu pour les mettre sur un pied d'égalité avec ces deux nations qui avaient adopté le fusil. Il leur montra aussi la manière de se fortifier avec des palissades, et érigea sur un rocher de deux cents pieds de hauteur, baigné par une rivière qui coule au pied, un petit fort. Il était ainsi occupé à ces travaux lorsque presque tous les hommes qu'il avait laissés à Crèvecoeur, travaillés par quelques mécontens qui réveillèrent leur ennui et leurs soupçons, pillèrent les munitions et les vivres et désertèrent.

Il n'y avait plus à en douter maintenant, les ennemis de la Salle avaient réussi à armer les cinq nations, qui parurent à l'improviste dans le pays des Illinois dans le mois de septembre (1680), et jetèrent ce peuple mou et faible dans la plus grande frayeur. Cette invasion mettait dans le plus grand danger les Français. Tonti s'empressa d'intervenir, et l'on fit une espèce de paix, que les envahisseurs, voyant la crainte qu'on avait d'eux, ne se firent aucun scrupule de violer; ils commirent des hostilités, déterrèrent les morts, dévastèrent les champs de maïs, etc. Les Illinois, retraitant vers le Mississipi, se dissipèrent peu à peu et laissèrent les Français seuls au milieu de leurs ennemis. Tonti n'ayant avec lui que cinq hommes et deux Récollets, résolut d'abandonner la contrée. Les débris de cette petite colonie partirent sans provisions, dans un méchant canot d'écorce, se reposant sur la chasse et sur la pêche pour vivre en chemin.

Tandis qu'ils descendaient par le côté nord le lac Michigan, la Salle le remontait par le côté sud avec un renfort d'hommes et des agrès pour son brigantin. Il ne trouva en conséquence personne au poste qu'il avait établi sur la rivière des Illinois. Cela lui fit perdre une autre année, qu'il passa en diverses courses: il visita un grand nombre de tribus, entre autres les Outagamis et les Miâmis, qu'il réussit à détacher de l'alliance des cinq nations, qui après le départ de Tonti, avaient à ce qu'il paraît chassé une partie des Illinois au-delà du Mississipi chez les Osages. Il retourna ensuite à Catarocoui et à Montréal pour mettre ordre à ses affaires qui étaient fort dérangées. Il avait fait des pertes considérables . Il réussit cependant à s'entendre avec ses créanciers, auxquels il laissa la liberté du commerce dans les immenses pays qui dépendaient de sa concession du fort de Frontenac, et reçut même d'eux en retour de nouvelles avances pour continuer ses découvertes. Il abandonna le plan trop vaste qu'il avait formé d'établir des forts et des colonies sur divers points de sa route en gagnant la mer. Prévoyant même des embarras, il prit le parti de continuer son voyage dans les esquifs légers et rapides des Indigènes.

Il repartit donc avec Tonti et le P. Mambré, 24 Français et 18 Sauvages aguerris, tant Mahingans ou Loups qu'Abénaquis, les deux peuples les plus braves de l'Amérique, et atteignit le Mississipi le 6 février (1682).

Comme Marquette il s'abandonna au courant du grand fleuve. La douceur du climat et la beauté du pays réveillaient, à mesure qu'il avançait, ses anciennes espérances de fortune et de gloire. Il reconnut les Arkansas et d'autres tribus visitées par Marquette, et il traversa, en approchant de la mer, une foule de nations qui le considéraient avec surprise, entre autres les Chicasaws, les Taensas, les Chactas, et enfin les Natchez rendus si célèbres par les écrits de Chateaubriand. S'étant arrêté plusieurs fois, il ne parvint à l'embouchure du fleuve que vers le 9 avril, qu'il aperçut enfin l'Océan se déployer majestueusement devant lui sous le beau ciel chaud dés régions voisines du tropique. Un cri d'enthousiasme et de triomphe s'échappa de sa bouche! Il avait donc atteint le but de plusieurs années de soucis, de travaux et de dangers, et assuré par sa persévérance une noble conquête à sa patrie. Il prit solennelle-ment possession de la vallée du Mississipi pour la France, et donna le nom de Louisiane à cette contrée en l'honneur de Louis XIV, nom conservé aujourd'hui au riche Etat situé sur le golfe du Mexique, dont la Nouvelle Orléans, fondée par un de nos compatriotes, est la capitale.

Ainsi fut complétée la découverte du Mississipi, qui fut reconnu par les Français depuis le Sault-St.-Antoine jusqu'à la mer, c'est-à-dire pendant l'espace de plus de six cents lieues.

La Salle revint alors sur ses pas, et envoya en France le P. Mambré pour rendre compte des résultats de son voyage au roi. Le franciscain s'embarqua sur le vaisseau qui était venu chercher le comte de Frontenac, et qui fit voile de Québec le 17 novembre. La Salle lui-même resta l'été et l'hiver suivant parmi les Illinois et dans les régions du lac Michigan, pour y former des établissemens et y faire la traite. Mais ayant eu connaissance des mauvaises dispositions du nouveau gouverneur à son égard, il résolut de passer en France pour contrecarrer l'effet des rapports qui y avaient été envoyés relativement à ses courses dans l'Ouest. L'on sait déjà que M. de la Barre avait écrit au ministère que c'était l'imprudence de la Salle qui avait allumé la guerre entre les Français et la confédération iroquoise, et que la colonie pourrait bien être attaquée avant qu'elle fût en état de se défendre; il écrivit encore après la découverte de l'embouchure du Mississipi, que le P. Mambré, qui venait d'arriver à Québec pour passer en Europe, n'avait voulu lui rien communiquer de l'expédition de la Salle; qu'il ne croyait pas qu'on pût ajouter beaucoup de foi à ce que ce religieux en dirait, et que la Salle lui-même paraissait avoir de mauvais desseins; qu'il était avec une vingtaine de vagabonds, français et sauvages, dans le fond de la baie du lac Michigan, où il tranchait du souverain, pillait et rançonnait les gens de sa nation, exposait les peuples aux incursions des Iroquois, et couvrait toutes ses violences du prétexte de la permission qu'il avait du roi de faire seul le commerce dans les pays qu'il pourrait découvrir. Ces représentations sans cesse répétées par la plus haute autorité de la colonie, et qui furent suivies de la mise sous le séquestre des forts de Frontenac et de St.-Louis aux Illinois, tendaient évidemment à mettre la fidélité de la Salle en question. Celui-ci partit de Québec dans le mois de novembre 1683.

C'était à l'époque où Louis XIV au comble de la gloire, et reconnu pour le prince le plus puissant de la chrétienté, ne mettait plus de bornes à son ambition. Vainqueur de l'Europe coalisée, il lui avait dicté des lois à Nimègue en 1678. Tout semblait favoriser les plans de conquête de ce monarque altier. La découverte du Mississipi vint lui donner encore des droits sur un nouveau pays, et flatter d'une autre sorte son amour propre royal, lui qui ambitionnait toutes les gloires. L'on devait donc supposer que, malgré les rapports du gouverneur du Canada, il aurait des égards pour la Salle qui avait si puissamment contribué à lui assurer cette nouvelle acquisition de territoire. Quoique le grand Colbert fût descendu dans la tombe, l'impulsion qu'il avait donnée au commerce, à l'industrie et à la colonisation lui survivait, et le peuple recevait avec un orgueil bien louable la nouvelle des extensions que l'on donnait tous les jours aux possessions françaises dans l'intérieur de l'Amérique. M. de Seignelay, après avoir conféré avec notre voyageur qu'il écouta avec un grand intérêt, vit bien que M. de la Barre avait été induit en erreur. Il ne put rien refuser à celui qui venait de doter la France d'un des plus beaux pays du monde, et lui, aussi bien que le roi, se prêta facilement à la proposition qu'il leur fit d'y établir immédiatement des colonies. La Salle fut sensible à ces marques de bienveillance, qui annonçaient que l'on savait apprécier ses vues et son génie, et il se mit sur le champ en frais d'exécuter une entreprise pour laquelle le gouvernement s'obligea de lui fournir tout ce qui pourrait lui être nécessaire.

CHAPITRE III

LE MASSACRE DE LACHINE

1682-1689.

Cependant, tandis que M. de la Barre écrivait à la cour que rien n'était plus imaginaire que les découvertes de la Salle, et qu'il s'emparait des forts de Frontenac et de St.-Louis appartenant à ce voyageur célèbre, acte de spoliation fort blâmé dans le temps, les affaires ne s'amélioraient pas dans la colonie. Ce gouverneur avait des idées assez libérales en matières d'administration, et c'est qui l'avait fait jeter dans les bras des partisans de la traite libre et des ennemis du monopole. Il est vrai que rien à cette époque n'aurait été plus avantageux pour le Canada, que l'entière liberté du négoce; mais il ne chercha pas même à y faire reconnaître ce principe par la cour, et encore bien moins à le mettre en pratique, à en faire la base du système commercial du pays. Il paraît au contraire, si l'on en croit quelques chroniqueurs, comme l'abbé de Belmont, que l'intérêt privé n'était pas étranger aux motifs de sa conduite, et que non seulement il faisait lui-même le commerce des pelleteries, mais qu'il tirait encore de grands bénéfices de la vente des congés de traite. Quoiqu'il en soit, c'est dans l'exécution qu'il parût que M. de la Barre manquait généralement d'énergie; et s'il avait des vues heureuses, la nature semblait lui refuser les qualités nécessaires pour mener à bonne fin les affaires compliquées et qui demandaient à la fois une exécution prompte et de la décision. Cette inégalité dans la force de son intelligence était encore accrue par l'âge. Les rênes du gouvernement canadien, à l'entrée d'une guerre qu'on s'attendait à voir éclater d'un jour à l'autre, étaient donc tombées dans des mains incapables de porter un si pesant fardeau. L'on va voir bientôt quel fut le fruit de cette faiblesse de l'administration du gouvernement.

M. de la Barre, après avoir passé les affaires du pays en revue, sentit toutes les difficultés de sa position, sur laquelle il ne s'aveugla pas. Suivant un usage de la mère-patrie dans les circonstances critiques, il convoqua une assemblée des notables pour prendre leur avis sur ce qu'il y avait à faire. L'intendant, l'évêque, plusieurs membres du conseil supérieur, les chefs des juridictions subalternes, le supérieur du séminaire et celui des missions, y furent conviés avec les principaux officiers des troupes. Il paraît qu'il n'y fut point appelé de citoyens non liés au gouvernement. Dans le régime du temps, l'on donnait à une pareille réunion un titre qu'elle n'aurait sans doute pas comporté sous un gouvernement libre.

Cette assemblée de notables exposa au gouverneur la situation du Canada dans un rapport qui fut immédiatement envoyé à Paris. Elle disait que la Nouvelle-York voulant attirer à elle tout le commerce des Sauvages, excitait les Iroquois à nous faire la guerre, que l'Angleterre était en conséquence notre première ennemie; que les cinq nations pour n'avoir point à lutter contre plus fort qu'elles, travaillaient à nous détacher nos alliés ou à les détruire les uns après les autres; qu'elles avaient commencé par les Illinois qu'il était très important pour nous d'empêcher de succomber, mais que la chose était difficile, parceque la colonie n'était pas capable de mettre plus de mille hommes sous les armes , et qu'il faudrait encore, pour cela, interrompre une partie des travaux de la campagne; qu'avant de prendre les armes, il fallait avoir des vivres et des munitions de guerre dans le voisinage de l'ennemi, parcequ'il ne s'agissait plus de l'effrayer, comme du temps de M. de Tracy, mais bien de le réduire au point qu'il ne pût plus faire de mal; que le fort de Catarocoui serait très commode pour cela, puisque de ce poste on pouvait, en quarante huit heures, tomber sur le canton des Tsonnonthouans, le plus éloigné de tous, et sur lequel il fallait d'abord porter le premier coup de la guerre. L'assemblée déclara aussi qu'avant de s'engager dans une pareille entreprise, il fallait demander au roi deux ou trois cents soldats, dont une partie serait mise en garnison à Catarocoui et à la Galette (Prescott), pour garder la tête de la colonie, tandis que toutes les forces dont on pouvait maintenant disposer, marcheraient à l'ennemi; et en outre le supplier d'envoyer dans le pays mille ou quinze cents engagés pour cultiver les terres pendant l'absence des habitans partis pour l'armée, et des fonds pour les magasins et pour la construction de trois ou quatre barques sur le lac Ontario, qui seraient affectées au passage des troupes et de leur matériel.

Elle terminait son cahier par appuyer sur la nécessité d'engager le roi à faire cotte dépense, de l'instruire de l'urgence de la guerre, de la véritable situation du Canada et de son insuffisance pour la soutenir seul; et de lui représenter surtout que le défaut des secours de France commençait à nous attirer le mépris des Indiens; que si la confédération iroquoise voyait arriver des troupes françaises, elle n'oserait pas nous attaquer, et que nos alliés s'empresseraient de prendre les armes contre une nation qu'ils redoutent, et dont ils se croiraient assurés de triompher s'ils nous savaient en état de les secourir puissamment.

Le cahier des notables ne contenait rien d'entièrement étranger à la question de la guerre. La demande assez mal motivée de quinze cents colons pour remplacer les habitans partis pour l'armée, resta sans réponse et sans fruit. Et pourtant c'était dans le temps même que les Huguenots sollicitaient comme une faveur la permission d'aller s'établir dans le Nouveau-Monde, où ils promettaient de vivre en paix à l'ombre du drapeau de leur patrie, qu'ils ne pouvaient cesser d'aimer; c'était dans le temps, dis-je, qu'on leur refusait une prière dont la réalisation eût sauvé le Canada, et assuré pour toujours ce beau pays à la France. Mais Colbert avait perdu son influence à la cour, et était mourant. Tant que ce grand homme avait été au timon des affaires, il avait protégé les calvinistes qui ne troublaient plus la France, mais l'enrichissaient. Sa mort arrivée en 1684 les livra entièrement au chancelier Le Tellier et au farouche Louvois. Les dragonades passèrent sur les cantons protestans, terribles pronostics de la révocation de l'édit de Nantes. Le roi montrait avec un secret plaisir, dit un écrivain distingué, sa puissance en humiliant le pape et en écrasant les Huguenots. Il voulait l'unité de l'Eglise et de la France, objet des désirs des grands hommes de l'époque à la tête desquels était Bossuet.

Madame de Maintenon, calviniste convertie, et devenue secrètement son épouse (1685), l'encourageait dans ce dessein, et lui suggéra ce moyen cruel, celui d'arracher les enfans à leurs parens pour les élever dans la foi catholique; ce moyen qu'elle n'eût jamais recommandé sans doute, si elle eût été mère.

Les vexations, les confiscations, les galères, le supplice de la roue, le gibet, tout fut employé inutilement pour les convertir. Les malheureux protestans ne songèrent plus qu'à échapper à la main qui s'appésantissaient sur eux; on eut beau leur défendre de laisser le royaume et punir des galères ceux qui trempaient dans leur évasion, cinq cents mille s'enfuirent en Hollande, en Allemagne, en Angleterre, et dans les colonies américaines de cette nation. Ils y portèrent leurs richesses, leur industrie, et, après une pareille séparation, des ressentimens et une soif de vengeance qui coutèrent cher à leur patrie. Guillaume III chargea plus d'une fois les troupes françaises à la tête de régimens français, et l'on vit des régimens catholiques et huguenots, en se reconnaissant sur le champ de bataille, s'élancer les uns sur les autres à la bayonnette avec cette fureur et cet acharnement que ne montrent point des soldats de deux nations différentes. De quel avantage n'eut pas été une une émigration faite en masse et composée d'hommes riches, éclairés, paisibles, laborieux, comme l'étaient les Huguenots, pour peupler les bords du St.-Laurent, ou les fertiles plaines de l'Ouest? Du moins ils n'auraient pas porté à l'étranger le secret des manufactures de France, et enseigné aux diverses nations à produire des marchandises qu'elles étaient accoutumées d'aller chercher dans les ports de celle-ci. Une funeste politique sacrifia tous ces avantages aux vues exclusives d'un gouvernement armé, par l'alliance du pouvoir spirituel et du pouvoir temporel, d'une autorité qui ne laissait respirer ni la conscience ni l'intelligence. Si vous et les vôtres ne vous êtes convertis avant tel jour, l'autorité du roi se chargera de vous convertir, écrivait Bossuet aux schismatiques. Nous le répétons, sans cette politique, nous ne serions pas, nous Canadiens, réduits à défendre pied à pied contre une mer envahissante, notre langue, nos lois, et notre nationalité? Comment jamais pardonner au fanatisme les angoisses et les souffrances de tout un peuple, dont il a rendu la destinée si douloureuse et si pénible, dont il a compromis si gravement l'avenir.

Louis XIV qui avait des myriades de dragons pour massacrer les protestans, qui perdait par sa faute un demi-million de ses sujets, ce monarque enfin qui dominait sur l'Europe n'eût que deux cents soldats à envoyer à Québec pour protéger une contrée quatre fois plus vaste que la France, une contrée qui embrassait la baie d'Hudson, l'Acadie, le Canada, une grande partie du Maine, du Vermont et de la Nouvelle-York et de toute la vallée du Mississipi. Il écrivit au gouverneur-général au mois d'août 1683, que le roi de la Grande-Bretagne, à qui il avait fait probablement des représentations, avait donné des ordres très précis à son représentant dans la Nouvelle-York, le colonel Dongan, d'entretenir la bonne intelligence avec les Français; et qu'il ne doutait pas que cet agent ne s'y conformât. Mais Dongan, qui avait résolu de partager les avantages de la traite avec les Canadiens, n'eut garde de se conformer aux instructions de sa cour. Il ne cessa point d'exciter secrètement les Iroquois, et il avait gagné à les décider à lever la hache contre les Miâmis et les Outaouais, lorsque la nouvelle en étant parvenue à M. de la Barre, celui-ci leur dépêcha en toute hâte un homme sûr, qui arriva chez les Onnontagués la veille du jour où ils allaient se mettre eu marche.

Cet envoyé fut bien reçu. Les Iroquois, qui n'avaient point intention de tenir leurs promesses, consentirent à tout ce que l'on voulut, et s'obligèrent même à envoyer des députés à Montréal dans le mois de juin suivant; mais dès le mois de mai, huit cents hommes des cantons d'Onnontagué, de Goyogouin et d'Onneyouth tombaient sur les Hurons, les Miâmis et les Outaouais: et l'on eût bientôt après la nouvelle que les autres cantons allaient, de leur côté, lancer leurs bandes sur les habitations canadiennes mêmes. Le gouverneur s'empressa d'informer le roi de l'état des choses. Il lui manda que Dongan se servait de transfuges français pour conduire ses négociations avec les cantons; qu'il fallait se résoudre à abandonner le Canada, ou à faire un effort pour détruire les Tsonnonthouans et les Goyogouins, les plus animés contre nous; et qu'il fallait pour cela lui envoyer 400 hommes de bonne heure le printemps suivant. Tandis qu'il faisait ces instances en France qui respiraient la guerre, ses démarches auprès des Indiens, dont il méconnaissait entièrement le caractère, faisaient supposer qu'il ne redoutait rien tant que la reprise des armes. Il ignorait qu'en recherchant avec trop d'ardeur leur amitié, il ne faisait qu'accroître leur orgueil et s'attirer leur mépris. Les délégués qu'ils devaient envoyer en juin ne paraissant point, il les fit inviter de venir dégager leur parole à Montréal. Ils répondirent, en faisant les surpris, qu'ils ne se rappelaient pas d'avoir donné cette parole; et que si l'on avait quelque chose à leur communiquer, l'on pouvait bien venir les trouver chez eux.

Afin de s'attacher les cantons plus étroitement, la Nouvelle-York leur donnait, par un stratagème commercial bien connu, ses marchandises à perte dans le dessein de ruiner les traitons français, ou de les leur rendre odieux, en disant qu'ils ne cherchaient qu'à les dépouiller de leurs pelleteries. On sut aussi qu'elle les excitait sans cesse à exterminer toutes les tribus avec lesquelles nous faisions quelque négoce; et que tous les cantons se préparaient à faire une guerre à mort au Canada. La cupidité armait tout le monde, et deux nations européennes et hostiles venaient en concurrence commerciale, la pire de toutes, sous les huttes de ces Sauvages. Quelle facilité n'y avait-il pas de mettre en jeu les moyens les moins avouables au milieu de populations plongées dans les ténèbres de l'ignorance? Que de crimes ne pouvait-on pas cacher à la faveur de leur barbarie? Au reste, pour contrebalancer l'influence anglaise d'une manière efficace et permanente, la France n'avait autre chose à faire, qu'à mettre ses marchands en état d'acheter aussi cher et de vendre à aussi bas prix, que leurs adversaires; mais c'est à quoi elle ne songeait pas.

Quoique travaillés par ces motifs intéressés, et excités par les promesses, les louanges, les menaces mêmes de la Nouvelle-York, les Iroquois craignaient beaucoup plus les Français qu'ils ne voulaient le faire paraître, et ils ne pouvaient s'empêcher d'observer à leur égard certaines convenances qui leur étaient inspirées par un reste de respect et de crainte; mais c'était tout. Ils envoyèrent des députés à Montréal pour renouveler leurs protestations d'amitié; l'on ne put rien tirer de plus de cette ambassade. Il était évident qu'ils voulaient seulement, par cette tactique qui présentait un dehors de modération, conserver les apparences et gagner du temps en trompant le gouverneur sur leurs projets. Tout le monde en était convaincu. Les missionnaires et tous ceux qui connaissaient ces Sauvages, l'avertissaient de se tenir sur ses gardes; l'on sut qu'ils s'étaient même approché du fort de Catarocoui pour le surprendre si l'occasion s'en fut présenté; mais rien ne put faire sortir M. de la Barre de ses illusions; il reçut les députés iroquois le mieux qu'il put, leur fit mille caresses et les renvoya comblés de présens. Cette conduite paraît d'autant plus étrange, qu'elle était en contradiction, comme on vient de le dire, avec ce qu'il pensait et avec ce qu'il écrivait en France.

Enfin les Iroquois levèrent le masque. Alors il n'y eut plus qu'un cri dans la colonie contre l'ineptie du gouverneur. Les moins violens disaient hautement que son grand âge le rendait crédule lorsqu'il devait se défier, timide lorsqu'il fallait entreprendre, ombrageux et défiant à l'égard de ceux qui méritaient sa confiance. La reprise seule des armes dans les cantons vint le tirer de sa torpeur et de son inaction. Ils donnèrent le signal en envoyant une armée pour s'emparer du fort de St.-Louis, où M. de Baugy, lieutenant de ses gardes, commandait depuis qu'il avait fait retirer ce poste des mains de la Salle. Cette attaque fut repoussée. M. de la Barre devait, dans les circonstances où il se trouvait, frapper fort et surtout frapper vite, car l'on disait que l'ennemi avait envoyé jusque chez les Sauvages de la Virginie pour renouveler la paix avec eux, afin de n'avoir rien à craindre pour ses derrières, ce qui annonçait une grande résolution de sa part. Le gouverneur jugea avec raison qu'il valait mieux aller porter la guerre chez lui, que de l'attendre dans la colonie; mais ayant reçu peu de secours de France, il voulut engager ses alliés à joindre leurs forces aux siennes. De la Durantaye et de Luth, chargés de cette négociation, eurent beaucoup de peine à décider les tribus des lacs à prendre part à une attaque combinée; ils n'y auraient peut-être pas réussi sans le célèbre voyageur Perrot, dont l'influence sur ces peuples fit triompher les raisons d'ailleurs plausibles qu'on leur présentait. La Durantaye partit pour Niagara avec deux cents Canadiens et cinq cents guerriers, Hurons, Outaouais, Outagamis et autres Indiens du Michigan; il devait y trouver le gouverneur avec les troupes parties de Québec et de Montréal. Mais l'on peut juger du mécontentement de ces différentes peuplades, qui n'avaient marché qu'à contre coeur, lorsque loin de trouver M. de la Barre au rendez-vous, elles apprirent quelques jours après que la paix était faite avec les Iroquois. Elles s'en retournèrent le coeur plein d'un dépit qu'elles ne cachaient guère, quoiqu'on leur assurât que le traité leur était favorable.

On va voir à quelles conditions cette paix fut conclue. Les troupes avaient ordre de s'assembler à Montréal où le gouverneur arriva bientôt; mais au lieu de partir sur le champ pour se rendre à un point donné dans le voisinage du pays à attaquer, et delà, après avoir été joint par ses auxiliaires, fondre sur les ennemis avec toutes ses forces, il s'amusa à envoyer un exprès au colonel Dongan, afin de lui demander de se joindre à lui, ou du moins de ne point traverser son expédition. Il savait bien pourtant que la politique de ce gouverneur était de faire échouer son entreprise, et c'est aussi à quoi il travaillait activement sans s'occuper beaucoup des injonctions contraires du duc de York. Il avait, pour cela, fait offrir aux Iroquois un secours considérable; mais heureusement qu'il voulut y mettre des conditions qui choquèrent l'orgueil de plusieurs des cantons, qui ne voulurent plus l'écouter.

La négociation ainsi rompue avec la Nouvelle-York, ils envoyèrent des ambassadeurs vers M. de la Barre pour traiter de la paix. Ils n'ignoraient pas qu'ils étaient incapables de tenir tête à l'orage, et que si l'armée française était bien conduite, tout leur pays ne fût ravagé. Le gouverneur français n'avait fait cependant que seconder la politique du colonel Dongan en retardant la marche de son armée, à laquelle enfin il donna l'ordre du départ. Cette expédition se composait de 700 Canadiens, 130 soldats et 200 Sauvages, divisés en trois corps; le premier commandé par le baron de Bécancour, le second, par M. d'Orviliers, et le troisième, par Dugué. Cette petite armée quitta Montréal le 26 ou le 27 juillet (1684); elle avait perdu dix ou douze jours dans cette ville pour attendre le résultat de l'ambassade envoyée auprès du gouverneur de la Nouvelle-York; elle perdit encore deux semaines entières à Catarocoui. Après tous ces délais, elle traversa le lac. Toute la colonie murmurait hautement contre M. de la Barre. Cette lenteur devint en effet funeste à l'expédition. Les vivres, par leur mauvaise qualité, remplirent l'armée de maladies, et pour comble de disgrâce manquèrent bientôt; la disette réduisit en peu de jours les troupes campées à l'entrée des cantons à l'état le plus déplorable. Avant même d'avoir vu l'ennemi elles allaient être, faute de provisions, obligées de battre honteusement en retraite. C'est dans cette circonstance critique que les députés de trois des cinq nations arrivèrent, malgré les sollicitations de Dongan qui n'avait réussi à empêcher que les Agniers et les Tsonnonthouans de consentir à la paix. Ils rencontrèrent M. de la Barre à quatre ou cinq lieues au dessous de la rivière Oswégo, dans une anse à laquelle l'on a donné le nom de la *Famine* qu'elle conserve encore, pour commémorer les privations qu'on y avait endurées. Le gouverneur ne put cacher sa joie en voyant arriver ces ambassadeurs, qui comprirent à l'aspect des Français que les rôles étaient changés, et qu'au lieu de solliciter humblement la paix, ils devaient parler en vainqueurs. Ils refusèrent hautement de comprendre les Illinois dans le traité; ils allèrent jusqu'à dire qu'ils ne poseraient point les armes qu'un des deux partis, les Iroquois ou les Illinois, n'eût détruit l'autre. Cette insolence excita l'indignation dans le camp; mais M. de la Barre se contenta d'observer que du moins l'on prit garde qu'en voulant frapper les Illinois la hache ne tombât sur les Français qui demeuraient avec eux, réponse peu noble qui rappelle celle que Pitt fit dans la chambre des communes à l'occasion du désastre de Quiberon; et qui lui attira cette belle exclamation de Fox, célèbre dans l'histoire: «Non, le sang anglais n'a pas coulé; mais l'honneur anglais a coulé par tous les pores».

La paix fut conclue à la seule condition que les Tsonnonthouans indemniseraient les traitans français qu'ils avaient pillés en allant faire la guerre aux Illinois. Le général s'obligea de se retirer dès le lendemain avec son armée. Il partit lui-même sur le champ, après avoir donné ses ordres pour l'exécution de ce dernier article. Ainsi échoua, par la lenteur et la pusillanimité du général, une expédition qui, si elle eût été bien conduite, aurait eu des résultats bien différens; et les cinq nations eurent la gloire de repousser avec mépris les propositions avilissantes des Anglais, et de signer avec le gouverneur du Canada, lorsque son armée était à leurs portes, un traité déshonorant pour les Français.

A peine le gouverneur était-il arrivé à Québec, qu'un renfort de soldats venant de France entra dans le port. Quoique la paix fût faite, ce secours ne fut pas regardé comme inutile, parceque l'on comptait peu sur sa durée, et qu'on la regardait plutôt comme une espèce de trêve que comme un traité définitif. Tout le monde fut d'opinion que l'intérêt de la colonie exigeait impérieusement que l'on défendît à quelque prix que ce fût les Illinois, abandonnés à la vengeance de leurs ennemis par le traité, et qu'il fallait être prêt à la guerre, parce qu'ils pouvaient être attaqués au premier moment. Cette nécessité n'avait pas échappé à la perspicacité des Iroquois eux-mêmes, qui ne crurent pas plus à la conservation de la paix que le Canada. C'est ce qui fut confirmé par deux lettres reçues l'année suivante du P. Lamberville, missionnaire chez les Onnontagués, où il était en grande vénération.

Ce religieux mandait que les Tsonnonthouans n'étaient pas sortis de leur canton de l'hiver pour aller à la chasse, de peur que nous ne le surprissions pendant leur absence, et qu'ils se plaignaient d'avoir été attaqués par les Mascontins et les Miâmis, fiers de notre protection; que les cinq cantons avaient resserré leur alliance entre eux dans l'appréhension d'une rupture, et que les Mahingans leur avaient promis un secours de douze cents hommes, et les Anglais un plus considérable encore avec toutes sortes d'armes et de munitions; qu'ils avaient déjà attaqué les Miâmis; que les Tsonnonthouans refusaient, sous divers prétextes, de livrer les mille peaux de castor, premier terme du paiement de l'indemnité qu'ils devaient aux Français; enfin, qu'ils prétextaient encore plusieurs autres raisons de ne pas descendre à Québec pour prendre avec le gouverneur les mesures que pourrait nécessiter la situation des affaires entre les deux nations.

Il n'y avait que quelques jours que le gouverneur avait entre les mains ces lettres, qui lui démontraient d'une manière si irréfragable la fragilité de la base qu'il avait donnée au traité lorsqu'un successeur lui arriva avec six cents hommes de troupe. La nouvelle de la conclusion de la paix, portée par le retour des vaisseaux qui avaient amené à Québec les renforts dont on a parlé tout à l'heure, avait étonné à Paris; mais les conditions auxquelles elle avait été faite, lorsqu'elles furent connues, surprirent encore bien plus. Quelques tribus sauvages dicter à la nation qui faisait trembler alors l'Europe entière, c'était un événement trop extraordinaire pour ne pas en faire rechercher la cause, qu'on ne fut pas longtemps sans trouver. Il fut résolu de révoquer de suite M. de la Barre; et le marquis de Denonville, colonel de dragons, fut choisi pour le remplacer; mais la saison étant trop avancée, il ne put partir pour le Canada que le printemps suivant. C'était un homme brave de sa personne, plein de piété et distingué par ce sentiment exquis de l'honneur et de la politesse que la noblesse française, encore si grande et si fière, regardait comme un de ses plus beaux attributs. L'on verra cependant que de fausses idées, et une connaissance imparfaite du caractère des relations politiques des Français avec les Indiens, surtout les cantons iroquois, lui firent, malgré cela, commettre des actes qu'aucune justice ne peut excuser. Il ne vint en Canada, comme je viens de le dire, que le printemps suivant. Il resta seulement quelques jours à Québec pour se reposer des fatigues d'une traversée très orageuse, et partit pour Catarocoui où commandait M. d'Orviliers. Il chercha d'abord à convaincre les cinq nations de la sincérité de ses dispositions pacifiques; mais il ne tarda pas à découvrir que, loin de nous craindre, la fierté et l'insolence de ces barbares ne connaissaient plus de bornes, et qu'il fallait les humilier pour les rendre plus traitables. Il écrivit à Paris que les hostilités qu'ils commettaient sur les Illinois étaient un motif suffisant pour leur déclarer la guerre; mais qu'il fallait être prêts comme eux, et qu'ils l'étaient toujours. Chaque jour le persuadait d'avantage qu'on devait se défaire à tout prix de cette nation, ou la réduire à un tel degré de faiblesse qu'elle ne pût plus rien entreprendre; car il était impossible d'espérer de l'avoir jamais pour amie. La même suggestion avait déjà été faite plusieurs fois au roi, et le moment favorable paraissait venu de l'exécuter. L'Angleterre, la seule alliée sur laquelle les cantons pouvaient compter, était à la veille d'une révolution; et les troubles qui la déchiraient déjà, suffisaient pour paralyser son action en Amérique et l'empêcher de donner aucun secours. Des forces mues par un chef habile, jetées au milieu des Iroquois, devaient en deux ans anéantir leur puissance et les obliger même à chercher une autre patrie.

Mais tandis que tout le monde indiquait le remède à apporter au mal, il ne se trouvait personne capable de l'appliquer, et d'exécuter un projet qui demandait par-dessus tout de l'énergie et de la promptitude.

Pendant qu'on passait son temps à faire des suggestions, et à parler au lieu d'agir, les traitans anglais, attirés à Niagara et jusqu'à Michilimackinac, travaillaient avec ardeur à détacher des Français les Sauvages de ces contrées. Le marquis de Denonville, pour exclure ces traitans, et maîtriser les Iroquois, proposa en 1686 au ministère de bâtir un fort en pierre à Niagara, capable de contenir quatre à cinq cents hommes. Ce fort à la tête du lac Ontario, avec celui de Frontenac au pied, en face des cinq nations, devait rendre le Canada maître des lacs en temps de guerre comme en temps de paix, et placer les Iroquois à sa discrétion pour la chasse et la traite qu'ils faisaient au nord du St.-Laurent, leur propre pays étant épuisé de gibier. Cette exclusion aurait entraîné une perte de quatre cent mille francs pour la Nouvelle-York tous les ans. Quoique ce projet fût ajourné, le colonel Dongan n'en fut pas plutôt instruit qu'il protesta contre les grands approvisionnemens que l'on faisait à catarocoui, et contre la construction d'un fort à Niagara qu'il prétendait être dans les limites de la Nouvelle-York. Le gouverneur français répondit à toutes ces protestations, et observa, quant au dernier point, que l'Angleterre était mal fondée dans ses prétentions sur les terres des cinq cantons, et qu'on devait savoir que les

Français en avaient pris possession même avant qu'il y eût des Anglais dans la Nouvelle-York, ce qui était vrai.

Le colonel Dongan n'en resta pas là; il convoqua une assemblée des députés de toute la confédération iroquoise à Albany, dans laquelle, après leur avoir dit que les Français se préparaient à leur faire la guerre, il les engagea à les attaquer sur le champ et à l'improviste, eux et leurs alliés qui seraient facilement vaincus n'étant point sur leurs gardes, et qu'à tout événement il ne les abandonnerait pas. Le P. Lamberville, qui était chez les Onnontagués, fut instruit de cette délibération; il se mit aussitôt en frais de combattre les suggestions de l'Anglais dans cette tribu, et cela avec assez de succès; et après avoir eu parole des chefs de ne consentir à aucune hostilité pendant son absence, il alla faire part de tout ce qu'il savait au marquis de Denonville. Dongan, informé de son départ, en devina le motif et pressa les cantons de prendre les armes. Il voulut aussi armer les Iroquois chrétiens du Sault-St.-Louis et du lac des Deux-Montagnes, et se faire remettre le P. Jacques, frère du P. Lamberville, qui était resté en otage dans le canton d'Onnontagué; mais il ne réussit dans aucune de ces tentatives. Dongan faisait alors en petit ce qu'on a vu faire depuis en grand à Pitt en Europe, il cherchait partout des ennemis à la France, ne pouvant la vaincre seul.

À la suite de l'entrevue d'Albany les cantons avaient attaqué les Outaouais dans l'anse de *Sanguinam*, sur le lac Huron, où ils faisaient la chasse; et les traitans anglais s'étant présentés au poste même de Michilimackinac pendant l'absence de M. de la Durantaye qui y commandait, avaient publié qu'ils donneraient leurs marchandises à bien meilleur marché que les Français. Le gouverneur à cette nouvelle se décida d'attaquer sans délai les Tsonnonthouans, entremetteurs de toutes ces menées, et les plus mal disposés des cinq cantons contre nous.

Afin de tromper cette tribu sur les préparatifs que l'on faisait pour l'attaquer, le P. Lamberville fut renvoyé chez les Onnontagués avec des présens pour les chefs qu'il pourrait conserver dans l'intérêt des Français. La présence de ce missionnaire vénéré, qui ignorait et les projets du gouverneur et le rôle qu'il lui faisait jouer, dissipa tous les soupçons que les avertissemens de Dongan leur avait inspirés; ils rappelèrent même les guerriers qu'ils avaient envoyés en course à la sollicitation de celui-ci. Dans le même temps les agens français s'efforçaient de reconquérir la bonne amitié des tribus des lacs, ébranlées par les intrigues de la Nouvelle-York. L'été de 1686 se passa ainsi en préparatifs pour la guerre et en négociations pour la paix. Les Iroquois ne pouvant rester longtemps tranquilles recommencèrent leurs courses; leurs bandes attaquèrent les alliés de la colonie, ce qui facilita les démarches que l'on faisait auprès des Miâmis, des Hurons et des Outaouais pour les engager, eux aussi, à reprendre les armes. Les cinq cantons n'ont en vue, écrivait le marquis de Denonville dans sa lettre du 8 novembre à M. de Seignelay, «que de détruire les autres Sauvages pour venir ensuite à nous. Le colonel Dongan caresse beaucoup nos déserteurs, dont il tire de grands services, et je suis moi-même obligé de les ménager jusqu'à ce que je sois en état de les châtier. J'apprends que les cinq cantons font un gros parti contre les Miâmis, et les Sauvages de la baie: ils ont ruiné un village de ceux-ci; mais les chasseurs ont couru sur eux et les ont bien battus; ils veulent avoir leur revanche. Ils ont fait depuis peu un grand carnage des Illinois, ils ne gardent plus aucune mesure avec nous, et ils pillent nos canots partout où ils les trouvent».

Les commandans des forts Michilimackinac et du Détroit avaient reçu ordre de mettre ces postes en état de défense, et d'y faire des amas de provisions pour la campagne de l'année suivante. Ils devaient descendre à Niagara avec les Canadiens et les Sauvages dont ils pourraient disposer. Tous ces ordres furent exécutés avec le plus grand secret.

Les renforts demandés par le gouverneur arrivèrent de France de bonne heure dans le printemps de 1687: c'était 800 hommes de mauvaises recrues commandés par le chevalier de Vaudreuil, maréchal des logis des mousquetaires, qui s'était distingué à la prise de Valenciennes (1677), et dont plusieurs descendans ont depuis gouverné la colonie. Une partie monta immédiatement à Montréal pour servir dans le corps qui se rassemblait dans l'île de Ste.-Hélène, sous les ordres de M. de Callières. Cette petite armée se trouva bientôt composée de 832 nommes de troupes réglées, d'environ 1000 Canadiens et de 300 Sauvages. «Avec cette supériorité de forces, Denonville eut pourtant la malheureuse idée de commencer les hostilités par un acte qui déshonora le nom français chez les

Sauvages, ce nom que, malgré leur plus grande fureur, ils avaient toujours craint et respecté.» Peut-être crut-il aussi par ce procédé frapper les Iroquois de terreur. Quoiqu'il en soit, en envoyant, l'automne précédent, le P. Lamberville dans les cantons, il l'avait chargé d'inviter les chefs de ces tribus à se rendre au printemps à Catarocoui, afin de le rencontrer pour terminer leurs différends dans une conférence. Ces Sauvages, qui avaient une confiance sans borne dans leur missionnaire, le crurent; mais à peine eurent-ils mis le pied en Canada, qu'ils furent saisis, garrottés et envoyés en France pour servir sur les galères.

La nouvelle de cette trahison, désapprouvée hautement dans toute la province, poussa au comble de la fureur les Iroquois, qui ne songèrent plus qu'à en tirer une vengeance dont on se souviendrait longtemps. L'on trembla pour le P. Lamberville instrument innocent de cette action. Les anciens d'Onnontagué le firent appeler.--«Tout nous autorise à te traiter en ennemi, lui dirent-ils, mais nous ne pouvons nous y résoudre. Nous te connaissons trop, ton coeur n'a point eu de part à l'insulte qu'on nous a faite. Nous ne sommes pas assez injustes pour te punir d'un crime que tu détestes autant que nous et dont tu n'as été que l'instrument innocent. Mais il faut que tu nous quittes. Tout le monde ne te rendrait peut-être pas justice ici. Quand la jeunesse aura entonné le chant de guerre, elle ne verra plus en toi qu'un perfide qui a livré nos chefs à un rude et indigne esclavage; elle n'écoutera plus que sa fureur à laquelle nous ne serions plus les maîtres de te soustraire.» Après ce discours dont la simplicité n'est égalée que par la grandeur et la noblesse du sentiment qui l'inspire, ces Sauvages donnèrent au missionnaire des conducteurs qui prirent par des routes détournées, et ne le quittèrent qu'après l'avoir mis hors de danger. Un autre Jésuite, le P. Millet, qui se trouvait aussi alors dans les cantons, fut adopté par une femme qui l'arracha de cette manière au supplice du feu.

Le roi de France, dès que cette nouvelle lui parvint, s'empressa de désavouer la conduite du gouverneur, que semblait autoriser cependant une lettre que ce monarque avait fait adresser à M. de la Barre, dans laquelle il lui ordonnait d'envoyer les prisonniers iroquois aux galères, les regardant comme des sujets révoltés. Mais l'on n'avait point suivi ces injonctions dans le temps; et dans le cas actuel, loin de s'y être conformé, l'on s'était emparé des chefs de cette nation par un guet-apens odieux; l'on avait violé dans leurs personnes le caractère sacré et inviolable d'ambassadeurs. L'on s'empressa donc de les renvoyer en Canada pour détruire les funestes effets de cette perfidie, tant par rapport à la religion, que par rapport à la guerre; car, comme dit très bien Charlevoix, il devenait plus difficile de subjuguer entièrement une nation, qu'un coup d'un si grand éclat devait nous rendre irréconciliable et porter aux plus grands excès de fureur; et des deux côtés l'on courut aux armes.

L'armée campée dans l'île de Ste.-Hélène se mit en marche le onze de juin sur quatre cents berges ou canots. M. Denonville en avait pris le commandement. Les Canadiens, divisés en quatre bataillons, étaient sous les ordres immédiats de Dugué, Berthier, Verchères et Longueuil. Le nouvel intendant, M. de Champigny, qui avait succédé à M. de Meules, accompagna l'armée, qui débarqua le dix juillet à la rivière aux Sables sur le bord du lac Ontario, au centre des ennemis, où elle se forma un camp palissadé. Le même jour, elle fut rejointe par la Durantaye, Tonti et de Luth, qui amenaient environ 600 hommes de renfort du Détroit, et une soixantaine de prisonniers anglais que le premier avait faits sur le lac Huron, où ils les avaient rencontrés s'en allant traiter à Michilimackinac, en contravention au traité conclu entre les deux couronnes .

L'armée s'ébranla le 12 vers le soir pour aller chercher les ennemis. M. de Callières commandait l'avant-garde. Il fit une chaleur excessive le lendemain; et le soldat eut à souffrir beaucoup de la soif. Le pays où elle s'avançait est montagneux et entrecoupé de ravines et de marais, et favorable par conséquent aux ambuscades; il fallait marcher avec une grande circonspection. Les Iroquois furent informés de l'arrivée des Français par deux Sauvages qui avaient déserté dans la nuit de leur camp à la rivière aux Sables, et donné l'alarme aux Tsonnonthouans, qui, sur ce premier avis, brûlèrent leur village et prirent la fuite; mais le premier moment de frayeur passé, ils résolurent de profiter des avantages du terrain. Ils placèrent trois cents hommes dans un ruisseau coulant entre deux collines boisées, en avant de leur bourgade, et cinq cents autres dans un marais couvert de broussailles épaisses qui était au pied à quelque distance, et dans cette position ils attendirent les Français.

Ceux-ci se fiant à certains indices trompeurs, semés sur leur route exprès par l'ennemi, précipitaient leur marche dans un vallon étroit et rempli d'arbres touffus, croyant le surprendre tranquille dans sa bourgade, quand leur avant-garde, très-éloignée du corps de bataille, arriva près du ruisseau. Les Iroquois qui y étaient cachés, avaient reçu ordre de laisser passer toute l'armée française et de l'assaillir par derrière; cette brusque attaque devait la jeter dans la seconde et principale ambuscade dans le marais. Heureusement que ces barbares prirent cette avant-garde pour l'armée entière, et croyant en avoir bon marché comme elle était presque toute composée d'Indiens, ils poussèrent leur cri et firent feu. A cette attaque inattendue par des hommes qu'ils ne voyaient pas, la plupart des Sauvages alliés lâchèrent le pied et le désordre se communiqua, dans le premier moment de surprise, aux troupes du corps de l'armée, composées d'hommes qui n'étaient pas accoutumés à combattre dans les bois. Mais les Sauvages chrétiens et les Abénaquis tinrent fermes; et Dugué à la tête de quelques uns des bataillons de milice rétablit le combat. Les ennemis entendant alors les tambours battre la charge, l'épouvante s'empara d'eux à leur tour, et ils abandonnèrent leur position et s'enfuirent vers ceux qui étaient embusqués dans le marais, et qui, atteints aussi d'une terreur panique, disparurent en un clin d'oeil, laissant derrière eux leurs couvertes et des armes. La perte fut peu considérable du côté des Français; les les Iroquois eurent quarante cinq tués et une soixantaine de blessés. L'on coucha sur le champ de bataille crainte de nouvelle surprise.

Le 14, l'armée parvint à la bourgade incendiée sur la cime d'une petite montagne, qui paraissait de loin couronnée de nombreuses tours qui se dessinaient sur le ciel d'une manière pittoresque; c'étaient des greniers dans lesquels il y avait encore une grande quantité de blé qu'on n'avait pas eu le tems de brûler, besogne dont le vainqueur s'acquitta pour eux. Du reste, il n'y avait rien d'entier dans le village que le cimetière et les tombeaux. L'on pénétra ensuite plus avant dans le pays, que l'on ravagea pendant dix jours. L'on brûla 3 à 400 mille minots de maïs, et l'on tua un nombre prodigieux d'animaux. On n'y rencontra pas une âme. Toute la population se retirait chez les Goyogouins, ou passait au delà des montagnes dans la Virginie. Un grand nombre de personnes périrent de misère dans les bois. Ce désastre réduisit de moitié la nation des Tsonnonthouans, et humilia profondément l'orgueilleuse confédération dont elle faisait partie.

Cependant au lieu de marcher contre les autres cantons, comme tout le monde s'y attendait, surtout les Sauvages alliés, et d'anéantir la puissance des Iroquois tandis qu'ils étaient encore terrifiés, le gouverneur, laissant sa conquête inachevée, se rapprocha de la rivière Niagara, où il fit élever un fort et laissa pour le garder cent hommes sous les ordres du chevalier de Troye. La maladie s'étant mise dans cette petite garnison, elle périt toute entière; de sorte que ce fort ne fût plus bientôt qu'un grand tombeau au milieu d'une forêt.

Les résultats de cette campagne ne furent point du tout proportionnés aux préparatifs qu'on avait faits, ni aux espérances qu'on avait conçues. Un général plus habile eut terminé la guerre avec elle; ses heureux commencemens le faisaient augurer; mais le gouverneur s'arrêta trop longtemps dans le canton conquis lorsqu'il en restait d'autres à vaincre; mais il s'arrêta au milieu de sa conquête pour bâtir un fort inutile à son plan; mais il n'avait, ni l'activité, ni la célérité propres à faire valoir ce premier succès. Tandis qu'il réfléchissait comme si le temps n'eût pas pressé la campagne se trouva finie sans aucun avantage permanent. Comme on l'a déjà dit, le défaut de vigueur a caractérisé tout le cours de l'administration de M. Denonville. Peu de gouverneurs ont tant écrit, tant fait de suggestions que lui, la plupart très sages sur le Canada, et peu l'ont laissé dans un état aussi déplorable lorsqu'on a été obligé de le rappeler. L'administrateur, le gouvernant, doit être essentiellement un homme d'action, s'occupant plutôt à mettre en pratique des moyens possibles et réalisables, qu'à en suggérer sans cesse de toutes sortes, sans se donner le temps d'en faire l'application.

La retraite des Français fut le signal des invasions des Iroquois, sanglantes représailles qui répandirent un juste effroi dans toute la colonie. La rage dans le coeur, ces barbares portèrent le fer et le feu dans tout le Canada occidental. Le colonel Dongan les animait avec art. Il promit de les soutenir, mais il y mit pour condition qu'ils ne devaient pas aller à Catarocoui, ni recevoir de missionnaires français. Il offrit des Jésuites anglais aux Iroquois du Sault-St.-Louis, et leur promit, s'ils voulaient se rapprocher de lui, de leur donner un territoire plus avantageux que celui qu'ils occupaient. Il voulut aussi se porter médiateur entre les parties belligérantes, et à cet effet il fit des propositions, au nom des cantons, qu'il savait bien que les Français rejetteraient. Il alla jusqu'à dire au P. Le Vaillant de Guesles, qu'ils ne devaient point espérer de paix qu'à ces quatre conditions: 1°. qu'on ferait revenir de France les Sauvages qu'on y avait envoyés pour servir sur les galères, 2°. qu'on obligerait les Iroquois chrétiens du Saul-St.-Louis et de la Montagne à retourner dans les cantons, 3°. qu'on raserait les forts de Niagara et de Catarocoui, 4°. qu'on restituerait aux Tsonnonthouans tout ce qu'on avait enlevé dans leurs villages. Il invita ensuite les anciens des cantons de le rencontrer, et leur dit que le gouverneur français demandait la paix; il leur expliqua les conditions qu'il exigeait, et ajouta; «Je souhaite que vous mettiez bas la hache, mais je ne veux point que vous l'enterriez, contentez vous de la cacher sous l'herbe. Le roi mon maître m'a défendu de vous fournir des armes si vous continuez la guerre; mais si les Français refusent mes conditions, vous ne manquerez de rien. Je vous fournirai de tout plutôt à mes dépens, que de vous abandonner dans une aussi juste cause. Tenez vous sur vos gardes de peur de quelque nouvelle trahison de la part de l'ennemi, et faites secrètement vos préparatifs pour fondre sur lui par le lac Champlain et par Catarocoui quand vous serez obligé de recommencer la guerre.

Les Indiens des lacs s'étaient de leur côté beaucoup refroidis pour les Français; les Hurons de Michilimackinac surtout entretenaient des correspondances secrètes avec les cantons, quoiqu'ils se fussent battus contre eux dans la dernière campagne. Ces nouvelles jointes à l'épidémie qui éclata dans le Canada après le retour de l'armée, et qui y causa de si grands ravages, firent abandonner au gouverneur le projet de porter une seconde fois la guerre chez les Iroquois, dont les bandes avaient déjà insulté le fort de Frontenac, et celui de Chambly qui, assiégé tout à coup par les Agniers et les Mahingans, n'avait dû son salut qu'à la promptitude avec laquelle les habitans étaient accourus à son secours. Cela n'était que les signes avant-coureurs des terribles irruptions des années suivantes.

Le tableau que le gouverneur fait de cette lutte indienne , peint vivement la situation de nos ancêtres, les dangers qu'ils ont courus et le courage avec lequel ils les bravaient. «Les Sauvages, dit-il, sont comme des bêtes farouches répandues dans une vaste forêt, d'où ils ravagent tous les pays circonvoisins. On s'assemble pour leur donner la chasse, on s'informe où est leur retraite, et elle est partout; il faut les attendre à l'affut, et on les attend longtemps. On ne peut aller les chercher qu'avec des chiens de chasse, et les Sauvages sont les seuls lévriers dont on puisse se servir pour cela; mais ils nous manquent, et le peu que nous en avons ne sont pas gens sur lesquels on puisse compter; ils craignent d'approcher l'ennemi, et ont peur de l'irriter. Le parti qu'on a pris, a été de bâtir des forts dans chaque seigneurie, pour y réfugier les peuples et les bestiaux; avec cela les terres labourables sont écartées les unes des autres, et tellement environnées de bois, qu'à chaque champ il faudrait un corps de troupes pour soutenir tes travailleurs».

L'hiver (1687-8) se passa en allées et venues et en conférences inutiles pour la paix, qui se prolongèrent dans l'été. Les cantons envoyèrent des députés à Montréal, qui furent escortés jusqu'au lac St.-François par douze cents guerriers de la confédération. Une escorte aussi redoutable porta l'épouvante dans l'île de Montréal, et semblait autoriser la hauteur avec laquelle ils parlèrent au gouverneur. Cependant, contre toute attente, on crut un instant que la paix allait se faire; les députés d'Onnontagué, d'Onneyouth et de Goyogouin acceptèrent les conditions que Denonville leur proposa: 1°. que tous ses alliés y seraient compris, 2°. que les cantons d'Agnier et de Tsounonthouan lui enverraient aussi des députés pour signer la paix, 3°. que toute hostilité cesserait de part et d'autre, 4°. qu'il pourrait en toute liberté ravitailler le fort de Catarocoui. Une trêve fut conclue sur le champ. Cinq Iroquois restèrent en otages jusqu'à la fin de la négociation. Pendant que ces conférences avaient lieu, diverses troupes de barbares erraient sur différens points du pays et commettaient des assassinats et des brigandages; mais elles disparurent insensiblement de la colonie.

Tous les alliés du Canada ne voyaient pas cependant cette paix du même oeil. Les Abénaquis firent une irruption dans le canton des Agniers et jusque dans les habitations anglaises où ils levèrent des chevelures. Les Iroquois du Sault et de la Montagne les imitèrent; mais les Hurons de Michilimackinac que l'on avait cru opposés à la guerre, furent ceux-là même qui mirent le plus d'obstacles à la paix et qui la traversèrent avec le plus de succès.

Pendant qu'on négociait, un Machiavel né dans les forêts, dit l'auteur de l'histoire philosophique des deux Indes, Kondiaronk, nommé le Rat par les Français, qui était le Sauvage le plus intrépide, le plus ferme, et du plus grand génie, qu'on ait jamais trouvé dans l'Amérique septentrionale, arriva au fort de Frontenac avec une troupe choisie de Hurons, résolu de faire des actions éclatantes et dignes de la réputation qu'il avait acquise. Le gouverneur ne l'avait gagné qu'avec peine; car il avait été d'abord contre nous, on lui dit qu'un traité était entamé et fort avancé, que les députés des Iroquois étaient en chemin pour le conclure à Montréal, et qu'ainsi il désobligerait le gouverneur français s'il continuait les hostilités.

Le Rat étonné, se posséda néanmoins, et quoiqu'il crût qu'on sacrifiait sa nation et les alliés, il ne lui échappa point une seule plainte. Mais il était vivement offensé de ce que les Français faisaient la paix sans consulter leurs alliés, et il se promit de punir cet orgueil outrageant. Il dressa une ambuscade aux députés des diverses nations indiennes disposées à traiter; les uns furent tués, les autres faits prisonniers. Il se vanta après ce coup d'avoir tué la paix. Quand ces derniers lui dirent le sujet de leur voyage, il fit semblant de montrer le plus grand étonnement, et leur assura que c'était Denonville qui l'avait envoyé à l'anse de la Famine pour les surprendre. Poussant la feinte jusqu'au bout, il les relâcha tous sur le champ, excepté un seul qu'il garda pour remplacer un de ses Hurons tués dans l'attaque. Il se rendit ensuite avec la plus grande diligence à Michilimackinac, où il fit présent de son prisonnier au commandant, M. de la Durantaye, qui ne sachant pas qu'on traitait avec les Iroquois, fit passer ce malheureux Sauvage par les armes. L'Iroquois protesta en vain qu'il était ambassadeur, le Rat fit croire à tout le monde que la crainte de la mort lui avait dérangé l'esprit. Dès qu'il eût été exécuté, le Rat fit venir un vieux Iroquois, depuis longtemps captif dans sa tribu, et lui donna la liberté pour aller apprendre à ses compatriotes, que tandis que les Français amusaient leurs ennemis par des négociations, ils continuaient à faire des prisonniers et les massacraient. Cet artifice, d'une politique vraiment diabolique, réussit au gré de son auteur; car quoi qu'on parût avoir détrompé les Iroquois sur cette prétendue perfidie du gouverneur, ils ne furent pas fâchés d'avoir un prétexte pour recommencer la guerre. Les plus sages cependant qui voulaient la tranquillité, avaient gagné à faire envoyer de nouveaux députés en Canada, mais comme ils allaient partir, un exprès du chevalier Andros, qui avait remplacé le colonel Dongan dans le gouvernement de la Nouvelle-York, arriva et défendit aux Iroquois de traiter avec les Français sans la participation de son maître. Il leur dit que le roi de la Grande Bretagne les prenait sous sa protection.

Ce gouverneur qui avait embrassé en tout la politique de son prédécesseur, relativement aux Iroquois, écrivit en même temps au marquis de Denonville, que ces Indiens dépendaient de la couronne d'Angleterre, et qu'il ne leur permettrait de traiter qu'aux conditions proposées par le colonel Dongan. Toutes les espérances de paix s'évanouirent alors, et la guerre recommença avec acharnement. Elle fut d'autant plus durable que l'Angleterre, après sa rupture avec la France arrivée à peu près vers ce temps-ci, à l'occasion du détrônement de Jacques II, se trouva naturellement et ouvertement l'alliée des cantons.

Tandis que le chevalier Andros se donnait pour le maître et le protecteur des nations iroquoises, il cherchait à détacher les Abénaquis de l'alliance de la France; mais ce peuple s'exposa plutôt aux plus grands périls que d'abandonner la nation qui lui avait communiqué les lumières de l'Evangile; il forma toujours du côté de l'est une barrière qui ne put jamais être franchie par toutes les forces de la Nouvelle-Angleterre, qu'il attaqua au contraire peu de temps après, et qu'il força par ses irruptions à solliciter le secours des Iroquois, secours néanmoins qui lui fut refusé dans les conférences tenues à ce sujet, en septembre 1689 à Albany, entre les commissaires de Massachusetts, Plymouth et Connecticut et les envoyés des cinq nations.

La déclaration d'Andros et la conduite des Iroquois, tout en remplissant la colonie d'appréhensions sinistres relativement à ces derniers, dont on avait raison de craindre les brigandages et la barbarie, inspirèrent un de ces projets, fruit de l'énergie que donne à un peuple une situation désespérée; c'était de se jeter sur les colonies anglaises, et d'attaquer le mal dans sa racine. Le chevalier de Callières, après avoir communiqué un plan pour la conquête de la Nouvelle-York au marquis de Denonville, passa en France pour le proposer au roi, comme l'unique moyen de prévenir l'entière destruction du Canada.

Il exposa à ce monarque que l'histoire du passé devait convaincre que la Nouvelle-York soutiendrait toujours les prétentions des cantons, et que ceux-ci ne feraient par conséquent jamais de paix solide avec les Français tant qu'ils auraient cet appui; que le seul moyen de conserver le Canada, c'était de s'emparer de cette province. Qu'on me donne, disait-il, treize cents soldats et trois cents Canadiens, j'y pénétrerai par le lac Champlain. Orange (Albany) n'a qu'une enceinte de pieux, non terrassée, et un petit fort à quatre bastions où il n'y a que 150 soldats; cette ville contient trois cents habitans. Manhatte (New-York) en a quatre cents divisés en huit compagnies, moitié cavalerie et moitié infanterie. Elle n'a qu'un fort de pierre avec du canon. Cette conquête rendrait maître d'un des plus beaux ports de l'Amérique ouvert en toutes saisons, et d'un pays fertile jouissant d'un climat superbe. Le roi approuva ce projet; mais il voulut en confier l'exécution à un autre qu'au marquis de Denonville, que sa campagne chez les Tsonnonthouans avait fait juger, et dont la conduite depuis avait déterminé le rappel. Il était temps en effet que l'on mît dans des mains plus habiles les rênes du gouvernement canadien abandonnées à des administrateurs décrépits et incapables depuis le départ de M. de Frontenac: une plus longue persistance dans la politique des deux derniers gouverneurs pouvait compromettre d'une manière irréparable l'avenir de la colonie.

Les derniers jours de l'administration de M. Denonville furent marqués par des désastres inouïs, et qui font de cette époque une des plus funestes des premiers temps du Canada.

Contre toute attente, depuis plusieurs mois le pays jouissait d'une tranquillité profonde, que des bruits sourds qui circulaient ne purent troubler, quoiqu'on se prît quelquefois à s'étonner de ce calme dans lequel, sans la lassitude générale, l'on aurait pu voir quelque chose de sinistre. L'on dormait sur la croyance que la paix ne serait pas interrompue avant que des indices certains annonçassent le péril. D'ailleurs l'esprit s'était familiarisé depuis longtemps avec les irruptions passagères des Indiens; et comme le marin qui, insoucieux de la tempête, s'endort tranquillement sur l'élément perfide sur lequel il a passé sa vie, les premiers colons du Canada s'étaient accoutumés aux dangers que présentait le voisinage des barbares, et ils vivaient presque dans l'oubli de la mort qui pouvait fondre sur eux à l'instant qu'ils y penseraient le moins.

L'on était rendu au 24 août, et rien n'annonçait qu'il dût se passer d'événement extraordinaire, quand soudainement 1400 Iroquois traversent le lac St.-Louis dans la nuit, au milieu d'une tempête de pluie et de grêle qui favorise leur dessein, et débarquent en silence sur la partie supérieure de l'île de Montréal. Avant le jour, ils sont déjà placés par pelotons, en sentinelles à toutes les maisons sur un espace que des auteurs portent à sept lieues. Tous tes habitans y étaient plongés dans le sommeil, sommeil éternel pour un grand nombre. Les barbares n'attendent plus que le signal qui est enfin donné. Alors s'élève un effroyable cri de mort; les maisons sont défoncées et le massacre commence partout; on égorge hommes, femmes et enfans; et l'on met le feu aux maisons de ceux qui résistent afin de les forcer à sortir, et ils tombent entre les mains des Sauvages qui essayent sur eux tout ce que la fureur peut inspirer. Ils déchirent le sein des femmes enceintes pour en arracher le fruit qu'elles portent; ils mettent des enfans tout vivans à la broche et forcent leurs mères à les tourner pour les faire rôtir. Ils s'épuisent pendant de longues journées à inventer des supplices. Quatre cents personnes de tout âge et de tout sexe périrent ainsi sur la place, ou sur le bûcher dans les cantons où on les emmena. L'île fut inondée de sang, et ravagée jusqu'aux portes de la ville de Montréal.

La nouvelle de ce tragique événement, qui a fait donner à 1689 le nom funèbre de l'année du massacre, jeta le pays dans la plus grande consternation. Le gouverneur qui était à Montréal avait donné ordre au premier bruit de ce qui se passait, à quarante hommes commandés par LaRobeyre, lieutenant réformé, de se jeter dans un petit fort, qu'il craignait de voir tomber aux mains de l'ennemi; à peine y étaient-ils rendus, qu'ils furent attaqués, et ces braves en combattant avec le courage du désespoir périrent tous excepté leur chef qui tomba vivant, mais blessé, au pouvoir des indiens, qui se répandirent ensuite comme un torrent dans toutes les parties de l'île, laissant partout des traces sanglantes de leur férocité. Ils restèrent maîtres de la campagne jusque vers la mi-octobre qu'ils disparurent.

Alors le gouverneur envoya de Luth et de Mantet à la découverte pour s'assurer de la retraite de l'ennemi, afin de donner du repos aux troupes qui depuis deux mois étaient jour et nuit sous les armes. Ils rencontrèrent dans le lac des Deux-Montagnes vingt deux Iroquois. Les Canadiens étaient à peu près le même nombre dans deux canots; ils essuyèrent le feu de l'ennemi, puis sur l'ordre de de Luth, ils l'abordèrent et chacun prenant son homme, dix huit ennemis tombèrent à la première décharge. L'on goûta après cette escarmouche d'un peu plus de tranquillité.

Quoiqu'il soit difficile de se mettre en garde contre les irruptions soudaines des Sauvages dans un vaste pays couvert encore en grande partie de forêts; et qu'on ait dit aussi que la catastrophe dont nous venons de parler, ne pouvait être attribuée à la faute da marquis de Denonville, l'on ne peut s'empêcher néanmoins de se demander comment il se fait qu'il n'ait pu prévoir une invasion de la part d'un ennemi dont les surprises étaient plus à craindre que la bravoure dans le combat; et comment surtout a-t-il pu se trouver sans moyens efficaces pour l'arrêter lorsqu'elle a eu lieu. En général l'insuccès en matières militaires et gouvernementales est déjà une forte présomption d'incapacité; et dans le cas actuel l'on doit être forcé d'avouer, que si quinze cents barbares se sont promenés en vainqueurs au milieu de la colonie pendant deux mois, c'est que l'on n'avait pas pourvu à l'organisation de sa défense.

C'est pendant que le Canada déplorait le massacre de Lachine que le comte de Frontenac arriva pour remplacer M. Denonville. Les Canadiens qui connaissaient la capacité de leur ancien gouverneur, osèrent alors, et alors seulement, se livrer à des espérances; ils le reçurent avec des démonstrations de joie extraordinaires. Il débarqua à 8 heures du soir, le 15 octobre, à Québec au bruit du canon et de la mousqueterie, et fut reçu au flambeau par le conseil souverain et par tous les habitans qui étaient sous les armes. Les feux de joie furent accompagnés d'illuminations à toutes les fenêtres des maisons de la ville, il fut complimenté le soir même par tous les corps publics, et surtout par les Jésuites, qui avaient travaillé avec tant d'ardeur quelques années auparavant pour le faire rappeler. Les nobles, les marchands, les habitans, les Sauvages alliés, tous l'attendaient depuis longtemps comme le seul homme qui pût sauver le pays; il fut accueilli de manière à le convaincre qu'il est des temps où le génie triomphe des factions, des haines, des jalousies, et de toutes les mauvaises passions humaines.

L'administration du marquis de Denonville avait duré quatre ans. Il était venu avec une grande réputation de capacité. M. l'évêque de St.-Vallier n'avait pas pour lui assez de louanges; malheureusement l'expérience vint bientôt donner un cruel démenti à tous ces témoignages adulateurs. L'état dans lequel il laissa le Canada sera toujours la mesure de ses talens, d'après laquelle on devra le juger. Il fut presque toujours malheureux dans ses actes; il rechercha sans cesse l'amitié des tribus indiennes, et perdit leur confiance; il fit de grands préparatifs de guerre et se trouva sans soldats au moment du danger. Il manquait de persévérance, de fermeté et de vigueur, et connaissait peu les hommes. On lui reproche aussi de ne s'être pas mis assez au fait des affaires du pays, et d'avoir donné sa confiance à des gens qui ne la méritaient pas, et qui en abusaient pour faire suivre leurs idées ou pour servir leurs intérêts. Sa faiblesse lui attira le mépris des Indiens, et exposa la colonie aux ravages d'une épidémie, par suite de la négligence avec laquelle il avait laissé faire le service des vivres, pendant sa campagne dans les cantons. Quelque soit leur mérite d'ailleurs, la condition du succès chez les gouvernans devrait être la seule admissible pour obtenir les suffrages des peuples, parceque de lui dépend leur sûreté. Tacite raconte que les troupes romaines s'étant laissé battre par les Africains, L. Apronius les fit décimer, punition, dit-il, tombée en désuétude, mais qu'il emprunta à la mémoire des anciens. Qui doute que la puissance de Rome ne soit due en partie à cette condition indispensable, le succès, que ce grand peuple exigeait de ses chefs pour obtenir le droit de lui commander. Malgré ce qu'on peut dire de M. Denonville pour atténuer ses fautes, jugé d'après ce principe, il sera toujours regardé comme un des gouverneurs les plus malheureux du Canada.

La guerre avait été déclarée à l'Angleterre dans le mois de juin; le comte de Frontenac eut ainsi à lutter à la fois et contre les colonies britanniques et contre la confédération iroquoise. L'on verra que son énergie et son habileté triomphèrent de tous les obstacles; que cette guerre fut une des plus glorieuses pour le Canada, si faible en comparaison de ses adversaires, qui en regardaient la conquête comme assurée, et que loin de succomber, il les attaqua bientôt lui-même, et porta la terreur sur toutes leurs frontières et jusque dans le coeur de leurs établissemens les plus reculés.

FIN DU PREMIER VOLUME

Milton Keynes UK
Ingram Content Group UK Ltd.
UKHW050821040923
428018UK00009B/683